コンダクター

神永 学

角川文庫 16295

コンダクター

われわれは何であるかを知るも、その先どうなるかを知らず

ウィリアム・シェイクスピア

「ハムレット」より

コンダクター【conductor】
①管弦楽・吹奏楽・合唱などの指揮者。楽長。
②案内人

目次

主な登場人物

朽木奈緒美…………フルート奏者
結城康文　…………指揮者
玉木和夫　…………ピアノ奏者
真矢秋穂　…………ヴァイオリン奏者、玉木の婚約者
石倉毅　　…………ノンキャリアの警部
新垣　　　…………キャリア採用の警部補、石倉の部下
松崎　　　…………心理カウンセラー

プロローグ

朽木《くちき》奈緒美《なおみ》は、真っ暗な闇の中にいた。

――ここはどこ？

奈緒美の問いかけは、誰の耳に届くこともなく闇に呑《の》まれていった。

――苦しい。

うまく息が吐き出せない。

ぬるぬるとした汗が、身体にまとわりつく。

手探りで出口を見つけようとしたが、指先がすぐに壁に突き当たってしまう。

思うように身体を動かすこともできない。まるで、棺桶《かんおけ》の中に閉じ込められているようだ。

――出して！　お願い！

何度も、壁を拳《こぶし》で叩《たた》いたが、岩のように堅くびくともしない。

――なぜ、私はこんな場所に？

答えを見出《みいだ》せない疑問は、冷たく陰湿な恐怖へと変わり、血液と一緒に身体の中を駆け巡る。

突然、教会の鐘を思わせる、荘厳な響きを持った音が耳に届いた。

一つの音ではない。複数の音が重なり合った和音。

――パイプオルガン？

その音に共鳴するかのように、さっきまで堅く閉ざされていた壁が、積み木を崩すような脆《もろ》さでガラガラと瓦解《がかい》し、光が射し込んできた。

一瞬、目の前が真っ白になる。

何度か目を瞬《しばた》かせ、ようやく目がなれてきた。

おぼろげだった白い世界が、次第に像を結んでいく。

見覚えのある風景だった。

傾斜に沿って、たくさんの椅子が規則正しく並んでいて、十メートルを超える高さの天井には、演奏したときに、振動体としての役割を果たす天然木が、波状に敷き詰められていた。

壁面には五メートル間隔で、共鳴効果を高める巨大なでっぱりが造られている。

オーケストラホールは、演奏する場所というだけでなく、それ自体が巨大な楽器ともいえる。

ここは、五年前まで通っていた音楽大学の大ホールだ。

在学中にオーケストラの一員として、何度もステージに立ったことがある。

千三百人を収容できるホールの客席に、人の姿はなかった。

――なぜ、私はここにいるの？

奈緒美は、疑問の答えを求めてステージに目を向けた。

目の奥がじりっと痛み、ザーッという不快な音とともに、視界がノイズで埋め尽くされる。

奈緒美は、反射的に目を閉じる。

――これは何？

疑問の答えに辿《たど》り着く前に、ノイズが消えた。

奈緒美は呼吸を整えてから、ゆっくりと目蓋《まぶた》を開ける。

ステージに真っ白なスポットライトが当たり、中央に設置されたパイプオルガンが浮かび上がった。

ホールの天井と同じ高さで、横幅も二十メートルを超える。

この世に存在するもっとも巨大な楽器――。

縦に、横に、白銀の様々な長さのパイプを伸ばし、重厚な存在感を放つその佇《たたず》まいは、一つの芸術作品と言っても過言ではない。

ある音楽家は、この楽器のことを「息のしない巨大な怪獣」と評したが、それは決して誇大な表現ではない。

目を凝らすと、パイプオルガンの中心部分の演奏台に座っている人の姿が見えた。

——だれ？

その人物は、ゆっくりと立ち上がり、階段を使い演奏台からステージに降り立つ。

黒いパーカーを着ていて、頭にすっぽりフードを被っている。

逆光で顔の部分は塗り潰《つぶ》したみたいに黒い影になっていて、その顔をうかがうことはできない。

奈緒美は、その人物にひきつけられるようにして、裸足《はだし》のまま中央の通路をステージに向かって歩き始めた。

座席の最前列まできたところで、俯《うつむ》いていた男がゆっくりと顔を上げる。

尖《とが》った顎《あご》先と、薄く、異様に赤い唇だけが見えた。

男は、黒い布に包まれた何かを、胸の前で大事そうに抱えていた。

——それは、何？

疑問に答えるように、その人物は左手で黒い布をはらりと取り去った。

息を呑んだ。

その人物が手にしていたのは、人間の頭蓋骨《ずがいこつ》だった——。

理科室の模型のように、白く磨かれたものではない。

黄色く変色し、ところどころ泥のようなものが付着している。今、まさに土の中から掘り起こしたかのようだった。

――なぜ、そんなものを？

喉《のど》が干上がり、膝《ひざ》が震えた。

その人物は、血のように赤い唇を歪《ゆが》め、白い歯を見せて笑った。

――逃げなきゃ。

少しでもその人物から遠ざかろうと後退《あとずさ》りした。

しかし、さっきまでそこにあったはずの床がなく、奈緒美は深い闇の中に真っ逆さまに転落していく――。

一日目

1

「いつも、そこで目が覚めるんです」

朽木奈緒美は、夢の光景を話し終えるのと同時に、胸につかえていた空気を一気に吐き出した。

夢の中の光景が鮮明に蘇《よみがえ》り、ちりちりと目の奥が痛んだ。

「大丈夫ですか？」

奈緒美に声をかけたのは、心理カウンセラーの松崎《まつざき》だった。

痩身《そうしん》で、欧米人のように真っ直ぐ伸びた鼻筋に、尖った顎。整った顔立ちをしているが、細い目と、薄い唇が一見すると冷たい印象を抱かせる。

「はい。平気です」

奈緒美は、靄《もや》がかかったようになっている意識を、首を左右に振ってはっきりさせてから応《こた》えた。

八畳ほどの広さのこの診療室にいるのは、奈緒美と松崎の二人だけ。

白い壁に囲まれた部屋で、革張りのソファー以外には、ほとんどといっていいほど物が置かれていない。

殺風景な部屋ではあるが、安心できる居心地の良さがあった。

「無理はいけませんよ」

松崎は、革張りのソファーから立ち上がり、壁際にあるウォーターサーバーの水をグラスに注ぎ、差し出して来た。

「ありがとうございます」

奈緒美は、それを受け取り口に含む。

冷たい水が、喉を通っていくのが分かった。

全身の力が抜けたような気がして、ソファーに深く身体を沈める。

「表情が柔らかくなりましたね」

松崎はウォーターサーバーの水を飲み、紙コップをゴミ箱に放り込んだ。

「硬くなってましたか？」

「かわいい笑顔が台無しです」

「そんな……私は……」

面と向かって言われ、思わず頬を赤らめる。

「さて、夢の話に戻りましょう」

松崎が、真顔のまま言うと、ゆっくりとした動作で向かいの椅子に座った。

表情を変えずに喋《しゃべ》るから、聞いている方は本気なのか、冗談なのか判別ができない。

松崎の切れ長の視線に射貫《いぬ》かれ、奈緒美は表情を引き締め頷《うなず》いた。

「その夢は、どれくらいの頻度で見ますか？」

「ほぼ毎日です」

「いつからですか？」

「そこが、はっきりしないんです」

奈緒美自身、何度も夢の原因を探ろうと、夢を見始めた時期を思い返そうとしたことがあるが、霧の濃い森の中を歩いているかのように判然としない。

「ここ最近ですか？　それとも何年も前から？」

「最近のような気もしますし、何年も前からのような気もします」

「そうですか……」

「すみません」

「謝ることではありませんよ」

松崎は、メモをとる手をいったん止め、別の質問を口にした。

「夢の中の人物に、見覚えはないんですね」

「はっきり顔を見ていないので、分かりません。ただ……」

「なんです？」

「懐かしい感じはします」

「懐かしい？」

松崎がペンを顎《あご》にあてがい、首を捻《ひね》った。

その反応も致し方ない。自分でもうまく説明できない。

「私、変なこと言ってますよね。恐怖の対象なのに、懐かしいなんて……」

「いいえ。そんなことはありませんよ。恐怖と懐かしさは、相反する意味ではありませんから」

「そうでしょうか？」

奈緒美は、確固たる根拠もないまま異を唱えた。

「例えば、夢に出て来たのが、朽木さんのよく知っている人物だとすれば、懐かしいと感じますよね」

「そうですね」

奈緒美は、実家にいる母の顔を思い浮かべてから返事をした。

小柄で、サバサバしていて、よく笑う。料理がうまくて、特にぶり大根は絶品だ。

ここ半年くらい会っていない。奈緒美の実家は浜松《はままつ》にある。電車で二時間もあれば帰れるのだが、逆にいつでも帰れるという環境が、足を遠のかせることもある。

「今、お母さんのことを思い浮かべましたね」

不意打ちのようなタイミングで、松崎が言った。

「なんで、分かったんですか？」

「子どもの顔になってました」

「え？」

指摘され、顔に手を当てた。

ここまで洞察力が鋭いと、怖いとさえ思う。どんなに上手にごまかしたとしても、たちどころにその真意を暴き、心を丸裸にしてしまう。

松崎は、仕切り直しをするように、一つ咳払《せきばら》いをしてから話を続けた。

「仮に、朽木さんのお母さんが夢の中に出て来たとしたら……」

「懐かしいと感じます」

「しかし、そのお母さんが、血塗《ちまみ》れのナイフを持っていたとしたら？」

「怖いですね……」

たとえ母親であったとしても、血塗れのナイフを振り翳《かざ》す姿を見て、平気でいられるはずがない。

「話を戻しますが、夢の中の人物に、懐かしいという感情を抱くには、一つ条件があります」

「なんですか？」

「朽木さんが、その人物を知っているということです」

「私の知っている人……」

松崎の言葉を反復しながら、声が掠《かす》れた。

「ええ。どなたか心当たりはありませんか？」

今まで自分にかかわった人を、頭の中で次々と思い浮かべてみるが、頭蓋骨《ずがいこつ》を持ち歩くような人物には思い至らない。

「本当に、私は彼を知っているんでしょうか？」

松崎が、時間が止まったかのように動きを止めた。

「夢の中の人物は、男性なんですね」

松崎が、低いトーンで言った。

「え？」

奈緒美は、驚きで身体を仰《の》け反らせた。

自分自身で認識していないことを断言され、返答に詰まってしまう。

「なぜ、男性だと断言できるんですか？」

しばらくの沈黙の後、奈緒美はようやくそれだけ絞り出した。松崎は、天井を見上げ
「自覚症状がないのか」と呟《つぶや》く。

「どういうことです」

「慌てないでください。さっき、朽木さんが会話の中で『彼』と言ったんです」

「言いました？」

「覚えていませんか？」

「はい」

「なるほど」

松崎はメモをとりながら短く答えただけで、それ以上追及しようとはしなかった。

そのことが、余計に不安を煽《あお》る恰好《かっこう》になった。

私の知っている男性——。

左手でこめかみを押さえ、考えを巡らせてみるが、苛立《いらだ》ちが募るだけだった。

「朽木さん」

松崎の白い指先が、奈緒美の肩に触れた。

一瞬、ドキリとする。

「は、はい」

「無理に思い出そうとするのはよくないです」

「……私、本当に知らないんです」

声が掠れた。

「人間の脳は、忘れるようにできているんです。これは、一種の防衛本能とでもいうべきものなんです」

「防衛本能ですか？」

「ええ。辛《つら》い記憶や嫌な記憶は、いつまでも鮮明なものとして残っていると、心に負担がかかってしまうんです。だから、忘れることで、心を守っているんです」

なんとなく分かる気がする。

「嫌な思い出なので、消去してしまったということですか？」

「少し違います。忘れるといっても完全に消去してしまうわけではないんです」

「残っているんですか？」

「ええ。記憶の深い闇の中に沈めてしまうんです。特に、トラウマとなるような恐ろしい記憶は……」

淡々と話す松崎の口調が、酷《ひど》く恐ろしいものに聞こえた。耳を塞《ふさ》ぎたい衝動に駆られるのを、両手を握り締めて堪《こら》えた。

「私が、過去に何か恐ろしい経験をしているということですか？」

「可能性の一つとしての話です」

「私が、それを忘れているだけ――」

松崎が、大きく頷いた。

私の見る夢――。

「今日は、睡眠導入剤を出しておきますね。薬を服用した後は、車の運転や機械の操作をしないよう……」

松崎の言葉が頭に入って来ない。

箱の中に閉じ込められている自分の姿が脳裏に蘇《よみがえ》る。

大学のオーケストラホール。

髑髏《どくろ》を持った男――。

私は、いったい何を怖れているんだろう。

2

石倉毅《いしくらつよし》は、警察の覆面車輛《しゃりょう》である白のスカイラインをコインパーキングに駐車させた。

本当であれば現場に横付けしたいところだが、現場は狭い路地にある。駐車をするスペースはすでに先発のパトカーが占領しているだろう。

ダッシュボードの上に置いてあった煙草ケースの中から一本取り出し、口にくわえて火を点《つ》けた。

胃が収縮する。胸がむかつく。喉《のど》を鳴らし、窓の外に向かって痰《たん》を吐き出した。

紫煙にまみれて、ルームミラーに映る自らの情けない姿を見て嘲笑《ちょうしょう》する。酷いものだ。よれよれのジャケットに、襟が茶色く変色したワイシャツ。肝臓を壊し、浅黒くなった顔に無精髭を生やした様は、街を徘徊《はいかい》するホームレスと大差ない。

こんなところで、一人暮らしの中年男の憐《あわ》れさを嘆いていても始まらない。

石倉は、煙草を備え付けの灰皿の中に放り込むと、自らの姿に目を背けて車を降りた。

現場は、中央線の国立《くにたち》駅の繁華街とは反対方向の北口側、小高い丘を上った先にあった。

道幅が五メートルもないような場所に三台のパトカーが並び、その周りをヤジ馬が取り囲んでいる。

やがて、現場であるアパートが目に入った。

一階、二階にそれぞれ五室。合計十室並んでいる。築三十年は経とうかという古い建物だった。

石倉はアパートの前に立つ警官に手帳を呈示し、黄色いロープを潜《くぐ》ると錆《さ》びついた鉄階段を上り、二階の一番奥の部屋に足を運んだ。

外廊下に立っている警官を押し退け、角部屋に移動すると、開きっ放しになっている玄関のドアから室内に足を踏み入れた。

入ってすぐのところに流し台と、ガスコンロが置かれたキッチンがある。

廊下と兼用のタイプの綺麗《きれい》なキッチンだった。

部屋の住人は几帳面《きちょうめん》な人物か――いや、違う。

調理器具や食器の類《たぐい》が一つも見当たらない。そればかりか、このキッチンを使用した形跡がない。

換気扇も、油よけの鉄板も、汚れ一つ付いていない。

コンビニの弁当があれば、キッチンなど使わなくても食事に困ることはない。だが、生ゴミの類までないのはなぜだ？

石倉は観察を続けながら靴を脱ぎ、白い手袋を嵌めながらキッチンの先にある六畳のフローリングの部屋に向かった。

事件の発端は、匿名の通報電話からだった。

――アパートに死体があります。

電話の主は住所を告げ、一方的に電話を切ってしまった。

ここは、のどかな住宅街。凶悪な事件とはほど遠い土地柄であったこともあり、最初はイタズラ程度にしか認識していなかった。

念のため、近くの交番の警察官二人が様子を見に行くことになった。

そして――。

白骨遺体を発見した。

石倉が、最初に連絡を受けたとき、老人が人知れずアパートで孤独死でもしたかと思っていた。

だが、目の前に広がる光景は、明らかにそれとは異なる異様なものだった。

石倉の充血し黄色く濁った目に、獲物を見つけた猟犬のようなギラギラとした光が宿る。

キッチンと同様に、部屋の中には誰かが生活していた痕跡《こんせき》は微塵《みじん》もない。

テレビも、ベッドも、テーブルも、生活するのに必要な家財道具が見当たらない。天井に取り付けられているはずの電灯もなく、剝《む》き出しのプラグの穴が見えた。

この部屋に置かれていたのは木製のアンティーク調の椅子一脚だけだった。

そこに、白骨化した遺体が文字通り座っていた。

装飾の施された肘《ひじ》掛けに手を置き、窓の方に身体を向けている。

まるで、遺体が自分でその場所にやって来て、佇《たたず》んでいるようにさえ思える光景だった。

正式に解剖してみなければはっきりしたことは言えないが、この遺体は少なくとも死後数年は経過しているだろう。

骨は茶色く変色し、腐った肉の破片の他に、黒っぽい粘土質の土が付着している。

遺跡から発掘されたミイラのような状態だ。

だが、この場所に、数年間放置されていたというのも考え難い。

もしそうであれば、腐敗した死肉が椅子の下に染みを作っているだろうし、腐敗臭から、近隣の住人が気付くはずである。

さらに異様だったのは、その遺体にあるべきものが、欠落しているということだ。

頭蓋骨《ずがいこつ》——。

その白骨遺体には、首から上がなかった。

未《いま》だに発見されていない。

自殺や孤独死の類であったとするなら、頭部は遺体のすぐ近くに落ちていなければならない。

誰かが頭部だけ持ち去ったと考えるのが妥当だ。

だが、何のために？

身許を隠すためとも考えられなくもないが、それであれば顔を潰《つぶ》せばいいし、発見を恐れているのであれば、こんな劇的な方法で遺体を晒《さら》す意味がない。

椅子に座る首無し骸骨《がいこつ》――。

これが、芸術だとでも言いたげだ。

「石倉警部」

声をかけて来たのは、新垣《あらがき》という若い刑事だった。

百八十センチを超える長身ではあるが、体つきは華奢《きゃしゃ》で、どこか頼りなく見える。かといって、知的な印象はなく、呆《ぼう》っとした感じの男だ。

キャリア採用のエリートで、まだ、二十代だというのに、もう警部補だというのだから嫌になる。あと数年すれば、指示を仰ぐのは石倉の方だ。

「なんだ？」

「これを」

新垣が差し出して来たのは、古びた写真だった。保管用のビニール袋に入れられている。

「どこにあった？」

「遺体が、手に持っていました」

「持っていただと？」

「ええ。右手に握り締めていました」

石倉は写真を受け取る。

そこには、二十代前半と思われる五人の若者が写っていた。

写真が古いのか、汚れと色あせが激しく、写っている人物の顔をはっきりと識別することはできない。

「ここに写っている誰かが、被害者なのか？」

「分かりません」

新垣は改めて首無し遺体に目を向けた後、おどけたように言った。

「写真に写ってる奴の所在確認はできるか？」

「ちょっと難しいかもしれませんね」

頼りない返答に疑問を抱きながら、改めて写真に目を向けてみる。

写真の右下に印刷されている日付は、二〇〇三年の十二月二十四日となっている。

五年前のクリスマス・イヴ——。

写真の日付などいくらでも修整可能だ。たとえ正確なものであったとしても、場所を特定する手がかりにはならない。

ふと石倉は、写真の背景に着目した。

「これは？」

指を差すと、新垣が写真を覗《のぞ》き込んで来た。

円錐《えんすい》のオブジェのような物が写っている。人物と比較すると、大きさは七メートルくらいだろう。茶色い煉瓦《れんが》のような台座の上に鎮座していて、大小様々な大きさのベルのようなものが取り付けられている。

「なんでしょう……クリスマスツリーみたいですね」

新垣が茶化すように言った。

「鑑識に、対象物の特定を依頼しておけ」

「はい」

学生のような快活さで新垣が返事をする。

このオブジェの正体が分かれば、写真が撮影された場所を特定することもできるかもしれない。だが、それだけに囚《とら》われてはならない。

この犯行現場は、何者かの意志によって創りだされたものだ。

これだけの細工をして、一切の痕跡を消し去った犯人が、うっかり写真だけ忘れたなどとは考えられない。

最初から遺体が握っていたのだとしても、白骨化するまでの過程で、腐肉により判別できないほどにぐしゃぐしゃになる。

犯人は、警察に発見させるために写真を遺体に握らせたと考える方が自然だ。

——だが、何のために。

捜査をかく乱するため、あるいはわれわれに対する挑戦状。

石倉は、写真を突っ返した。

顔を上げ、無精髭を撫《な》でまわしながら遺体の背後に立った。正面に窓が見えた。まるで、窓の外を眺めているかのようだ。

――何を見ていた？

石倉は、心の中で呟《つぶや》いたところでふと妙なことに気付き、「おい」と立ち去りかけた新垣を呼び止めた。

「なんでしょう？」

「あれはなんだ」

石倉は、窓枠を指差した。

「はい？」

新垣は、石倉の指の先に視線を向けるが、分からないらしく困ったような表情を浮かべる。

石倉は、つかつかと窓の前に歩み寄り、窓枠の上を指し示した。そこには、十センチほどの大きさで図形が描かれていた。

赤い球体に、短い棒のようなものが刺さっていて、右上の一部が、欠けている。

「もともと描いてあったんですかね？」

ようやく気付いた新垣が、首を捻《ひね》りながら歩み寄ってきた。

「さあな」

「リンゴみたいですね」

新垣が、顎《あご》をさすりながら言った。

「リンゴ？」

「ええ。アップルコンピュータの使っているマークに似てませんか?」

言われてみれば、リンゴに見えなくもない。

クリスマスツリーにリンゴ――子どものお絵かきじゃあるまいし、犯人はいったい何を考えている?

石倉は、ため息をついたところで、もう一つ不自然な点に気が付いた。

「来たときから、この状態だったのか?」

「へ?」

新垣が、分からないという風に首を傾げた。

――まったく鈍い野郎だ。

「窓は、最初から開いていたのか?」

石倉は、苛立《いらだ》ちを嚙《か》み殺してもう一度口にする。

「窓……あ、はい、発見当初のままだと聞いています」

「玄関のドアは?」

「鍵《かぎ》が閉まっていました」

石倉は、改めて窓の外に目を向けた。

なぜ、犯人は玄関のドアを閉め、この窓を開けておいたのか?

このアパートは、駅から続く坂道を上ったところにある。

直線距離で、五百メートルほど先。マンションが並んでいるのが見えた。その先には、学校のような建物。

ごちゃごちゃしていて、あまりいい風景だとはいえない。

遺体発見は、匿名の電話がきっかけだった。

ボイスチェンジャーを使用していて、詳しい声紋鑑定をやらなければ、電話の主が男なのか女なのかも分からない。

わざわざボイスチェンジャーを用意したのだから、通報者は偶然の発見者ではなく、事件になんらかのかたちで関与していた可能性が高い。放っておけば、やがては誰かが発見したはずだ。

それなのに、わざわざ連絡してきたのはなぜか？

「そうか」

思考を巡らせる中で、ある考えに至った石倉は、思わず声に出した。

「どうしました？」

新垣が訊《き》き返してきたが、無視してさらに考えを巡らせる。

犯人は、遺体が発見される時間をコントロールしたかった。だから、わざわざボイスチェンジャーを使った匿名の通報をした。

――だが、なんのために？

石倉は唇を噛む。

――見て楽しむためだ。

不意に、石倉の頭の中にその答えが浮かび上がった。

犯人は、犯行現場で警察が右往左往する姿を見て楽しんでいるはずだ。

この窓から見える風景のどこかに犯人がいる。

——おれは、犯人を視界に捉《とら》えた。

「待ってろ。必ず捕まえてやる」

石倉は、窓の外を睨《にら》みつけたまま呟いた。

3

結城《ゆうき》康文《やすふみ》は、マンションのベランダから沈み行く夕日を眺めていた。

鮮やかなオレンジ色に染まる街並みの一角に、赤いランプが幾つも点灯しているのが見えた。

あれは警察車輛《しゃりょう》のパトランプだ。赤い光の下で、警察官たちが右往左往していることだろう。

結城は、それを想像し、笑みを浮かべながら八角形のグラスに注がれたウィスキーを一気に飲み干した。

ふうっとアルコールに満ちた息を吐き出したところで、インターホンの音が耳に届いた。

ブルガリの腕時計に目をやる。

五時丁度。時間通りだ。

結城は、二十畳あるフローリングのリビングに戻り、インターホンのモニターに映る男の顔を確認してから、オートロックのエントランスを開錠する操作をした。

リビングとつながっているキッチンに足を運び、冷凍庫の中から氷を取り出し、グラスの中に放り込んだところで、今度は玄関のインターホンが鳴った。

蓋《ふた》を開けたまま、キッチンカウンターに置いてあったウィスキーをグラスに注ぎ、リビングのソファーに深く沈み込んでから、玄関に向かって「開いてる」と声を張った。

ウィスキーを一口含み、煙草に火を点《つ》けたところで、男がリビングに入って来た。

男の名は相葉陽一郎《あいばよういちろう》。ミュージカルのプロデューサーを務める男だ。

紺の細身のスーツに、ノーネクタイでドレスシャツを合わせている。どこのブランドだか忘れてしまったが、日本の安物ではなくイタリア製のものだ。

後ろに撫でつけた髪に、茶色の伊達《だて》メガネ。一見、遊び人風に見える出《い》で立ちだ。

「すみません。少し遅れてしまいました」

相葉は腰を折って、丁寧にお辞儀をする。

礼儀正しいのだが、形式ばったその立ち居振る舞いからは、神経質な気性が見え隠れしている。

「時間通りですよ。まあ、座ってください」

結城が促すと、相葉は「では、遠慮なく」と向かいのソファーに、背筋を伸ばして座った。

「何か飲みますか？」

手に持ったグラスをかかげながら訊いてみる。

「いえ。実は、この後もあるんです。まだ、いろいろとトラブルが残っていまして……」

相葉は、微笑みを見せたが、疲労の色を隠しきれてはいなかった。

確かに大変なトラブルだと思う。

相葉のプロデュースするミュージカルの演出家が、体調不良を理由に公演二週間前の今になって急遽《きゅうきょ》降板した。

稽古《けいこ》が始まっている状態で、舵《かじ》を取るはずの演出家に降板されるのは、かなりの痛手だ。

しかし、不運はそれだけではなかった。オーケストラを指揮するコンダクターと、突然連絡が取れなくなってしまったらしい。

チケットの販売も始まっていて、そのままいけば、億単位の損失を生み出すことになっていた。

そんな相葉から、結城の許に連絡があったのは三日前だった。

——結城さんに、コンダクターの代役を務めて頂きたいんです。

相葉は、すがるような声で訴えてきた。

——なぜ、私に？

結城が真っ先に思ったのはその疑問だった。それまで、相葉という男と面識を持ったこともないし、共通の友人がいるわけでもない。

相葉は五年前、結城がまだ日本にいるときに行ったコンサートを聴いたからだ、と言っていたが正直怪しい。おそらくは、奨学制度で留学した人間をピックアップして、片っ端から連絡をしたといったところだ。

こんな胡散臭《うさんくさ》い話、すぐにでも断ってしかるべきだ。だが、それでも結城がこの話に乗ったのには理由がある。

文化庁が推奨する留学制度で、ドイツのミュンヘンに指揮者として派遣されていた結城であったが、望んだような成果を上げることはできなかった。

失意とともに帰国したばかりの結城にとって、ドイツ留学でのつまずきをリカバリーできるかもしれない、という考えが働いていた。

だが、すぐに返答して、自らの商品価値を下げるような愚は犯さなかった。

思わせぶりな態度をとりながら、返答を今日まで引き延ばしてきた。

「シナリオと、総譜には目を通していただけましたか？」

「一応はね」

両手をこすり合わせる相葉に、結城は突き放すように答えた。

シェイクスピアの有名な演劇「ハムレット」をアレンジしたもので、舞台を現代に移し、演劇ではなくミュージカル仕立てにしたものだった。

デンマークの王子が、死んだ王の幽霊に会い、叔父《おじ》が王位を奪うために王を殺害したことを知り、彼らに復讐《ふくしゅう》を企《くわだ》てるという話だ。

本音で言えば、今さらかと思う。

シェイクスピアの戯曲は、今まで数え切れないほど上演されている。舞台を現代に移すことにしても、ミュージカル仕立てにすることにしても、さして新しいものであるという印象はない。

使用される楽曲も、オリジナルで作曲されてはいるが、チャイコフスキーに傾向したものばかりだ。

チャイコフスキーの楽曲を否定しているわけではない。彼の荘厳な響きのシンフォニーは、文句なしに素晴らしい。「くるみ割り人形」や「悲愴《ひそう》」など、一般に知られている曲も多数ある。それ故に、新しさはないのだ。

正直、作品自体にはまるで魅力を感じなかった。

だが、今は仕事を選べる立場でないことも承知している。

「演出家は見つかったんですか？」

結城は、グラスのウィスキーを口に含みながら訊《たず》ねた。

自分が指揮を引き受けたとしても、演奏会をやるわけではない。演出家が決まらなければ、やはり話は頓挫《とんざ》したままだ。

「ええ。明日、紹介しますが、なかなかの人材です。私が言うのも変ですが、以前の演出家より格は上です」

「ほう」

結城は腕組みをして感心した風に振る舞いながらも、腹の底では別のことを考えていた。

途中まで誰かが演出したミュージカルを引き継ぐということは、放置された食べかけの食事を口にするようなものだ。

格上の人間が、わざわざそんなことをするはずがない。

おそらくは、自分と同じように脛《すね》に傷を持つ人間だろう。

「それで、お返事を聞かせて頂きたいのですが」

相葉が、蛇のように絡みつく視線を投げかけてきた。

――この男は私の答えを知っている。

結城はそう感じた。

癪《しゃく》に障るが、これ以上返答を遅らせては、自分の商品価値を上げるどころか、話自体が流れてしまうことにもなる。

「お引き受けしましょう」

できるだけ平静を装いながら言ったつもりだったが、痰《たん》がからみ、幾分声が詰まった。

「ありがとうございます。ほっとしました」

相葉は、子どものような微笑みで答えると、カバンの中から書類を引っ張り出し、ガラステーブルの上に置いた。

「それで、結城さんの報酬の件なんですが……」

自分で話を切り出しておきながら、相葉の視線が落ち着きなく左右に揺れる。

「約束の額でお願いします」

今さらになって金額交渉をされては、たまったものではない。結城は、先手を打つかたちで言った。

相葉は一瞬だけ驚いた表情を見せたが、すぐに姿勢を正す。

「実は、そのことでご相談があります」

「それは、私にとって都合の悪いものですか？」

「捉《とら》え方次第です」

含みを持たせた言い方で、相葉はメガネの奥で目を細めた。

「どういう意味です？」

「実は、今回のトラブルで制作費が切迫しているのは事実です」

じらすような口調だった。

「それで」

――早く腹の底を見せろ。

結城は、はやる気持ちを抑え、ゆっくりとした動作で煙草の煙を吸い込んだ。

「単刀直入に言います。結城さんにスポンサーになって頂けないかと思いまして……」

あまりに突飛な相葉の言葉に、結城はどう返していいのか分からず、口を開いたまま固まった。

やがて、じわじわとその言葉の意味が染み渡っていき、熱を持った怒りに変わった。

「仕事をするだけでなく、金まで払えというのか？」

「状況だけみれば、そうなるかもしれませんね」

相葉は、悪びれた様子もなく言う。

「バカバカしい」

「三千万円でいいんです」

「帰ってくれ。今回の話も白紙だ」

結城は立ち上がり、手を払いながら言った。

しかし、相葉は石にでもなってしまったかのように、微動だにしない。

「売り上げの三十パーセントでいかがですか？」

相葉は結城を見上げ、呟《つぶや》くように言った。

「どういうことだ？」

「座ってお話をしませんか？」

そう言った相葉は、さっきまでの切羽詰まった雰囲気はなりを潜め、代わりに口許にうっすらと笑みを浮かべていた。

——その余裕の正体はなんだ？

「制作費が切迫するようなミュージカルで、ろくな売り上げになるとは思えない」

結城は、グラスのウィスキーを一気に飲み干してからも、再びソファーに座った。

「そうともいえません。今回のミュージカルの収益が、どの程度のものになるかご存じですか？」

「制作のことは、分からない」

「千二百人収容の劇場で、チケットは平均で一万二千円です。一公演あたり、一千四百四十万の金が動きます。それが、一ヶ月で四十公演。単純計算で五億七千六百万」

「そんなに……」

結城は思わず口にした。

そこまでの大金が動く商売だとは思ってもみなかった。

コンサートの指揮なら振ったことがあるが、ミュージカルに携わるのは、今回が初めての経験なのだから、知らなくても当然だ。

「それだけではありません。パンフレットやCD、DVDの売り上げを考えれば、六億は下らないです」

「六億……」

――呑《の》まれてはいけない。

結城は、自分にそう言い聞かせながらも、想像以上の金額に、心が動かされた。

「最終的に、制作費として二億ほど出ますが、それでも四億の利益が出ます」

「その三十パーセントを？」

「ええ。三千万の投資で、一億二千万が手に入る計算です。安いとは思いませんか？」

「客が入らなければ終わりだろ」

「チケットはすでに八割方売れています」

「だが、制作費は三千万では足りないだろ」

「もちろんそうです。しかし、この業界は費用のほとんどが後払いなんです」

「後払い？」

「ええ。劇場費、スタッフ・キャストの人件費、全て公演が終了した後に精算するというのがルールなんです」

実費で出る分の一時金さえあればいいということだろう。

だが、そうだとすると――。

「どうして、制作費が足りなくなる？」

「ご存じの通り演出家の降板と、コンダクターの失踪《しっそう》により、大口スポンサーが契約解除を申し出て来たんです」

スポンサーの降板により、制作にかかる一時金が支払えなくなったということだろう。

だが、相葉は舞台の制作として個人で動いているわけではない。ステージ・アプルという制作会社の人間のはずだ。

「自分の会社に出してもらえばいいだろ」

「うちの会社の方針なんです。あくまで制作を請け負う会社ですから、スポンサーにはならない。社長は儲《もう》かると分かっていても、絶対に手を出しません」

「黒字になるのが分かっているのに、このままいけば一時金が無いばかりに、公演を中止してチケット代の払い戻しをしなければなりません。どうか、お願いします」

相葉が深々と頭を下げた。

話の内容は理解した。だが――。

「なぜ、それを私に？」

ほんの少しだけ困ったような表情を浮かべた相葉だったが、唇を舐《な》めた後、覚悟したように真っ直ぐに視線を向けてきた。

「結城さんのお父上は、あの有名な結城貿易の社長であったと聞きました」

なるほど。

代役のコンダクターとして結城に目を付けたのは、技量を判断してだけのことではないということだ。

――気にいらない。

今すぐこのグラスを投げつけ、思いつく限りの罵倒《ばとう》を浴びせたい衝動に駆られたが、結城はグラスを握り締めてそれを堪《こら》えた。

「四十パーセントなら考えてもいい」

「え？」

相葉が、いかにも予想外だという風に、口をあんぐりと開けた。

「なるほど」

「もし嫌なら、この話は無かったことにする」

結城は、憮然《ぶぜん》とした態度で契約書類を相葉の方に押し戻した。

しばらく、テーブルに視線を落としていた相葉であったが、やがて顔を上げ「分かりました」と頷《うなず》き返した。

4

髑髏《どくろ》を持った男――。

松崎の診療所を出た後も、奈緒美の頭からはそのイメージが離れなかった。

立川《たちかわ》の駅前で遅めの昼食をとっている間も、吉祥寺《きちじょうじ》にある馴染《なじ》みの楽器店でフルートの調整をしてもらっている間も、ずっと頭の片隅に顔も分からぬ男の姿があった。

松崎に話して聞かせたことで、曖昧《あいまい》だったディテールが明確になり、今までより鮮烈になっていた。

中央線のオレンジ色の電車に揺られながら、ふと松崎の顔を思いだした。

彼は、その洞察力を駆使して、いとも簡単に他人の心に入り込んでくる。しかも、そのことに対してなんの躊躇《ちゅうちょ》もない。

一言で言ってしまえば、図々しい――。

奈緒美は、そう感じた。だが、不思議とそれに対しての不快感はなかった。逆に、あの人であれば任せられるという安心感があった。

国立の駅で電車を降り、繁華街とは反対側の北口の改札を出る。

辺りはすでに夕闇に沈んでいた。

三月に入ったとはいえ、まだ肌寒さを感じる。

奈緒美は首をすくめるようにしてロータリーを抜け、郵便局の角を曲がり、住宅街へと通じる坂道を上った。

コンビニの前の信号を左に曲がり、自宅マンションへと通じる路地まで来たところで、いつもと違う雰囲気を感じとり足を止めた。

普段は人通りがあまり多くないのに、まるでお祭りのように人で溢れ、道を塞《ふさ》いでいた。

赤い回転灯が明滅しているのが見える。

救急車か何かだろうか？

背伸びをするようにして、道の先を覗《のぞ》き込むと、パトカーが何台も停車しているのが見えた。

奈緒美の住むマンションの対面にある古いアパートのあたりだ。

二階の外階段に、目隠しの青いビニールシートがかけられていて、そこに制服警官が出入りしていた。

野次馬に交じって、マイクを持って人混みをかき分けて進んでいく女性の姿が見えた。

深夜のニュースで見たことがある。名前は思い出せないが、アメリカとのハーフのキャスターだ。

その他にも、カメラを持った報道関係者らしき人が何人かいた。

何か事件が起きたようだ。

窃盗や詐欺程度なら、こんな大騒ぎにはならない。もっと、大きな事件――。

気を取られているところに中年の男が歩いてきて、奈緒美の肩を突き飛ばした。

肩が触れた瞬間に、言いしれぬ不快感から、背筋がぞくっとした。

煙草と汗のまじった饐《す》えたような臭いが鼻にまとわりつき、指先で鼻を擦《こす》った。

潔癖症ではないのだが、いつからか異性に触れられると背筋がぞくっとしたり、反射的に身体を引いてしまうことがある。

――これも、夢と関係あるのだろうか？

奈緒美が改めてアパートに視線を向けると、ロープに囲われた内側から長身の男が、白い手袋を外しながら慌ただしい様子で歩いて来た。

堤防としてロープの前に立っている警官が、丁寧に敬礼をしている。

おそらく刑事なのだろう。

男は、さっきの女性キャスターの問いかけを無視して、真っ直ぐ奈緒美の方に向かって歩いて来る。

男と目が合った――。

何もなければ、そのままやり過ごすところなのだが、自分のマンションの目の前で、いったい何があったのか気にかかった。

「あの、何か事件ですか？」

奈緒美は、無視されることを承知で、横を通り過ぎようとした男に問いかけた。

男は、驚いたような表情で立ち止まり「あなたは？」と返してきた。

「そこのマンションの住人なんです」

奈緒美が指差しながら告げると、男は「なるほど」という風に頷き、声を潜めて話し始めた。

「実は、そこのアパートで遺体が発見されました」

あまりに淡々とした口調のせいで、それが大変なことだと実感するのに時間がかかった。

「遺体ですか？」

「ええ。あまり大きな声では言えないんですが、おそらく殺人事件ではないかと……」

「殺人事件」

奈緒美は、その言葉をひどく非現実的なものとして受け止めた。

「あ、申し遅れました。刑事課の新垣といいます」

男はポンと手を打つと、スーツの内ポケットから取り出した手帳を広げ、身分証明とバッジを呈示してから、再び口を開く。

「あの、ついでなんでお訊きしたいんですが、最近このあたりで不審な人物を見かけたりしていませんか？」

「不審な人物ですか？」

おおよそ刑事とは思えぬ大雑把な質問だ。

「ええ。このあたりをウロウロしていたり、ずっと同じ場所に車が停車していたり、なんでもいいです」

「……特に心当たりは、ありません」

「では、アパートの201号室の住人と顔を合わせたことはありますか？」

「多分、無いと思います……」

ドン！

奈緒美が答えるのと同時に、何かが落下するような鈍い音がした。

反射的に音のした方向に視線を向けると、すぐ近くにあるコインパーキングに立つスーツ姿の中年男が、車のドアを蹴《け》っ飛ばしていた。

さっき、奈緒美にぶつかってきた男だ。

「石倉警部……」

新垣は呟《つぶや》くように言うと、パーキングに向かって足早に歩き始めた。

奈緒美は、黙ってそれを見送っていたのだが、不意に新垣が立ち止まった。

「あの」

新垣が声を張って呼びかけてくる。

「なんですか？」

「名前を教えてください」

「朽木といいます」

「部屋番号は？」

「203です」

「連絡先を聞いても？」

「ええ」

奈緒美は、バッグの中から仕事用に持ち歩いている名刺を新垣に渡した。

「ありがとうございます」

そう言うのと同時に、新垣は再びパーキングに向かって足早に歩いていった。

不意に髑髏を持った男のイメージが頭に浮かんだ。

その場に立っていることが、急に恐ろしくなり、奈緒美は逃げるように自宅マンションに向かった。

エレベーターで二階に上がり、自室である203号室に駆け込む。

廊下を抜け八畳の部屋に入ると、レースのカーテン越しにさっきのアパートに目を向けた。

ビニールシートで覆われた二階の部屋が、目線と同じ高さに見えた。

外廊下を歩き回る警察官たちに監視されているような気がして、勢いよく遮光カーテンを閉めた。

どっと肩に何かがのしかかったような気がした。

脱力してベッドに座り込んだところで、バッグの中の携帯電話が着信の振動を始めた。

表示されていたのは、見知らぬ番号だった。

普段なら、知らない番号からの電話には出ないのだが、明日からミュージカルの仕事がある。業務連絡のようなものかもしれないと電話を取った。

「もしもし」

〈朽木奈緒美さんの携帯電話ですか？〉

聞き覚えのある声だった。落ち着いた響きは、携帯を通しても変わらない。

〈カウンセラーの松崎です〉

——やはりそうだ。

「こんばんは」

思いがけない相手からの電話に驚きながらも言う。

〈確認したいことがあるんですが〉

「確認……ですか？」

見られているわけでもないのに、居ずまいを正した。

〈今、私の手許に手帳があるんです〉

「手帳」

話の脈絡がつかめず、松崎の言葉をオウム返しに言う。

〈おそらく、今日、来た方が忘れたものなんです〉

「誰のものなんですか？」

〈朽木さんのだと思います〉

――まさか？

奈緒美は、慌ててバッグの中を捜した。

――ない。

今朝、出るときにバッグに入れたはずなのに、手帳が見つからない。

〈赤い革製で、フルートのプリントが入っているやつです〉

――間違いない。私の手帳だ。

「すみません」

〈いえ。気にしないでください〉

「落としたんじゃなくて、良かったです」

言い終わったところで、奈緒美は急に恥ずかしさに襲われた。

手帳は、日記代わりにも使っている。毎日ではないが、気が向いたときに、抱いた感想なんかを書き留めてある。

もしかしたら、松崎に中身を見られたかもしれない。そう思うと、体温が一気に上昇し、顔が火照《ほて》った。

〈大丈夫です。中は見てませんから〉

考えを見透かしたように、松崎が言った。

「え？」

〈今日、診療に来たのは朽木さんを含めて四人ですが、フルートのプリントを見てピンと来たんです〉

「ありがとうございます」

〈それで、手帳をお返ししようと思うのですが〉

「あ、次回うかがうときで構いません」

口にはしてみたものの、次に松崎の診療所に行くのは、一週間先になってしまう。

〈そういうわけにもいきませんよ〉

「でも……」

〈明日の夜でしたら、私も時間が取れます。どこかで落ち合うことはできますか？〉

松崎がさらりと言った。

ただ、手帳を返してもらうだけなのに、デートに誘われたときのような気恥ずかしさがあった。

「でも、わざわざ来て頂くなんて、申し訳ないですよ」

〈構いませんよ。それに、ちょっと気になることもありますので……〉

松崎の言葉が、わずかに澱《よど》んだ。

その先の言葉が聞きたかったが、聞き返すことができなかった。

「ありがとうございます。明日なら、七時以降は時間が空くと思います」

約束を取り付け電話を切ったあと、奈緒美はベッドに倒れ込んだ。

5

石倉は、事件の概要を頭の中で反芻《はんすう》しながらアパートの部屋を出た。

各部屋を聞き込みして回っている捜査官の姿が見えた。

閑静なはずの住宅街が、まるで飴《あめ》に群がる蟻のように人で溢れかえっている。

「殺人事件ですか？」

黄色いロープの外に出ると、目の前にボイスレコーダーが突きつけられた。

「クソどもが……」

石倉は俯《うつむ》き呟くと、レコーダーを押し退け、人混みをかき分けるようにして、コインパーキングに停めた覆面車輛《しゃりょう》に向かって歩いた。

助手席のドアを開け、ダッシュボードの上から近隣の住宅地図を取り出し、ボンネットの上に広げる。

折り目を伸ばし、アパートの位置に赤い丸印を書き込んだ。

地図で見る限り、この場所に来るためのルートは駅前の通りを抜けるか、反対側の国道を回ってくるかのどちらか。しかし、そのどちらを選択したとしても、結局はこの五メートル幅の狭い道路を通らなければならない。

——犯人は、どうやって遺体を運び込んだ？

いくら住宅街で人目が少ないからといって、人手で運んで来たわけではないだろう。停車して運んだとみるのが妥当だ。停車していた不審な車輛の目撃証言を辿《たど》れば、犯人に行き着くことができる。

——だが、本当にそうだろうか？

石倉の脳裏に、ふとそんな考えが浮かんだ。

今回の犯人は、用意周到で用心深い。

警察にかかってきた、匿名の電話もボイスチェンジャーを使い、一方的に用件を告げ、ごく短時間で済ませている。

現場の鑑識の話では、今のところ指紋も足跡も発見されていないという。拭《ふ》き取った痕《こん》跡《せき》もないらしいので、手袋を嵌《は》めて運び込んだことになる。

それなのに、遺体の手には写真を握らせ、窓枠の上には図形を描き込んでいる。

まるで、何かを暗示するように——。

そんな犯人が、発見されるリスクを冒して、のこのこと車で遺体を運んで来るだろうか？

石倉の思考を遮るように、携帯電話が鳴った。

「石倉です」

〈もしもし。あたし〉

電話から聞こえてきた声に、石倉は思わずため息をついた。

妻の紀子《のりこ》だ。といっても、彼女が石倉の妻であったのは五年も前の話だ。今は、別の男と再婚している。

離婚の原因は性格の不一致だった。

仕事一筋で家庭を顧みない石倉に対して、紀子が怒りを爆発させたかたちだ。

石倉は、自覚もあったし「子どもの将来を考えて」という言葉に後押しされ、離婚届に判を押した。

紀子が、パート先のスーパーの店長と不倫の関係にあったと知ったのは、離婚成立直後のことだった。

離婚成立前に知っていれば、慰謝料をふんだくられることはなかった。

いや、あとから異議を申し立てることもできた。だが、石倉は敢《あ》えてそうしなかった。

騒ぎ立てれば噂になり、自分で恥をかくだけのことだ。

それに、息子の彰《あきら》がどんな思いをするか——。

母親が家族の目を盗んで、他の男と逢《あ》い引きしていたと知ったらショックを受けるだろうし、学校で苛《いじ》めの対象にもなりかねない。

黙って自らが屈辱に耐える道を選んだ。

〈ねえ。あたしが何を言おうとしてるか分かってるでしょ〉

「知らん」

〈いっつもそう。本当は分かってるでしょ〉

「なんの話だ？」

〈今月分。まだ振り込まれてないわよ〉

「そうだったか？」

石倉は、精一杯の抵抗として、惚《とぼ》けてみせた。

〈そうだったかじゃないでしょ。先月も遅れたのよ。先週確認の電話もしたわ。忘れたなんて言い訳が通用すると思ってるの？〉

「言い訳じゃないさ」

〈彰も来年は受験でお金がかかるの〉

「そうか」

〈こんなこと言いたくないけど、家計が苦しいのよ〉

――今の亭主になんとかしてもらえ。

言いかけた言葉を呑《の》みこんだ。

たかが一日遅れたくらいで、別れた亭主に養育費の支払いを催促するがめつい女も、それを容認している現夫である男も、その鼻っ面をへシ折ってやりたいほどに腹が立つ。

「今週中には入れておく」

早々に電話を切ろうとしたが、紀子がそれを許さなかった。

〈それと、余計な物を送って来ないで〉

「なんの話だ？」

〈惚けないでよ。彰にパソコン〉

「ああ。喜んでたか？」

前の面会日のときに、彰がパソコンが欲しいと口にしていた。だから家電量販店で最新式のノートパソコンを購入し、彰の誕生日に合わせて宅配便で送っておいた。

礼などいらない。彰の喜んでいる姿を想像するだけで、石倉は満足だった。

〈なんで、そういうことをするの？　彰はまだ中学生なのよ〉

「中学生だって、パソコンくらい使うさ」

〈それを決めるのは、あたしよ。あなたは、口を出さないで〉

――金だけ払ってればいいってことか？

〈とにかく養育費は必ず入れてよ。パソコン買って養育費を払わないなんて、本末転倒だわ〉

紀子のヒステリックな声とともに電話は切れた。

確かに親権は紀子にある。だが、離れていたって、子どもに何かしてやりたいと思うのは当然だ。その権利まで売り渡したつもりはない。

石倉は湧き上がる怒りに任せて、車のドアを思いっきり蹴《け》り上げた。

ドンと鈍い音がして、足形の凹みができた。

胸がむかつく。喉《のど》を鳴らして、歩道に痰《たん》を吐き捨てた。

——歪《ゆが》んでいる。

「石倉警部」

ボンネットの上の地図を片付けているところに、新垣が慌てた様子で駆け寄ってきた。

「なんだ？」

「凄《すご》い音がしたので、どうしたのかと思いまして……」

新垣は、口籠《ご》もりながら車のドアに目を向けた。

——いちいちうるさい青二才だ。

「なんでもない」

「あの、このドアは石倉警部が？」

新垣が、驚いたように目を剝《む》きながら車のドアを指差した。

「だったらどうした」

石倉が睨《にら》みつけると、新垣は「いえ……」と視線を逸《そ》らした。

この程度のことで尻込《しりご》みするような奴が、この先刑事としてやっていけるとは思えない。

取り調べをしても、容疑者に舐《な》められっぱなしになるだろう。

だが、キャリア採用の新垣は、警察に入った瞬間から警部補という階級が与えられている。来年には警部になり、さらに何年かすれば警視。石倉の上司になるのは、時間の問題だ。警察組織を辞めない限り、それは決まりきったこと。

徹底したキャリア主義。警察組織の歪み――。

考えただけで、腹の中に手を突っ込まれたような不快感に襲われる。

石倉は新垣の足許に痰を吐きつけ、さっさと車に乗り込んだ。

「あの、どちらに？」

「捜査だ」

「私も一緒に行きます」

言いかけた新垣の声を遮るようにドアを閉めた。

シートにもたれ、大きく息を吐き出してから必死に何かを言っている新垣を無視して車をスタートさせた。

6

玉木和夫《たまきかずお》は、パトカーのサイレンの音で目を覚ました。

注意を促すためだけに存在するただの音。――騒がしいだけで、そこに人の心を動かすような音楽性はない。

玉木は、ダブルベッドに寝そべったまま首だけ動かし、窓の方向に目を向けた。

薄暗がりの中、白いレースのカーテンがゆらゆらと揺れているのが見えた。

風が吹き込んできている。

窓を開けたまま眠ってしまったようだ。そうでなければ、防音の二重ガラスになっているこの部屋に、サイレンの音など聞こえてくるはずがない。

「秋穂《あきほ》——」

呟《つぶや》きながら、彼女の白く美しい肌に触れようと手を伸ばしたが、指先が温《ぬく》もりに触れることはなかった。

——秋穂がいない。

玉木は、冷水を浴びせられたようにはっとなり目を開けた。

左手の甲に残る古傷が目に入る。

中指から小指まで、五センチにわたりミミズが這《は》っているように水平に伸びる裂傷。

五年前に負った傷だ——。

とっくに完治しているはずの傷口が、焼き鏝《ごて》を当てられているかのように、チリチリと熱を持った痛みを帯びていく。

——なぜ、痛む？

この傷さえなければ、自分にはもっと違う人生があった。

今のように、コンサートやミュージカルの伴奏としてのピアニストではなく、ソロの演奏者としての輝かしい未来だ。

海外に留学し、数々のコンクールを総嘗《そうな》めにして、専門雑誌の表紙を飾り、招かれて世界を飛び回る。自分には、そうなれるだけの技術があった。

幼稚な空想だと分かっていながらも、傷口を目にするといつもそれを考えてしまう。

そんな玉木を嘲笑《ちょうしょう》するかのように、携帯電話の呼び出し音が鳴り響いた。

電子音で再現されたフレデリック・ショパンの「練習曲第三番ホ長調」。日本では「別れの曲」として知られている楽曲だ。

ゆっくりとしたカンタービレの練習曲で、右手が肉声部を弾きながら、旋律の音量を維持しなければならない。高度な技術が要求される。

ショパンが、自らの故郷との別れを想って作曲したもので、彼の楽曲の中でもっとも美しい響きをもっている。

しかし、そんな名曲も電子音で聞くと実に味気ない。

「もしもし」

玉木は、電気スタンドの脇に置いてある携帯電話を手にする。

〈おはよう〉

聞こえて来たのは、秋穂の声だった。

彼女の声は軽やかで、それでいて厚みがある。少し掠《かす》れているが、その中にも甘い響きがある。

まるでヴァイオリンの音色のように心地いい。

「君が、いなくなってた」

〈明日の準備があるでしょ〉

秋穂の言葉で、明日から頓挫《とんざ》していたミュージカルのオーケストラピットの仕事が再開することを思い出した。

「黙って出て行くことはないだろ」

〈あんまり気持ちよく眠ってたから〉

「起きてたさ」

玉木は、大きく伸びをしながら答えた。

〈嘘つき〉

秋穂が呆《あき》れたように言う。

玉木は、電話の向こうで秋穂が頬をふくらませているのが分かった。

「おれが、君に嘘をついたことがあったか？」

〈去年のクリスマス〉

「あれは、君を驚かせようとしたんじゃないか」

あの時は、仕事でデートできないと嘘をつき、秋穂の帰りを待ち伏せて婚約指輪をプレゼントした。

〈でも、嘘は嘘でしょ〉

「君を喜ばせるためなら、いくらでも嘘をつくさ」

〈よく言うわ。それより、出るときに窓を閉めるの忘れちゃったの〉

「ここは七階だ。それに、盗まれるものもない」

〈風邪ひくでしょ〉

誰かに身体の心配をされる。玉木は、胸の奥底がくすぐったくなるのを感じた。

幸せとは、こういうことを言うんだろうか――。

「愛してるよ」

自然にその言葉が出た。

〈私も〉

「え？　何？　聞こえない」

秋穂が、わざと怒った口調で言いながら電話を切った。

〈もう、また明日ね〉

玉木は、携帯電話をベッドの上に放り投げ、大きく伸びをしてから立ち上がり、電気を点《つ》けた。

一人では広すぎるダブルベッドだが、あと数ヶ月すれば秋穂が隣で眠ることになる。それを想像するだけで、まるで初恋の女性を待ち焦がれるようなときめきがあった。

下着姿のまま、リビングルームへと続くドアを開けた。

テレビと二人掛けのソファーとテーブルが置いてあるだけの殺風景な部屋。

だが、秋穂が来ればソファーにカバーがかけられ、サイドボードを設置し、彼女好みの明るい色の絨毯《じゅうたん》が敷かれるだろう。

そうやって、生活感に溢《あふ》れていく――。

　玉木の頬が、自然にゆるんだ。

　手の怪我で、夢を叶《かな》えることはできなかった。だが、代わりに秋穂を手に入れることができた。

　まさに、怪我の功名といえる。

　それが、血塗られた汚い手段によって手に入れたものであったとしても、秋穂が美しいことに変わりはない。

　人の幸せなんて、他人の不幸せの上にしか成り立たない。そういうものだ。

　玉木は、リビングに隣接しているもう一つの部屋のドアを開けた。そこは、生活スペースとは別に設けた練習用の部屋になっている。

　八畳ある部屋の中央には、木目調のスタインウェイのピアノが置いてある。

　一部の演奏家たちからは、神々の楽器とも称され、間違いなく世界でもっとも有名なピアノだ。

　スタインウェイの中でも、木目調の物は希少だ。

　ピアノの天板の上には、同じ木目調のフォトスタンドに入った写真が置かれている。

　クリスマスの日、プロポーズをしたあとに秋穂と撮った写真だ。

　長い髪を、指で撫《な》でつけるような仕草をしながら、頬に笑窪《えくぼ》を作って笑っている。

　彼女に初めて出会ったのは、大学一年のときだから、今から九年前になる――。

　大学の中庭でその姿を見たとき、玉木は心臓が押し潰《つぶ》されるかと思った。

背が高く、モデルのようにスレンダーな体つきで、背中まで伸びた真っ直ぐな黒髪を揺らし、華のある微笑みを湛《たた》えながら歩いていた。

かたちの整った切れ長の目に、真っ直ぐ伸びた鼻筋。清楚《せいそ》な雰囲気を漂わせながらも、厚みのある唇は官能的だった。まるで挑発しているかのように、小悪魔的な魅力をそこらじゅうに撒《ま》き散らしていた。

何度か声をかけ、親しく話をするようになったが、友だち止まりだった。

やがて彼女の隣には、いつも同じ男が寄り添うようになった。

半ば諦《あきら》めていたが、ある出来事をきっかけに、あの男に成り代わることができた。

最初は彼女の瞳《ひとみ》から、あの男の面影が消えていないことは分かっていた。だが、それでも良かった。

いつか、自分を振り向いてくれればいい。その願望を心の底に沈め、ただじっとときを待った。

フォトスタンドの中の秋穂の目には、あの男の面影はもうない。その笑顔は、自分だけに向けられている。

彼女が初めて見せた自然な笑顔かもしれない——。

胸の奥から、じんわりと温かいものが広がっていくような感覚がした。

玉木が、スタインウェイの蓋《ふた》をゆっくりと持ち上げると、規則正しく並ぶ白と黒の鍵盤《けんばん》が現れた。

人差し指で、撫でるようにAの鍵盤に触れる。

透明感のある音が空気を揺らした。

今日は、いつもより音が柔らかく聞こえた。

玉木はピアノの前に座り、鍵盤の上に指を合わせて目を閉じ、大きく息を吸い込んでから曲を奏で始めた。

ショパンの「ポロネーズ第六番変ィ長調作品五三」だ。

長い前奏から、輝かしい第一主題が提示される。

――いい調子だ。

やがて、曲が佳境に入った。

ここからは素早いリズムで、かつ最大限の音量で和音を連ねていく超絶技巧が続く。

だが、そこで玉木は鍵盤を叩《たた》く手を止めてしまった。

左手の古傷に、痺《しび》れるような感覚が広がり、思わず手を止めてしまった。

もう、治ったはずだ。それなのに――。

「なぜだ、なぜだ、なぜだ……」

玉木は、左手の傷をかきむしりながら鍵盤を睨《にら》みつけ、呪いの言葉のように繰り返した。

二日目

1

石倉は捜査会議に参加するため、刑事部屋を出て階段を降りていた。

昨日は情報収集に忙殺され、官舎に帰る余裕もなく自分のデスクで仮眠をとっただけだった。

待つ人間がいないのだから、どこで過ごそうと誰も文句は言わない。気楽であることに違いないが、それ故の寂しさがつきまとう。

首の付け根に、引っ張られているような痛みがあった。寝違えたのかもしれない。

ワイシャツから、つんと汗の臭いがしたが、捜査員はみな似たり寄ったりだ。気にすることはない。

「おはようございます」

新垣が、しまりのない表情で声をかけてきた。

まるで学校の休み時間のような振る舞いだ。緊張感の無い新垣の顔を見ていると、今にも吐きそうなほどに胃がむかつく。石倉は酸味のある唾《つば》を飲み込んだ。

「顔色が悪いですよ。大丈夫ですか？」

石倉の心情などお構い無しに、新垣が明るく言う。

「お前なんぞに心配されたくねぇよ」

石倉は、鼻を鳴らしながら新垣の言葉を否定した。こんな若造に弱みを見せるほど錆《さ》びついちゃいない。

会議室の前には、事件名が書かれた看板が掲げられていた。

〈国立アパート首無し白骨死体遺棄事件捜査本部〉

凶悪事件が発生し、捜査本部が設けられる場合は、その事件に名前が付けられるのだが、このネーミングセンスは頂けない。

ただ情報を羅列しているだけだ。

「かっこいいネーミングですね」

楽しそうに言う新垣を無視して、石倉は会議室のドアを開けた。

整然と並べられた長テーブルに、三十人近くの捜査員が着席していた。

全て見慣れた署の人間だ。さすがに死体遺棄事件では、本庁の人間が出張ってくるほどのことはない。

だが、すぐに雲行きが変わるだろう。

捜査員の誰もが察しているだろうが、これはただの死体遺棄事件ではない。

現場の状況からして、犯人が用意周到な人物であることは明らかだ。そんな奴がわざわざ危険を冒して遺体を警察に発見させた。

挑発ともとれる行動。一九八四年のグリコ森永事件を代表とする、劇場型の犯行であるとみて間違いないだろう。

劇場型犯罪は、犯人が自らを主人公、警察を脇役に見立て、あたかも演劇の一部であるかのように犯行を繰り返す。マスコミや一般市民はそれを見る観客。それを楽しませるために、犯人の行動はエスカレートしていく。

マスコミに嗅《か》ぎつけられ、扇情的な報道合戦が始まれば、それこそ犯人の思うツボだし、捜査どころではなくなってしまう。

石倉が席に着くと、懲りずに新垣が隣の席に座った。

「実は、ちょっとした噂話を聞いたんです」

新垣が、恋の話をする学生のようにニヤついた表情で切り出した。返事はしなかったが、新垣はそれを同意と勘違いしたようで、勝手に話を続ける。

「アパートにあった、あのマークをちょっと調べてみたんです」

新垣がスーツのポケットから、Ａ４サイズの紙切れを取り出し、長テーブルの上に置いた。アパートの窓枠の上に描かれたマークを撮影し拡大したものだった。

「これが、どうした」

「まだ、上には報告してないんですが、面白い話を聞きましてね」

新垣が鼻息を荒くした。

「なんだ？」

「私の大学時代の友人で、こういった図形に詳しい人間がいましてね、これを見せたんです。もちろん、犯行現場に残されていたなんて言ってませんよ」

「それで」

石倉は、どうせろくな話じゃないだろうと思いながらも先を促す。

「そいつの話では、これは知恵の実を暗示してるんじゃないかって」

「知恵の実？」

「はい。アダムとイヴが食べたっていうあれです」

「聖書か……」

聖書を読んだことがなくても、その名前くらいは誰もが知っている。

エデンに住む最初の人間、アダムとイヴは、神から食べると死ぬと言われ、触れることも禁じられていた知恵の実を、邪悪な知識のある蛇にそそのかされ、口にしてしまった。

神の言うように死ぬことはなく、人間は知恵を得た。しかし、神の怒りに触れ、エデンを追われた。

はっきりと明記されてはいないが、アダムとイヴの食べた知恵の実は、リンゴであったといわれている。

石倉は、改めて図形に目を向けた。

たしかに齧《かじ》ったあとのリンゴに見えなくもない。だが、これが仮に知恵の実だったとして、犯人は窓枠の上にその図形を残すことで——。

「何を伝えようとした？」

言うつもりはなかったのだが、つい口をついて出た。

「知恵の実を食べたとき、人間は神から罰を受けたんです」

「罰？」

「ええ。夫と妻の対立、女のお産の苦しみ、労働の苦しみ、そして死の定め」

新垣が、一段と声のトーンを低くしながら言った言葉に、石倉は舌打ちを返した。

「だからなんだ」

「神が人間に与えた罰のことを原罪といいます。全ての人間が、この世に生を受けたときから、原罪を定めとして負っているんです」

「バカバカしい」

石倉は、苛立《いらだ》ちとともに吐き捨てた。

いかにも、このマークの意味を知っているような意味深長な口ぶりだったクセに、よりにもよって聖書とは——そんなものに振り回されては犯人の思うツボだ。

劇場型の犯人を捕まえるためには、奴の描くシナリオの外にいなければならない。

「待ってください。話はまだこれからなんです」

新垣が、周囲に目を配りながら身体を寄せてきた。

「なんだ」

石倉は、ため息をつきながらも先を促した。

「話を聞いた私の友人が、前にもこのマークを見たことがあるんだそうです」

「なぜ、それを先に言わない」

それほど確実かつ、有力は情報は他にない。

石倉は、苛立ちを嚙《か》み殺した。新垣は、まだ上には報告していないと言っていた。考えようによっては、ホシを挙げる願ってもないチャンスだ。

「実は、ネット上に噂話が載ってるらしいんです」

「どんな」

「このマークを現場に残す殺し屋がいるらしいんです」

「は？」

期待していたぶん、石倉の落胆は大きかった。よりにもよって殺し屋とは――。

「神が人間に与えた原罪の一つ、死の定めを実行する。しかも、その殺し屋は、どんな方法を使うのか知りませんが、一切の証拠を残さず殺しを実行するそうです。唯一、現場にはこのマークが……」

「もういい」

石倉は、喋《しゃべ》り続ける新垣を一蹴《いっしゅう》した。くだらない都市伝説だ。そもそも、新垣は、自分の話が矛盾だらけであることに気付いていない。

人間を殺害して証拠が残らないはずがない。死因があるのだから、それが証拠になる。そもそも、毎回現場にマークを残しているのなら、たとえ殺害方法が判明しなかったとしても、警察は事件を関連付けるはずだ。

人を殺して、証拠を残さない方法はただ一つ。死体を発見させないことだ。

新垣は、まだ何か言いたそうにしていたが、タイミング良く署長が会議室に現れ、捜査会議が開始された。

署長から型通りの挨拶《あいさつ》があり、次いで刑事課長から事件の概要の説明がされる。意識を高めるための、長い口上の後、監察医が壇上に立った。白髪で、ブルドッグのようないかつい顔をした初老の男だ。

「——遺体の死亡推定時刻は不明。少なくとも三年は経過していると思われます」

白骨遺体なんだから、何年も経過してるのは当然だ。

「——死因は、まだ分かっていませんが、遺体の骨には、数箇所骨折が見られます。これは、死後遺体の運搬などが原因ではなく、生前に負った傷だと思われます」

監察医のその言葉に、会議室の空気が一気にざわついたものになった。

「殺しですかね？」

新垣が、いかにも若い刑事らしい短絡さで耳打ちしてきた。

「まだ、決まったわけじゃない」

石倉は、ため息をついた。

殺人だなんてことは、会議室にいる全員が分かっている。だが、決定的な証拠が挙がるまでは、それを口には出さずあらゆる可能性を踏まえて捜査をしなければならない。

特に、今は初動捜査の段階だ。方向性を見誤れば、永久に犯人は捕まらない。

「決まりでしょ。骨折の痕《あと》があったって言ってるじゃないですか」

「焦るな小僧」

「でも……」

「人間は、骨が折れたからって必ず死ぬわけじゃない。骨折する理由だって、色々あるんだ。車に撥《は》ねられても折れるし、高いところから落ちても折れる」

「いや、しかし……」

「いいから黙ってろ」

石倉のその言葉で、新垣は叱られた子どものように肩を落として俯《うつむ》いた。

壇上では、監察医からの報告が続いていた。

「——被害者の血液型はB。性別は男性。年齢は、二十代から三十代であったと推測されます」

出て来るのは、曖昧《あいまい》な情報ばかり。身許を特定するのには、時間がかかりそうだ。

やはり、手がかりはこの写真か——。

石倉は、資料として配布された写真に改めて目を向けた。

2

奈緒美は、側頭部に定期的に脈打つ鈍痛とともに目を覚ました。

目頭を押さえ、深呼吸を繰り返す。

また、同じ夢を見た。

音大のホール。ノイズ。そして、ステージに立つ髑髏《どくろ》を持った男。

昨日は、松崎にいつ頃から夢を見始めたのか分からないと答えた。だが、改めて思い返してみると、音大のホールが出てくるのだから、少なくとも大学に入学した以降ということになる。

髑髏を持ったあの男は、音大在学中に会った誰かなのだろうか？

まるで、その答えを知ることを拒むかのように、頭の痛みが激しさを増した。

奈緒美は、どうにか身体を起こしベッドを降り、フローリングの床の上に立った。目を回したときのように、地面がぐらぐらと揺れている。

俯き加減に頭を押さえ、壁に手をつきながら廊下の先のユニットバスに向かった。

ユニットバスの扉を開け、鏡に映る自分の顔と対峙《たいじ》しようと顔を上げた拍子に、それは目に入った。

〈思い出せ〉

四十センチ四方の鏡いっぱいを使って、真っ赤な字でそう書かれていた。

これは、なに？

昨日までは、何もなかったはずなのに——。

眠っている間に誰かが部屋に侵入し、鏡に文字を書いたのか？

奈緒美は、視線を玄関のドアに走らせる。

鍵《かぎ》は、内側から閉められていた。合い鍵かもしれないと思ったが、それはすぐに否定された。ドアストッパーもしっかりと掛かったままになっている。

誰も、この部屋の中に入ってはいない。

冷静になろうと考えれば考えるほど、今の状況の不自然さに恐怖が強まっていく。

膝《ひざ》の力が抜け、奈緒美はその場に尻餅《しりもち》をついた。

床についた右手が、何かに触れた。

「いやぁ！」

声を上げてユニットバスから這《は》い出た。

おそるおそるユニットバスの中に視線を向けると、床にキャップの取れたルージュが転がっているのが見えた。

鏡の文字は、あれで書かれたもの——。

「どうして……」

もしかしたら、鏡の文字は私の見間違いかもしれない。そう思い、大きく深呼吸をしてから改めて鏡に視線を向けた。

そこには〈思い出せ〉という文字と、驚愕《きょうがく》の表情を浮かべる自らの顔が映し出されていた。

奈緒美は、ふとあることに気付いた。

鏡の中に映る自分の顔の頬のあたりに、赤い線のような汚れが付着していた。

指でそれをなぞってみる。

汚れは落ちるばかりか、余計広がった。

まさか——。

奈緒美は、震えの止まらぬ自分の掌《てのひら》に視線を向けた。

指先がクレヨンで遊んだ子どものように、赤く汚れていた。

「私は……」

この文字は、私が書いたの——。

3

真矢《まや》秋穂は、集合の一時間前には練習場所であるホールに到着した。

西国分寺《にしこくぶんじ》の駅を降りてすぐ、緑の三角屋根にベージュの壁のホールだ。しばらくは、この場所に通うことになる。

正面玄関の前に立つ桜の樹には蕾《つぼみ》が膨み始めていた。

桜の花が、だんだんと咲いていく様を見ながら通うというのは悪くない。

正面の入り口に立っている守衛に声をかけると、すぐに中に入れてくれた。

女性用の控え室に入った秋穂は、胸の前に抱えていた合成樹脂のケースをテーブルの上に置き慎重に蓋《ふた》を開けた。

十七世紀に製作されたヴァイオリン、ストラディバリウスだ。

ヴァイオリンについている名称は、製作者の名前が使われることが多い。このストラディバリウスも例外ではない。

世界で六百挺《ちょう》しか確認されていない幻の作品の一つだ。

都内で、1LDKのマンションが購入できるくらいの値段がする。

他の楽器のことは知らないが、ヴァイオリンは古ければ古いほど音色に磨きがかかる、ワインのようなものだ。

秋穂は、壁に据え付けられた鏡に目を向ける。

急いで家を出て来たので、しっかりと化粧を確認している暇がなかった。髪に少し落ち着きがない気がするが、大丈夫だろう。

背中まで伸びた髪をまとめ、頭の上でだんごをつくりピンで留めた。

ふと、左手の薬指に嵌まった指輪が目に留まった。シンプルなプラチナのリングに、ラウンドのダイヤが鎮座している。

クリスマスに玉木からもらった婚約指輪だ。

秋穂は、玉木の色黒で、角張った顔を思い返した。本音で言えば、顔はあまり好みではない。

玉木が、出会った当初から想いを寄せてくれていたのは知っていたが、敢《あ》えて気付かぬふりをして、一番近しい異性の友人としてかかわってきた。

そんな秋穂が、玉木と付き合うようになったのは、彼の影を消し去りたかったからに他ならない。

だが、今は違う。

玉木の優しさに触れ、彼となら一緒にやっていけると思った。

秋穂は、薬指の指輪を慈しむように撫《な》でた。

「練習が終わるまで待っててね」

そう語りかけ、秋穂は指輪を外しケースに入れると、携帯電話や財布と一緒に貴重品保管ボックスの中にしまった。

ずっと着けていたいところだが、ヴァイオリンはその性質上、指輪を嵌《は》めたまま演奏をすれば傷をつけることになってしまう。

秋穂は、楽器を手に取り控え室を後にした。

このところ、結婚の準備でバタバタしていたこともあり、あまり練習時間を割くことができなかった。

ヴァイオリンに限らず、楽器は一日練習を怠れば、三日分後退するといわれている。せめて稽古《けいこ》が始まる前に思いっきり音を出し、感覚を確かめておきたかった。

ホールへと続く廊下を歩き始めたところで、秋穂は知った顔を見つけた。

「早いわね」

声をかけると、奈緒美は驚いた様子で一瞬身を硬くしたが、すぐに屈託のない笑顔をみせた。

だが、その表情にいつもの張りはなく、徹夜明けのように疲労が蓄積している感じだ。

「秋穂こそ早いわね」

「最近、いろいろ忙しくて、満足に練習できなかったの」

「そっか、もうすぐだもんね」

「奈緒美はどうしたの？」

「私も最近あんまり練習できてなかったから、それに……ね」

「まさか、練習が再開するとはね」

秋穂は、奈緒美の言葉を引き継ぐかたちで言った。

「今回、ダメかなと思って譜面全部しまってたんだ」

奈緒美は、フルートの入った楽器ケースを胸の前に抱えながら、困ったように眉間《みけん》に皺《しわ》を寄せた。

こういう表情をすると、ただでさえ童顔な奈緒美は、より一層幼く見える。

「本当に酷《ひど》い話よね」

「でも、中野《なかの》さんどうしたのかな？」

奈緒美が、口にしたのは先週まで指揮を執っていたコンダクターの名前だ。

演出家と意見が合わず、降板するという話なら聞いたことがあるが、行方不明というのは確かに気にかかる。

「嫌気がさしたんじゃない？」

「そんな風に見えなかったけどな」

「私たちの知らないところで、何か抱えてたんじゃない？」

「それにしても、突然いなくなったりするかな」

「コンダクターって芸術家肌の人が多いから、色々あったんでしょ」

奈緒美は、まだ納得していない風だったが「そうかもね」と同意の返事をしたあと「新しいコンダクターって、どんな人かな？」と目を輝かせながら訊《き》いてきた。

「代役なんだから、あまり期待しない方がいいわよ」

「確かに」

笑いあった後、お互いに「また後で」と挨拶《あいさつ》を交わし、秋穂はそのままホールに向かった。

鉄製の重い扉を押し開け、暗いステージ袖《そで》を通りステージに出る。

眩《まばゆ》いばかりの照明に目を細めつつ、ゆっくりとした足取りでステージの中央に歩み出た。

ヒールが床に当たる音が、何重にもなってホールに響き渡る。

音響効果の高いホールのようだ。

ステージの中央に立った秋穂は、左肩の鎖骨の上にヴァイオリンを載せ、顎当《あご》てに顎を合わせ、楽器を固定して基本の姿勢を取った。

鎖骨に、ヴァイオリンの木が触れる。

中には肩当てをする人もいる。それだと肩にかかる負担は減るが、音の響きが全く違うものになってしまう。

何より、秋穂はヴァイオリンの木が、肌に密着する感触が好きだった。

ヴァイオリンのネックに左手を添え、右手に持った弓で二本ずつ弦を弾きながら、和音を確かめていく。

ヴァイオリンはデリケートな楽器だ。わずかな温度や、湿気で音は変化してしまう。

家を出る前に調弦してきたが、Aの和音に少しズレがある。

テールピースに取り付けたアジャスターを回し、微調整してから、それぞれの和音を再確認する。

調弦できたところで一度目を閉じ、精神を集中させる。

鼻からゆっくりと息を吸い込み、空気を身体の中に溜《た》める。

――。

一拍置いた後、息を吐き出すのと同時に演奏を始めた。

曲は、パガニーニの「ヴァイオリン協奏曲第一番ニ長調」だ。

パガニーニの曲は、まるで自らの存在を誇示しているかのように、曲中に超絶技巧が連続して使用されている。

写真が、現在も残っているが、彼の指と二の腕は明らかに一般の人より長い。

当時、悪魔に魂を売り渡した代償として、テクニックを手に入れたと噂されたほどの人物だ。

軽快に弓を引く。

曲が中盤に差し掛かったところで、曲調が急激に変化する。

技術だけでは、演奏が薄っぺらになってしまう。

ゆるやかに、そして、静かに――。

うまく感情を切り替えることができた。

演奏を終え、ヴァイオリンを下ろしたところで、ぱちぱちと手を叩《たた》く音が聞こえた。

最初、ゆっくりだったそのリズムは、次第に速くなり、やがてはっきりとした拍手になった。

――誰？

秋穂は、客席に視線を走らせた。

ステージから見て、一番近い位置にある非常口の脇の柱に寄りかかるようにして立っている男の姿が見えた。

黒いスーツに、同じ色の開襟のシャツを合わせている。

「素晴らしい」

やけに甲高い声が音響効果の高いホールに響いた――。

秋穂の胸が、ざわざわと音をたてて揺れる。

――まさか？

「その声は……結城さん？」

「結城さんなんて、よそよそしい呼び方はよしてくれ」

結城は、軽やかな足取りでステージ脇の階段を駆け上がり、秋穂の前に立った。

ライトに照らされ、結城の彫りの深い顔が浮かび上がる。

「なんで、ここにいるの？」

秋穂は、喉《のど》に力を入れることができず、上ずった声になってしまった。

忘れかけていた記憶が、鮮明に脳裏に蘇《よみがえ》る。綱渡りをしているような危うさ。少しでも気を抜いたら、底の見えぬ闇の中に真っ逆さまに転落してしまいそうだ。

「恋人に、なんではないだろ」

結城は、目を細めて笑った。

「昔のことよ」

秋穂は視線を足許に落とし、下唇を噛《か》んだ。

結城と恋人同士だったのは、今から五年前。まだ学生だった頃だ——。

「私は、昨日のことのように思い出すよ」

秋穂には、結城の言葉が本気なのか冗談なのか判断できなかった。

微笑みの裏に、本当の感情を覆い隠してしまう。何を考え、どう思っているのか、その心の底が見えない。

付き合っているときは、それが結城の魅力の一つだと感じていたし、包容力だと認識もしていた。

だが、五年前のあの瞬間をきっかけに、それが幻想であることに気付かされた。

あれだけのことをしておきながら、結城はそれをおくびにも出さず、平然と日常生活を送っていたのだ。以来、結城の口にする言葉が信じられなくなり、微笑みの裏に別の感情があるのだと意識するようになった。

愛してはいたけれど、そこには畏怖《いふ》の感情がつきまとった。

結城の海外留学が決まり、別れを告げられたとき、悲しさよりも、これで呪縛《じゅばく》から解放されるという安堵《あんど》の感情が先に立った。

あの日のことも、過去のこととして錘《おもり》をつけて記憶の底に沈めておいた。それなのに——。

「何しに来たの？」

秋穂は、叫びだしたくなる感情を、ヴァイオリンの弓を握る右手に力を込めることで、かろうじて堪《こら》えた。

結城は秋穂の質問に答えることなく、相変わらずの笑みを浮かべている。タクトを振るような感覚で人の感情を弄《もてあそ》ぶ。自分は、全てを知っている。そんな笑みだった。

「私はコンダクターだ。ミュージカルの指揮をしに来た」

結城は、シェイクスピアのハムレットのように大袈裟に手を広げながら宣言する。爽《さわ》やかで、上品な香りが鼻を擽《くすぐ》る。

五年前と変わらない。ブルガリの香水だ。

「あなたが新しいコンダクターなの？」

「そのようだね」

結城は、照れくさそうに鼻の頭を指先でかいた。

「なぜ？」

「私の方から是非にとお願いしたんだ」

「あなたが、自分から頭を下げるほど魅力的な仕事だと思わないけど」

今回は、商業ミュージカルのオーケストラだ。主役はあくまで役者で、オーケストラはそれを引き立てるための脇役に過ぎない。

恋人を捨てて海外留学までした人が請け負うとは到底思えないし、そうであって欲しくない。

「本当を言うと、君に会いに来たんだ」

――そんな言葉は、聞きたくない。

「私、もうすぐ結婚するの」

――女が、いつまでも同じ気持ちでいると思わないで。

「そうか」

結城は、笑みを崩すどころか、声色一つ変えずに言った。

――少しくらい驚いてくれれば救われるのに、どうしてあなたはそうやっていつも高いところから見ているの？

「幸せそうで何よりだ。後で、またゆっくり話そう」

結城は、そう言って背中を向けた。

――相手が誰かさえ訊《き》こうとしない。まるで、機械と話しているみたい。

「玉木君」

「なに？」

秋穂の言った言葉に、結城は変わらぬ笑顔のまま振り返った。

「私が結婚するのは、玉木君なの」

その言葉を聞いても、結城の笑顔は変わらなかった。

「そうか。あいつなら安心だな」

結城は、軽く手を上げながら背中を向けるとステージを降り、非常口を開けて出ていった。

まるで、五年前の再現映像のようだった。

――でも、私はもう追いかけないし、涙も流さない。

時が経てば、人は変わるもの。それを思い知るといいわ。

4

非常口のドアを後ろ手に閉めた結城は、大きくため息をついた。

秋穂がつけていた柑橘《かんきつ》系の香水の香りが、まだ鼻腔《びこう》に残っていた。

打ち合わせの前に、練習場所となるホールを確認しておこうと軽い気持ちで足を踏み入れただけだった。

そこで、ヴァイオリンを奏でる秋穂の姿を目にした。

秋穂と交際を始めたのは、音大に入学して間もない頃だった。

そこから卒業間際まで、半同棲《どうせい》のような生活を続けた。音大時代を振り返ると、必ず傍らには秋穂の存在がある。

だが、それも五年前のこと――。

彼女が自分のことを想い続けているなどという、高校生みたいな甘酸っぱい感情は持ち合わせていない。

玉木との結婚にしても、予測の範囲内のことだ。むしろ、そうなっていてくれた方が、お互いのためでもある。

契約が履行されただけのこと。

昔は昔、今は今。割り切っているはずだった——。

それなのに、秋穂を見た瞬間に、結城の腹の底からふつふつと熱を持った感情が湧きあがってきた。

秋穂は、綺麗《きれい》になっていた。

切れ長の目。厚みのある唇。真っ直ぐ伸びた鼻筋。

そこらのモデルだったら尻尾《しっぽ》を巻くほどの美貌《びぼう》だ。それは、五年前と変わらない。だが、今の秋穂にはもっと違う何かがあった。

それは、表面的なものではなく、内面から滲《にじ》み出てくる女としての魅力。

結婚前の女性が綺麗になるという話はよく聞くが、それはエステに通い、化粧を整え、着飾っているからだと思っていた。

その浅はかな考えが、結城の中で、たった今覆された。

幸せを実感したとき、女は確かに綺麗になる。

「だから、どうした」

結城は、次々と頭を過《よ》ぎる考えを打ち切るように口に出した。

ちょっと惜しいことをしたが、彼女よりもっと美しい女に出会うことは、この先何度もあるだろう。今までだって、そういう女を見て来た。余計な考えを起こせば、それは身の破滅を招く。今まで築いてきたものの全てを失う。

「もしかして、結城君？」

思考に割り込んで来た声に反応して顔を上げると、一人の女の姿が目に入った。知っている顔だった。

「朽木か」

結城は、意識して笑顔をつくり、廊下の先に立つ奈緒美の前まで歩み寄った。

「本当に久しぶりだね」

奈緒美は両手を胸の前で合わせ、屈託のない笑みを浮かべた。

「大学卒業以来だから、五年か」

「一時帰国ですか？　マエストロさん」

事情を知らない奈緒美は、何気なく口にしたのだろうが、罵倒《ばとう》されているように感じられる。

「いや。今後は日本で活動しようと思ってね」

「そうなんだ。楽しみ」

奈緒美は、ひときわ大きく目を見開きながら言った。

「相変わらずだな」

「え？」

奈緒美は、言葉の意味が分からないという風に、首を捻《ひね》る。

彼女は、こういうところがある。素直に人の言葉を受け止め過ぎて、話の流れから先を読むことをしない。

「今回のミュージカルの指揮は、私がやるんだ」

「嘘！」

「本当だ。ビシビシいくから覚悟しておけよ」

「お手柔らかに」

「また後で」

結城は、奈緒美に手を振ってから廊下を歩き始めた。

最初の角を曲がり、エレベーターホールに向かい、ボタンを押したところで壁に背中を預け、肩の力を抜いて息を吐き出した。

五年の歳月が経っているとはいえ、奈緒美と笑顔で話している自分を滑稽《こっけい》だと思う。

真実を知ったとき、彼女はどんな表情をするのだろう。それを夢想すると、背筋がぞくぞくと震えた。

到着したエレベーターに乗り込み、三階で降りると突き当たりにある「応接室」とプレートのかかったドアをノックした。

「どうぞ」

すぐに部屋の中から返答があった。

結城は、ジャケットの襟を正してからドアを開けた。

向かい合わせで革張りのソファーが置かれたその部屋には、二人の男が待っていた。一人は面識がある。

「お待ちしてました」

プロデューサーの相葉が立ち上がり、笑みを浮かべながら出迎えた。

「昨日は、どうも」

結城は相葉と握手を交わしながら、目配せしてもう一人の男を示した。

「あ、そうでしたね。紹介します」

相葉の言葉を受け、ソファーに座っていた男がのそりと立ち上がった。

身長は百六十センチそこそこだが、体重は百キロ近くありそうだ。血色が悪く、水族館にいるトドのようだ。

ジャケットとジーンズは薄汚れ、着たきりスズメであることが容易に想像できる。薄くなった髪を立たせ、ヴォリュームを持たせることに必死になっている。

――見苦しい。

それが、この男に対する第一印象だった。

「今回の演出を引き受けてくださった柏井武雄《かしわいたけお》さんです」

相葉の紹介を受けた柏井は、ふんと鼻を鳴らしただけだった。

自分から挨拶《あいさつ》をするつもりはないらしい。

「初めまして。指揮を振る結城です」

「噂は聞いてるよ」

結城が頭を下げると、柏井は腕組みをしたまま、重力に逆らえずに垂れ下がった頰を震わせながら口を開いた。

「結城さんに来て頂いたのは、本当にラッキーでした。柏井さんも、現在期待されている演出家なんです」

相葉が取り持つように言いながら、座るように促す。

結城は、柏井と向かい合うかたちでソファーに腰を下ろした。それを見届けてから、相葉が結城の隣に腰を下ろす。

「相葉君から、君が指揮を振ったコンサートを聴かせてもらった」

柏井が、首筋をボリボリとかきながら話を切り出した。

「五年前のオペラシティです」

相葉が補足説明をする。

ああ、あれかと思う。指揮を振ったといっても、大学の卒業コンサートのことだ。演奏者も音大の生徒がメインになっている。

悪くはないが、やはり学生にしてはという注釈がついて回る。

「退屈だったでしょ」

結城は自嘲《じちょう》気味に笑った。

「それなりに楽しんだよ」

「それなり……ですか」

結城は、不快感を引き摺《ず》りながら訊《き》き返した。

「それなりだ」

柏井の声は憮《ぶ》然《ぜん》とした調子だった。

身体を流れる血液が、一気に熱を持った。それなりにとはよく言ったものだ。こんな脂肪の塊のような男に、音楽が理解できるはずがない。

音楽とは、繊細で崇高で奥深い。神に選ばれたごくわずかな人間だけがそれを理解し、操ることを許される。

──私は、その数少ないコンダクターだ。

「それなりに楽しんで頂けて光栄です」

結城は、怒りを吐き出す代わりに、微笑んでみせた。

「いえ、結城さんの指揮は一級ですよ。結城さんが、ミュージカルの指揮を振るというだけで、話題になります」

「そんな凄《すご》い人が、なぜ、わざわざミュージカルの指揮を振るんだ？」

相葉のフォローを潰《つぶ》すように柏井が訊《たず》ねた。

──見た目通り陰湿で薄汚い男だ。

「気分転換ですよ。ミュージカルの指揮は振ったことがないですから、たまに別の仕事をするのも勉強になる」

「気分転換ねぇ」

柏井は、納得できないというふうに口を尖《とが》らせた。

「ところで、今後のスケジュールなんですが……」

相葉が、気まずくなった空気を振り払うように切り出した。

クソみたいな演出家に、昔の仲間との再会。

やはり、この仕事を受けるべきではなかったのかもしれない――。

5

まさか、結城が戻ってきているとは――。

奈緒美は廊下を進み、ステージへと続く扉の前まで来たところでふと足を止めた。

秋穂は、練習をしたいと先にホールに向かった。彼女は、もう彼に会ったのだろうか？

友人としては、今回のミュージカルで結城が指揮をするのは嬉《うれ》しいことだ。だが、メンバーの中には秋穂も玉木もいる。

過去の三人の関係を知っている奈緒美からしてみれば、学生時代を懐かしんで久しぶりの再会を喜ぶというわけにはいかない。

秋穂と玉木が結婚を控えたこのタイミングで、結城が日本に戻ってくる。まるで、恋愛ドラマのような作為的な運命を感じてしまう。

——秋穂に、なんと声をかければいいのだろう？

それを考えると、奈緒美はステージへと通じる扉を開けることができずにいた。

「何を惚《ぼ》けてるんだ？」

いきなり声をかけられ、飛び跳ねるように振り返った。

そこには、玉木が立っていた。場違いなほど呑気《のんき》な笑みを浮かべている。

玉木は、結城が戻ってきたことを知らないのだろう。知っていれば、こんな風に振る舞うことはできないはずだ。

「な、なんでもない」

奈緒美は慌てて首を振り、無理に笑顔を作った。

「そうか？　顔色悪いみたいだぞ」

「ちょっと考えごとしてただけ」

「恋の悩みか？」

冷やかすような口調で玉木が言った。

「まさか」

「その返答は、年頃の女として問題だぞ」

「なにそれ？」

「婚期をのがすってことだ」

玉木は、ポンと奈緒美の肩を叩《たた》いた。

たったそれだけのことなのに、奈緒美の肌はぶつぶつと粟立《あわだ》ち、反射的に身を硬くして後ろに飛び退いた。

——怖い。

「どうしたんだ？」

玉木が、不思議そうに首を捻《ひね》っている。

話すだけならなんともないのに、異性に触れられると、どうしても拒否反応を起こしてしまう。

なぜそうなるのか、奈緒美自身、理由は分からない。

「なんでもないよ。気にしないで」

奈緒美は、答えが出ないまま動悸《どうき》の続く心臓を抑えるようにして笑った。

「とにかく、早く彼氏を見つけた方がいいぞ」

玉木がおどけたように言う。

「余計なお世話です」

「心配してやってんだろ」

「そっちこそ。幸せボケしてると、秋穂を誰かに奪《と》られちゃうわよ」

奈緒美は言ってから、しまったと慌てて手で口を塞《ふさ》いだ。流れの中での言葉にしても、配慮に欠けていた。

だが、気にしているのは奈緒美だけで、玉木はヘラヘラと締まりなく笑っていた。

「おれたちの愛は、そんなにヤワじゃねぇよ」

「お熱いことで」

「まあね」

玉木は、勝ち誇ったようにそう言い残すと、扉を開けてステージに向かって歩いて行った。

奈緒美は、胸の奥がざわざわと揺れるような感覚を抱きながらも、玉木の後に続くようにステージに向かって歩き始めた。

ステージ上で、玉木はさっそく婚約者である秋穂に話しかけていた。何を話しているのかは聞こえないし、その表情をうかがうこともできない。

自分が口を出す問題じゃないのは分かっているが、なぜか不安な気分になる。

続々と集まってきたオケのメンバーと一緒に、指揮台を中心に半円形に四列ずつ椅子を並べ、合奏の準備が始まった。

十分ほどで準備が整い、それぞれ自分の席に着く。

総勢三十人になる。通常、フルオーケストラであれば六十名はいる。それにくらべると、圧倒的に少ない人数だ。

しかし、商業ミュージカルの場合、ステージ上は役者が演じるための空間になり、オーケストラは客席の一部を利用するか、ステージ下の奈落《ならく》のスペースを使用することになるので、編成人数を減らさざるを得ない。

結果、一パート一名の編成になり、不足する音量は集音マイクを使用してスピーカーから流すかたちになる。

コントラバスはエレキベースに代わり、ファゴットやチェロなどの大型の楽器は編成から外されることが多い。

それに代わって、通常のオーケストラではほとんど活躍のないピアノの登場となる。

音源を自在に変えられる電子ピアノを使用して、不足しているパートを補ったり、メインの旋律を奏でたり、ときには効果音まで担当し縦横無尽の活躍をする。

必然的に、演奏の中心となるコンサートマスターも、ピアノから選出されることが多くなる。

稽古《けいこ》に向けて、それぞれが自らのペースでウォーミングアップを始めていく。

二列目の中央の席に座った奈緒美は、楽器の準備をしながらも、最前列の右端に座る秋穂の姿に目を向けた。

——秋穂は結城に会ったのだろうか？

奈緒美の位置からでは、秋穂の後ろ姿しか見えない。彼女が何を思い、どんな表情をしているのか、判断のしようがない。

ただ、いつもと変わらぬ様子でヴァイオリンの弓を引いている。

振り返り、半円から少し離れたところにいるピアノの玉木にも視線を向けた。いつもと変わらぬ調子で、指慣らしに連続した音階を奏でている。

――少し、気にし過ぎかもしれない。

奈緒美も、ウォーミングアップの音出しを始めた。

十五分ほどしたところで、不意に音が止んだ。

奈緒美が視線を前に向けると、客席から通じる通路を一歩一歩確かめるような足取りで歩いて来る男の姿が見えた。

黒のスーツを着たコンダクター、結城康文だ。

自分に向けられた視線を楽しんでいるかのような優雅な動きで、ステージへと続く梯子《はしご》を上り、指揮台の上に立った。

オーケストラ全体がざわついた。

新しいコンダクターが来ることは、事前に知らされていたが、思いの外若いということに対する驚きなのだろう。

結城は、口を一文字に結んだまま、右から左にゆっくりとメンバーを見渡していく。

睨《にら》みつけているわけではないのに、まるでそうされているような圧力を感じた。

騒がしかったステージ上が静まり返っていく。

結城は、気合いを入れ直すように、ふっと息を吐き出してから語り始めた。

「初めまして。結城康文です」

独特の甲高い声が、ホールに反響する。

「今日から、このオーケストラの指揮を執ることになりました。今回は代役ですが、だからといって手を抜くつもりはありません。残りの日数で最高の音楽を創り上げていくつもりですので、みなさんもそのつもりで」

結城が、そう締めくくるのと同時に、自然に拍手が沸き起こった。

学生時代に、彼の振る指揮は何度か経験したことがある。

いい意味で機械のように精密で、的確な指示が出る。演奏する側としては、やり易さはあるのだが、その分自由度は低い。

そんな結城が海外留学を経験して、どんな風に進化したのか。秋穂と玉木には申し訳ないが、密《ひそ》かな楽しみも感じていた。

奈緒美がふと視線を向けると、秋穂だけはヴァイオリンを膝《ひざ》の上に置いたまま、身じろぎ一つしなかった。

私はあなたを歓迎しない。そんな意志が伝わってくるようだった。

拍手が鳴り止むのを待ち、結城は指揮棒を器用に指先でくるりと回す。

「じゃあ、早速肩ならしといこう。チューニングは？」

結城が口にするのと同時に、オーボエの梅本《うめもと》が立ち上がりAの音を奏で始める。その音に重なるように、コンサートマスターである玉木がAの音を打ち鳴らす。

最初は、歪《ゆが》みを持っていた和音が、丸みを帯び完全に同じピッチに変わる。

オーボエとピアノの和音を中心に、それぞれが同じ音階の音を奏で微調整を始める。

奈緒美も楽器を構え、和音の一つに合流した。

オーケストラ全員のチューニングが終了したところで音が止んだ。

「演奏は途中で止めない。雰囲気を摑《つか》むために、頭から通しでやろう」

結城が指揮棒を構えるのと同時に、各々楽器を構え呼吸を整える。

ホール全体が静寂に包まれた。

じらすような間を置いたあと、結城のタクトが振り下ろされた――。

6

石倉は、新垣とともに国立駅前にある不動産会社を訪れた。

駅の南口から、銀杏《いちょう》並木のある商店街を真っ直ぐに進んだ先にあり、今の主流となっている大手チェーンとは異なり、地元密着型で経営される小さな店舗だった。

物件の間取り図が所狭しと貼り付けられたガラスの引き戸を開け、店内に足を踏み入れる。

入ってすぐのところに対面式のカウンターがあり、二人が並んで座れば、それでいっぱいになってしまうほどの狭さだった。

「いらっしゃいませ」

カウンターのところにいた営業マンらしき二十代の男が、パソコンの画面に顔を向けたまま言った。

「あの、栗林《くりばやし》さんは？」

後について入ってきた新垣が、卑屈なほどの低姿勢で声をかける。

「栗林さん。客が来てます」

男は、相変わらずパソコンに目を向けたまま声を張る。

それに反応し、奥に座っていた男が顔を上げ「客？」と迷惑そうに言った。四十代くらいで、のっぺりとした顔の男だった。おそらくあれが栗林だ。

「先ほど連絡した国立署の者です」

新垣がペコリと頭を下げるのに合わせて、栗林が「ああ。そうだった」とデスクの上の書類をかき集めながら立ち上がった。

刑事に興味をそそられたのか、さっきまでパソコンのモニターとにらめっこをしていた若い男も顔を上げる。

「えっと、201号室の件ですよね」

そう言いながら、栗林はカウンターまで歩み寄って来て「まあ、どうぞ」と椅子に座るように促すと、若い男に奥に行くよう指示し、入れ替わるかたちでカウンター前に座った。

「殺人事件らしいですね。ニュースで見ました」

栗林は、少し興奮した様子で話を切り出した。

警察は、今のところ公式な見解を避けている。それでも、どこからか情報を嗅《か》ぎつけマスコミは殺人事件だと派手に騒ぎ立てる。

色メガネをした状態で聞き込みをすると、正確な情報を得ることができない。

「まだ、決まったわけじゃない」

石倉は面倒だと思いながらも、釘《くぎ》を刺す意味で言った。

「はあ、そういうもんですかね」

「そういうもんだ。それより、さっきの話を詳しく聞かせてくれ」

石倉は身を乗り出して本題を切り出す。

「あ、はあ。電話でもお話したんですが、あの部屋は空室のはずだったんですよね」

栗林は、困ったという風に頭をポリポリとかいた。

「空室？」

「ええ。最近は、アパートなんて誰も住みたがらないんですよ。苦学生みたいなのも少なくなってきましたからね。みんなマンションタイプです」

「マンションねぇ」

「しかもですよ、大学生風情が２ＬＤＫとか借りるわけです。私らの時代は、地方からの学生といえば、みんな狭い木造のアパートだったでしょ」

「物件の鍵《かぎ》は？」

このままいったら、延々と栗林の「最近の若い者は」的な愚痴を聞かされることになる。

石倉は、割り込むようにして質問をぶつけた。

「この物件、うちがオーナーなんですわ」

「自社の物件なのか」

「ええ」

通常、こういった賃貸物件を扱う不動産会社は、物件の持ち主であるオーナーと借り主との間をとりもつ仲介業であるため、空室になった場合のリスクを減らす意味合いでも、自社で物件を持つことは少ない。

同じ建物でも、部屋毎にオーナーが違うなんてこともざらだ。

「最初から?」

「十年くらい前ですかね。うちの社長が、オーナーと知り合いかなんかで、詳しい事情は知りませんが、物件ごと買い取ったらしいです」

「なるほど」

おおかた、借金のカタにタダ同然で手に入れたのだろう。

「実は、もう取り壊しが決まってまして……」

「取り壊し?」

「ええ。なんせ、三十年以上前の建物ですからね。修繕費だけでけっこうかかるんです。それに、ほとんどが空室なもんですから、建て替えを考えていたんです」

「いつだ?」

「具体的には決まってませんが、今住んでいる方にも、退去の通告を出そうと準備していたところなんです」

「臭いますね」

今まで黙っていた新垣が、鼻をひくひくと動かしながら目を輝かせる。

猟犬を気取っているのかもしれないが、こいつは飼い主がいなければ散歩にもいけない室内犬だ。

「少し黙ってろ」

石倉は、新垣を睨《にら》みつけた。

犯人は、あのアパートが取り壊されることを事前に知っていた可能性がある。

鑑識の結果待ちではあるが、おそらくあのアパートに目星を付けた犯人が、ピッキングなどの方法を使って鍵を開けて侵入したのだろう。

板一枚だけのドアだ。開けるのに大して手間もかからなかったはずだ。

だが、無作為にあのアパートを選んだわけではないはずだ。様々な条件から、幾つかの物件をピックアップし、その中からあの場所を選択した。

「もう一つ訊《き》いていいか？」

石倉は、栗林に向き直る。

「なんでしょう」

「最近、あの近辺の物件を探しに来た人間はいるか？」

「そりゃいると思いますよ」

「その中で、アパートを探していた人間を絞り込むことはできるか？」

「さっきも言いましたけど、マンションならあるんですけどね、アパートはねぇ……」

「あ、それなら、おれ先月にありましたよ」

奥のデスクに引っ込んでいた、さっきの若い男が手を挙げながら口を挟んできた。

仕事もせずに、聞き耳をたてていたらしい。

「本当か？」

「たぶん。ちょっと待ってください……」

男は返事をしながら、机の上に並べられたファイルを指で追っていく。

やがて「あった」と一冊のファイルを持って、栗林の隣の椅子に座り、カウンターの上でファイルを広げ、素早くページをめくっていく。

物件探しの時、部屋の広さや賃料などの条件を書き込んだオーダーシートをファイリングしたものだった。

三分の一ほどページをめくったところで「これだ」と男は手を止めた。

「けっこう面倒なオーダーだったんで、記憶にあったんですよね」

石倉は、得意そうに言う男からファイルをひったくるようにして、目を通していく。

そこには、少し角張っているが丁寧な文字で、こと細かに物件の条件が書き込まれていた。

賃料の上限無し。希望物件はアパートタイプ。

違和感のある注文だ。賃料が上限無しなら、マンションに住めばいい。どうしてもアパートに住みたかった理由はなんだ？

さらにひっかかるのは、備考欄に書き込まれた条件。

そこには文字ではなく、手書きの地図が描き込まれていた。駅の北側。遺体が発見された丘の上の住宅街の一帯に〇印が付けられ矢印を引っ張り〈南側に窓〉と記載されていた。

——あの窓か。

「これを書いた客は男か？　それとも女か？」

「女です。裏面に名前があるっしょ」

言われるままにシートの裏面を見た。

そこには、確かにはっきりと名前が書かれていた。

真矢秋穂——。

それが、本名である根拠はない。あれほど用意周到な犯人だ。偽名である可能性の方が高い。

だが、一度調べてみる必要はある。

7

玉木は、胸に疼《うず》くような不快感を抱えたままロビーのソファーに座っていた。

代役の指揮者が誰になるのか、事前に聞かされてはいなかった。

ミュージカルのオーケストラは、毎回違う公演だとはいっても狭い業界で、いい意味でも悪い意味でも馴《な》れ合いになっているところがあり、指揮者も特定のメンバーの中で持ち回りにしている。

だから今回の代役も、その中の誰かだろうとたかをくくり、それほど気にしていなかった。

それなのに——。

「ルール違反だ」

玉木は、吐き捨てるように言った。

左手の甲が火傷《やけど》を負ったときのように、ひりひりと痛む。

右手を重ね、こすり合わせるようにして「落ち着け」と何度も心の中で呟《つぶや》いた。

弱みを握っているのはお互い様だ。下手に動けば、手痛いしっぺ返しを食らうことになる。

冷静に考えてみれば、結城は五年前のルールを犯してはいない。

秋穂と別れて海外へ留学することは了承したが、戻って来ないとは一言も言っていない。

それに、今さら結城が現れたとしても手遅れだ。

玉木が長い息を吐いたところで、俯《うつむ》き加減に秋穂が歩いてきた。

ほっとするのと同時に、なぜか後ろめたさのようなものを感じ、視線を逸《そ》らした。一瞬でも、彼女の心変わりを疑ったからだろうか――。

「ねえ。今から食事にでも行かない？」

玉木の前で立ち止まった秋穂は、そう切り出した。

笑顔を作っていたが、それはピアノの上のフォトスタンドの笑顔とは、ほど遠いものだった。

意識して作られた偽物の笑顔――。

ずっと秋穂だけを見てきた玉木には、それが分かる。

――おれに気を遣って、何でもないと振る舞っているのか？

だとしたら、いっそ泣いてもらった方が気が楽になる。

「ねえ。どうしたの？」

いつまでも返事をしない玉木に、痺《しび》れを切らしたように秋穂が言った。

「どうもしない」

「じゃあ、行こうよ」

玉木は、秋穂の目を見ることができなかった。

左手の傷口が熱い。

「今日は、ちょっと疲れてるんだ」

これ以上、彼女と一緒にいたら、問い詰めてしまいそうだ。

――おれは、そんなに器の小さな男じゃない。結城が戻ってきたことなど気にも留めていない。

玉木は、自分に言い聞かせる。

「大丈夫？」

「悪いけど、先に帰るよ。また明日」

玉木は、微笑みながら立ち上がった。

自然に笑おうとしたのに、顔が強張《こわば》っているのが自分でも分かった。

こんなことじゃダメだ。秋穂が、もう一度誘ってきたら意地を張るのを止めよう。

「分かったわ。じゃあ、明日」

秋穂は、表情を変えずに言った。

どうして、そんなに澄ましていられる？　結城のことなど、本当にどうでもいいのか？

玉木の脳裏に、結城がステージに入って来た瞬間が蘇《よみがえ》る。

あのときも、秋穂は表情を変えなかった。

まるで、最初から結城が来ることを知っていたかのような態度だった。

実際、知っていたのかもしれない。メールなり、電話なりで事前に連絡があって――いや、もしかしたら、おれの知らないところで、二人は密会を重ねていたのかもしれない。

信じたくはないが、あり得ないことではない。

気になる。確かめたい。だが――。

「ああ。また明日」

玉木は、秋穂に背中を向け、ゆっくりとした足取りでエントランスに向かって足を進めた。

水の中を進んでいるように身体が重かった。

――ねえ。待ってよ。

エントランスまで来たところで、秋穂が駆け寄ってきたような気がして振り返った。しかし、それは錯覚だった。

秋穂はロビーのソファーにうな垂れるようにして座っていた。

誰かを待っているのか？

引き返し「やっぱり一緒に食事に行こう」そう言えばよかった。だが、なぜかそうすることができずに、再び歩みを進めエントランスを後にした。

三月とはいえ、夜はまだ冷え込む。

冷たい風が、通り抜けていく。

視線を上げると、外灯の光を浴び、ホールの前の中庭に植えられた桜の樹が、蕾《つぼみ》を膨らませていた。

左手の傷のうずきが治まらない。玉木は右手の爪で、ミミズが這《は》っているように盛り上がったその傷を引っ掻《か》いた。何度も、何度も引っ掻いた。

秋穂は、勘の鋭い女だ。玉木が、ヘソを曲げていることくらい見抜かれているだろう。

――小さい男だと失望しているだろうか？

「あの……」

突然声をかけられ、動きが止まった。

玉木が顔を上げると、薄汚れたジーンズに、茶色のジャケットを着た猫背の男が立っていた。

肩からパンパンに膨らんだボストンバッグを下げ、まるで全国を旅して回っているヒッチハイカーだ。

道か何かを訊《き》きたいのだろうが、今はそれに応答するのさえ億劫《おっくう》に感じ、玉木は男を無視して歩き始めた。

「あの、玉木和夫さんですよね」

名前を呼ばれ、玉木は思わず立ち止まった。

振り返り、男の顔をまじまじと見つめ記憶を辿《たど》ってみるが、その顔に見覚えはない。

「なぜ、名前を知ってる？」

「申し遅れました。私、こういう者です」

男は、ジャケットのポケットから名刺を取り出し、鳥のようにせわしなく首を動かしながら、玉木にそれを差し出してきた。

受け取った名刺には〈ウェンズデー　編集部　野島啓祐《のじまけいすけ》〉と印刷されていた。

その雑誌なら、玉木も何度か手にしたことがある。

芸能人のスキャンダルや、政界の金の問題、凶悪事件の真相など面白おかしく書きたてている大衆雑誌だ。

その雑誌記者が、何の用だ？

「実は、折り入ってお訊きしたいことがありまして……」

野島は玉木の考えを先読みしたように言うと、ねっとりとまとわりつくような陰湿な笑みを浮かべた。

「おれは、あんたらに話すことは何もない」

「いえ、私が訊きたいのは、玉木さんのことではないんです」

「おれのことじゃない？」

「ええ。現在、指揮を振っている結城さんについてなんです」

なぜ、雑誌記者が結城の周りを嗅《か》ぎ回っているのか、興味をそそられた。

「結城の何を調べてる？」

「ここではちょっと……」

野島は、そう言って駅前にある喫茶店にちらりと目を向けた。

「おれは、何も知らない」

「三十分でいいんです。私の話を聞いたうえで、協力できないのであれば、それで構いません」

結城は、雑誌記者に追われるような何かを抱えている。

それも、この雰囲気からして彼を賞賛する記事でないことは確かだ――。

「いいだろう」

玉木は返事をすると、野島と連れ立って駅前の喫茶店のドアを開けた。

チェーン展開している喫茶店とは違い、個人経営の店らしく、テーブル席が五つあるだけの狭い店内だった。

騒ぎ立てる学生たちの姿もなく、静かに流れるシューベルトの調べが心地いい。

野島は、何度かこの喫茶店に入ったことがあるのか、真っ直ぐ店の一番奥にあるテーブル席に移動した。

柱が出っ張っていて、他の席からは死角になる場所だ。

「コーヒーでよろしいですか？」

「ああ」

野島は、玉木が答えるのと同時に、中年のウェイトレスを呼びつけ、ブレンドコーヒーを二つ注文した。

「煙草を吸っても構いませんか？」

玉木が向かいの席に座るのを待ってから、野島が訊いてきた。

「どうぞ」

野島は、ジャケットのポケットから煙草を取り出し、マッチで火を点《つ》けると、ほっとしたように表情をゆるめながら煙を吐き出した。

リンと煙の入り混じった独特の臭いが鼻をつく。

「どうです？」

「いや、いい」

玉木は、野島の勧めてきた煙草を断った。

煙草は五年前に止めた。意識して禁煙したわけではない。あの日を境に、煙草を吸うと舌が痺《しび》れ、胸がむかつくようになった。

「それで、何を調べている？」

玉木は、煙から逃げるように顔を背けながら口にする。

「さっきも言いましたが、結城さんのことです」

「結城の何を知りたい？」

玉木は、苛《いら》立《だ》ちを抑えながら口にした。

「まあ、そう慌てずに」

野島が答えるのと同時に、中年の女性がコーヒーをテーブルの上に置いていった。

「慌ててなどいない」

玉木は、意識的にゆっくりとした動作でブラックのまま白いコーヒーカップを口につけた。

苦みだけがやけに強いコーヒーだ。思わず顔をしかめる。

「ここのコーヒー、結構いけるんですよ」

野島が、楽しそうに笑いながら、砂糖とミルクをたっぷり入れたコーヒーを飲み、椅子の背もたれに身体を預けた。

「三十分の約束だろ」

「ああ、そうでしたね」

野島は身を乗り出し、口許に不気味な笑いを浮かべてから話し始めた。

「結城さんが、ドイツに留学していたのは知ってますね」

「ああ」

結城は、音大卒業後、学校の推薦でベルリン芸術大学の指揮科に進学した。

「その後のことは?」

玉木は、野島の言葉に首を左右に振って応《こた》えた。

「彼は、二年でドイツの芸術大学の指揮科を卒業したあと、文化庁の新進芸術家海外留学制度を申請し、さらに三年間ドイツに留《とど》まりました」

その制度なら聞いたことがある。文化庁の管轄で人選された何名かに、一定期間の留学費用を国が負担するというものだ。

つまり、国が将来有望であると認めた人材ということだ。

「制度が終わり、戻って来たってことか……」

「いいえ。彼の留学期間は、来月までのはずです」

途中で留学を切り上げた。しかも、あと一ヶ月で期間満了となるタイミングで——。

「なぜ？」

「そこが問題なんです」

野島が、真顔で人差し指を立てた。

「問題とは？」

玉木は「平静を装え」と自分に言い聞かせる。

「彼の、体調が悪くなったというのが、表向きの理由なんですがね……」

「裏があるってことか？」

野島が頷《うなず》いた。

今日、久しぶりに結城を見たが、体調を崩しているようには見えなかった。むしろ、以前より活《い》き活きしているようだった。

「結城さんが帰国する直前のことなんですが、彼が所属していたオーケストラの楽団で、ある事件が起きたんです」

「事件？」

「はい。楽団のヴァイオリン奏者が死亡したんです」

——ヴァイオリン奏者が死亡？

「それは、本当か？」

「ええ。自宅マンションの前に倒れているのが発見されました」

「なぜ、死んだ？」

「マンションの部屋から転落したようです。コンクリートに頭から落ちたらしく、それは酷《ひど》いもんだったらしいですよ。脳しょうが、隣のマンションの壁に張り付いてたって。警察は、自殺と事故の両面から捜査を始めました」

「それで？」

玉木は、動揺を隠そうとする気持ちに反して、声が喉《のど》につかえた。

「警察の調べでは、マンションのベランダの柵《さく》は、かなり高い位置にありましてね、誤って転落したとは考え難いという結論に至りました」

「何が言いたい？」

「そのヴァイオリン奏者は、女性だったんですがね、結城さんが帰国したのは、彼女が死んだ直後だったんですよ」

心臓の鼓動が、次第に激しくなっていく。

「オーケストラのメンバーが死んだことで、ショックを受けたんじゃないのか？」

「まあショックは受けたでしょうね。死んだ女性というのは、結城さんの恋人だったんですから」

玉木は、思わず息を呑《の》んだ。

野島が、なぜ結城を追い回すのか、その理由がなんとなく見えてきた。あいつの過去に鑑《かんが》みれば、単なる偶然と片付けられないものがある。

——この男は、どこまで知っている？

玉木は、じっとりと汗をかいた左の拳《こぶし》を、テーブルの下で固く握り締めた。

「結城との仲が原因で、自殺したと？」

「それだけだったら、私も取材なんてしませんよ」

「違うのか」

「いえね。私どもは、大衆雑誌です。指揮者の恋人が、恋愛のもつれで自殺ってくらいじゃ記事にしませんよ。こう言っちゃ失礼かもしれませんが、結城さんは期待された指揮者のようですが正直実績がない。知名度が低いんですよ」

野島の言う通りだ。

結城は、期待されて海外に留学はしたが、まだ指揮者としての実績を残していない。まして、クラッシック音楽の業界は一般の知名度が低い。

記事にしても、誰も興味を惹《ひ》かれないだろう。

だが、そうだとすると——。

「なぜ、取材を続けてる？」

「実は、結城さんが帰国した後、楽団の中である噂が残ったんです」

「なんだ？」

「死んだヴァイオリン奏者は、自殺じゃないって……」

野島の言ったその言葉が、胸に突き刺さった。

実際に目にしたわけでもないのに、コンクリートに倒れている女の姿が頭に浮かんだ。

額がぱっくり割れ、とくとくと血が流れ出している。なぜ自分が死んだのか理解できずに、両目を見開いている女。

——その顔が、秋穂と重なった。

「まさか、結城がその女を殺したと？」

玉木は大きく頭を振り、両手をテーブルについて立ち上がった。

「あくまで可能性の話です。不謹慎な言い方をしますが、取材をする立場としては、正直そうであって欲しいですね」

野島は、玉木の行動に驚いた様子も見せずに、煙草を灰皿に押しつけながら言った。

「バカバカしい。そんなことが……」

「果たして、そう言いきれますか？」

人が変わったように鋭い視線を投げかけてくる野島に気圧《けお》されて、玉木はバランスを崩すようにして椅子に座り直した。

「結城が殺人……」

「この件は、地元の警察も興味を示しています。コンダクター、留学先で美人ヴァイオリニストを殺害！　これなら大衆の興味も惹く」

左手の古傷が熱を持ち、じんじんと脈打つ。

とくとくと勢い良く血が流れ出しているような錯覚がして、右手でそこを押さえた。

「……ミュンヘンにいたときのことなど、おれは知らない」

「ええ。そうでしょう」

「だったら、協力できることはない」

「まあ、落ち着いてください」

野島が、新しい煙草に火を点《つ》ける。

「おれは、落ち着いている。ただ、あんたは相談する相手を間違えている」

「いいえ。間違えてはいませんよ」

野島は、口許に下卑た笑みを浮かべ、身を乗り出し囁《ささや》くような声で続ける。

「しばらく、結城さんの動向を探って欲しいんです」

「スパイの真似事をしろっていうのか？」

「ええ」

あなたなら、できるでしょ。野島の目は、そう言っているようだった。

「結城は、おれの大学時代の友人だぞ」

「もちろん存じ上げていますよ。あなたの婚約者の真矢さんが、結城さんのかつての恋人だったことも」

「な、なんでそんなことまで」

野島の目の奥が、光ったような気がした。

――この男、何を企《たくら》んでる？

「結城さんの過去を調べていて、あなたたちのことを知ったんです」

「調べただと」

「ええ。真矢さんとの結婚を控えたあなたにとって、結城の存在は邪魔ではないんですか」

それは否定しない。だが、結城の身辺を探ることは、墓穴を掘ることになりかねない。

「だから何だ？　彼女もおれも、過去のことだと割り切っている。おれが、嫉妬《しっと》して結城を陥れるとでも思ってるのか？　そんな小さい男に見えるか？」

玉木は、興奮を抑えきれずにまくしたてた。だが、野島は何事もなかったかのように、ゆっくりと口から煙を吐き出す。

底の見えない男だ。これ以上、こいつの話を聞くのは時間の無駄だ。

玉木は財布を取り出し、千円札をテーブルの上に置き、野島に背中を向けて立ち上がった。

「もし、結城さんが冷酷な殺人鬼だった場合、次はあなたの婚約者が犠牲になるかもしれませんね」

血塗《ちまみ》れの秋穂の顔が脳裏を過《よ》ぎる。

その顔は、笑っていない。視線の先にいるのは結城の姿。

「警察に言えばいい」

玉木は、額に滲《にじ》んだ汗を拭《ぬぐ》った。

「分かってるでしょ。今の段階では、警察は動きませんし、他の誰かに話したとしても信じませんよ」

それは、そうかもしれない。だが――。

「そもそも、結城が人を殺したという証拠がないだろ」

「ですから、あなたにその動向を探って欲しいとお願いしているんです」

いつの間にか、野島が横に立ち、耳打ちするようにして言った。

背筋がゾクリとする。

「おれは……」

「もし、雑誌に記事が出れば、警察も動き出すでしょう。そうなったとき、結城さんがどうなるか知っていますか？」

「知らない」

「日本で逮捕され、ドイツに引き渡されることになります」

「そうなのか？」

「ええ。そうなった場合、あなたにとって、色々と都合がいいんじゃありませんか？」

「おれは、別に……」

結城がいようがいまいが関係ない――そう言おうとしたのに、その先の言葉が出なかった。

野島は、そんな玉木の心の底を見透かしたように、口の端を吊《つ》り上げてニヤリと笑った。

ゆらぐ心から逃げるように歩き去ろうとした玉木だったが、野島に左手首を摑《つか》まれた。

ズキンと痛みが走る。

「返事は、今でなくても構いません」

野島が言った。

「おれは……」

「明日までに、あなたが納得するような証拠を用意しておきます。それを見てから判断しても遅くありません」

「証拠だと」

「ええ。それを見れば、あなたも考えが変わるはずです」

「くだらない」

「あなたも、いつまでも過去に引き摺《ず》られたくはないでしょ」

野島の言ったその言葉が、玉木の胸に留まった。

この男が追っているのは、昔の話ではない。結城がドイツで起こした事件。うまく立ち回れば、いろいろなことにカタがつく。

「また、連絡します」

野島は、そう言い残すと、会計を済ませてさっさと喫茶店を出ていってしまった。

「おれは……」

玉木の心の底で、ざわざわと何かが動いた。

8

練習を終えたあと、奈緒美はメンテナンスもそこそこに、フルートをケースにしまって控え室を出た。

結城の指揮は、まるで精密機械のようだった。リズム、音階、記号、スコアに記された音楽を細部に至るまで、寸分の狂いもなく再現していく。

間違ってはいないが、演奏中、奈緒美はずっと息苦しさを感じていた。うまく説明できないが、押しつけられている感覚だ――。

結城は、技術的な面において留学しただけのことはあって、飛躍的な進歩を遂げていた。だが、その本質は学生時代と何も変わっていないように思う。

期待していただけに、正直落胆が大きかった。

考え事をしながらロビーの前まで来たところで、秋穂の姿を見つけた。まるで寒さに震えるように、細い自分の腕を抱えてソファーに座っていた。

腕時計に目をやる。松崎との約束まで少し余裕がある。

「秋穂。どうしたの？」

奈緒美は、秋穂の隣に座りながら声をかけた。

ゆっくりと顔を上げ「大丈夫よ」と応《こた》えた秋穂の顔は、いつにも増して真っ白だった。恐怖に震え、血の気が引いたといった感じだ。

「顔色悪いわよ」

「ちょっと、疲れただけだから」

「結城君のこと？」

奈緒美は、タブーであることを承知で訊《き》いてみた。

「まさか。違うわよ。もう、昔のことだもの」

そう言って秋穂は口許に笑みを浮かべたものの、少し潤んだその目は、ゆらゆらと揺れていた。

「本当に？」

「奈緒美は気にし過ぎなのよ」

「そうかな」

「そうよ」

秋穂の口調から、苛立《いらだ》ちが伝わってきた。

これ以上はお節介になる。それは、奈緒美にも分かっていた。でも——。

「玉木とちゃんと話した方がいいよ」

「何を？」

「何をって……」

「結城さんとは、五年も前に終わってるのよ。今さら、そんなの気にする方がおかしいじゃない。奈緒美の言い方だと、私がまだ、彼に想いを寄せているみたいに聞こえるわ」

「そうじゃないけど……」

「けど、何？」

秋穂が、形のいい眉《まゆ》を歪《ゆが》めながら詰め寄ってきた。

「心配だったから」

「あなたは、どうしてそうなの？　私のことを心配する前に、自分の気持ちを整理したら？」

「私の気持ち？」

下から睨《ね》め付けた秋穂の視線は、ぞくっとするほど冷たかった。

「そうよ。いつになったら彼のことを忘れるの？」

「彼って誰のこと？」

そう返すのをきっかけに、秋穂の顔がみるみる紅潮し、キリキリと軋《きし》む音が聞こえてきそうなほど歯を噛《か》み締めている。

「惚《とぼ》けないでよ！　ずっとあのことが忘れられずに一人でいるじゃない！　そんな人にとやかく言われる筋合いはないわ！」

秋穂の怒鳴り声がロビーに響き渡った。

奈緒美は不意打ちのようなその叫びに、ただ驚きの表情を浮かべることしかできなかった。

最初は、怒鳴り声に対する瞬間的な驚きだった。だが、その言葉の意味を頭の中で噛み砕いていくに従って疑問が浮かび上がってきた。

――私が忘れられずにいることって何？

「お疲れ」

不意に聞こえてきた甲高い声に、はっと我に返る。

結城が、ゆっくりと廊下を歩いて来るのが見えた。彼は、秋穂の姿を認めても表情一つ変えなかった。

もう、彼女のことは過去のこととして区切りをつけているのか、それとも何も感じていない風に振る舞っているのか。

奈緒美には、分かるはずもなかった。

「お疲れさま」

秋穂は立ち上がり、明るい声で答えた。

軽く手を振るようにエントランスに向かいかけた結城が、不意に足を止めた。

「そうだ。言い忘れてた」

「なに？」

振り返る結城に、秋穂が微笑みながら答える。

「結婚おめでとう」

結城のその言葉を受け、秋穂の表情がほんの一瞬だけ硬直したが、すぐに笑顔を作り直し「ありがとう」と返した。

ギスギスとした空気だった。

「朽木も、早く相手を見つけろよ」

「え、あ、そのうちね」

結城に突然話を振られ、しどろもどろになりながら答える。

「じゃ、明日からもよろしく」

結城は言いながらホールを後にした。

「私も帰るね」

秋穂は、エントランスとは逆の夜間通用口に向かって歩いていく。

会話の途中だったが、秋穂を呼び止めて仕切り直しをする気にはなれなかった。

腕時計に目を向けると、午後七時三十分を回ったところだった。

松崎との待ち合わせは八時だ。

急がないと遅れてしまう。奈緒美は気持ちを切り替え、駆け足でホールを出ると駅に向かった。

息を切らしながら改札口を抜け、小走りで階段を駆け下り、ちょうどホームに滑り込んできた電車に飛び乗った。

改めて時計に目を移す。なんとか間に合いそうだ。

吊《つ》り革に摑《つか》まり、ほっと息をついたところで、さっきの秋穂の言葉が頭に蘇《よみがえ》ってきた。

――ずっとあのことが忘れられずに一人でいるじゃない！

あのこととは、なんのことだろう？　それに、ずっと一人でいるとも言っていた。

過去に恋人と何かトラブルがあり、それ以来一人でいる、という風に解釈できなくもない。

だが、残念ながら思い当たる節がない。

恥ずかしい話だが、奈緒美は高校時代を最後に、ちゃんと交際をしたことがない。

誰か親しい異性が現れても、ギリギリのところでいつも尻込《しりご》みする。うまく説明できないが、怖くなってしまう。だから――。

奈緒美が、何度目かのため息をついたところで、電車は目的地である立川の駅に滑り込んだ。

待ち合わせの十分前。まだ若干の余裕がある。

奈緒美は、改札口へと続く階段を上り、駅長室の脇にある化粧室に入り、洗面台の前に立った。

鏡には水あかがこびりついていて、はっきり見えないけど仕方ない。

じっくりメイクをやり直す時間はない。バッグからルージュを取り出し、リップブラシで唇に色をのせる。

光沢のある淡いピンク。お気に入りの色だ。

――よし！

心の内で掛け声をかけ、化粧室を出て改札口を抜け北口の駅前広場に出た。

ここは二階部分にあたり、広場の四方から、巨大なアーチが延び、中心で交差している。その真下にあるベンチが待ち合わせ場所だった。

時間ぴったり。奈緒美は、辺りを見回してみたが、松崎らしき人物は見つからない。

こうやって急いだときに限って、待ち人の方が遅れたりするものだ。駅の改札口から出て来る人の姿をぼんやりと眺めながら、到着を待つことにした。

だが、十分が過ぎても、松崎は現れなかった。

もしかしたら、遅れる旨の連絡が入っているのかもしれないと、携帯電話を確認してみたが、着信の表示はなかった。

奈緒美は、携帯電話のディスプレイを見つめながら、さらに五分待った。

やはり松崎は現れない。

奈緒美は、着信履歴から松崎の診療所の電話番号を呼び出し、発信する。だが、コール音が鳴り響くばかりで、受話器が取り上げられることはなかった。

――あと五分待ったら帰ろう。

奈緒美が、そう思いながら携帯電話をバッグに仕舞うのと同時に肩を叩《たた》かれた。

弾《はじ》かれたように振り返ると、そこには松崎が立っていた。

ベージュのジャケットに、ジーンズという爽《さわ》やかな出《い》で立ちで、この前とは違う黒縁のメガネをかけていた。

「こんばんは」

慌てて来た様子もなく、平然とした調子で松崎が言う。

十五分以上遅れているのだから、まずは謝罪するべきだと思ったが、こうも飄々《ひょうひょう》とした態度をとられると、それを口にする気も失《う》せた。

「お忙しいところ、すみません」

「忘れないうちに渡しておいた方がいいですね」

松崎は肩にかけていたバッグから赤い手帳を取り、差し出してきた。

「ありがとうございます」

それを受け取ろうとした奈緒美だったが、手許が狂った。「あ」と思ったときにはすでに遅かった。タイル張りの地面の上に、間に挟んだ名刺やら写真やらをばら蒔《ま》きながら手帳が落下した。

奈緒美は慌ててしゃがみ込み、それらをかき集める。

「大丈夫ですか」

松崎は、のんびりとした口調で言いながらも拾うのを手伝ってくれた。

通行の邪魔になってしまう。整理するのは家に帰ってからでいい。拾ったものを一まとめにして手帳に挟んだところで立ち上がった。

「これも、そうですよね」

松崎が一枚の葉書サイズの紙を差し出して来た。

「ありがとうございます」

奈緒美は、礼を言いながらそれを受け取った。

紙の隅には、リンゴによく似たマークが描かれていた。なんだろうとひっくり返してみる。それは、写真だった。

——これは。

思わず動きが止まった。

まったく見覚えのない写真だった。五人で撮影した集合写真。誰か別の人のものが紛れたと思ったが、それはすぐに否定された。

写真の中には、確かに奈緒美の姿があったからだ——。

おそらく、音大時代に撮影したものだろう。

秋穂と結城が仲良さそうに寄り添っていた。その横には、少し俯《うつむ》き加減の玉木が立っている。その後ろに奈緒美は写っていた。

さらに、奈緒美の隣には同年代の男が立っていた。

奈緒美は、その男に寄り添い、手をつないでいるように見える。

——これは誰？

隣の男が何者なのか、確かめたくても男の顔はマジックのようなもので真っ黒に塗り潰《つぶ》されていて、判別できなくなっている。

この写真は、いつ撮ったの？　誰が、顔を黒く塗り潰したの？　この写真を手帳に入れたのは誰？

――分からない。

写真の日付は、五年前のクリスマス・イヴになっていた。

それを手がかりに必死に記憶の糸を手繰る。

クリスマス・イヴは、毎年恒例の定期演奏会があって、「歓喜の歌」として広く知られる、ベートーベンの「交響曲第九番」を演奏する。

四年生を中心に選抜されたメンバーで編成されるオーケストラで、クリスマスコンサートのメンバーに抜擢《ばってき》されることは、一つのステータスになっていた。

奈緒美も、オーケストラの一員として参加した。秋穂もいた。ピアノは出番が無いので、玉木は客席にいた。

好評のうちに演奏会を終了し、片付けを終えた後、秋穂に声をかけられた。

――ねえ。みんなで写真撮ろうよ。

そうだ。写真は撮った。だが、この男は覚えていない。

ただ、一緒に撮影しただけなら、忘れているで済む話だが、奈緒美は、その男に親しげに寄り添っている。

黒く塗り潰された男と、夢に出て来た黒いパーカーの男が、イメージの中で重なった――

指先の力が抜け、写真がひらひらと舞い落ちる。

――。

「恋人ですか」

松崎が地面に落ちた写真を拾い、目を細めて眺めながら言った。

この写真を見た人が、そういう感想を抱くのは当然のことだといえる。

だけど私は――。

「この人を知りません」

奈緒美は、松崎の顔を見上げ震える声で訴えた。

――信じてもらえないかもしれない。

そう思った。だが、松崎は納得したように「なるほど……」と呟《つぶや》いた。

「私……」

「詳しく、聞かせてもらえますか」

混乱する奈緒美に、松崎が囁《ささや》くように言った。

9

石倉は、新宿の西口の雑居ビルの地下のバーに足を運んだ。

一階はカラオケ、二階はキャバクラという飲食店が集まった雑居ビルだ。駅からだいぶ離れていることもあり、客足も少ない。

不動産会社を出た後、石倉は、オーダーシートに書かれていた住所を調べてみたが無駄だった。わざわざ足を運ぶまでもない。

玉川上水《たまがわじょうすい》の駅前にある、霊園の住所と一致していたのだ。

デタラメに書いた住所が、たまたま霊園のものだったのか？　それとも、霊園だと知ってその住所を記載したのか？

おそらく後者だろう。犯人は、警察がどう動くのかを知っている。

新垣などは、これは犯人からのメッセージだと興奮し、霊園の管理者に問い合わせるのだと意気込んでいたが、たいした成果は得られないだろう。

仮に、何かの手がかりが得られたとしても、それは犯人が意図的に警察に与えたものである可能性が高い。

「バカにされたもんだ」

石倉は、呟きながら、ひび割れたコンクリートの壁に挟まれた薄暗い階段を降り、派手なステンドグラスの入ったドアを押し開けた。

五人がようやく座れるほどのカウンターがあるだけの小さな店だ。

トランペットの調べが、聞こえた。ニニ・ロッソの「夜空のトランペット」という曲だったと思う。いや、夕焼けだったか——。

「準備中」

石倉の存在に気付いたのだろう。カウンターの内側で四十がらみの中年の男が、グラスを磨く手を休めることなくぶっきらぼうに言った。

この店のマスターである盛岡《もりおか》だ。坊主頭で、一見するとその筋の人間と見まごうばかりの派手な顔つきで、偉そうに振舞っているが、その性根は臆病《おくびょう》なリスといったところだ。

「随分な態度だな」

石倉が言うのに反応して、盛岡が顔を上げる。死人でも見たように口をあんぐりと開け、何度も目を瞬せ、臆病な本性を現した。

「な、何しに来たんだ？」

「呑みに来たんだよ」

石倉は、そう言いながらカウンターの中央のスツールに座る。

盛岡は、さっきまで磨いていたグラスにアイスピックで割った氷の欠片《かけら》を入れ、そこに琥珀《こはく》色のウィスキーを注ぎ、コースターを添えて石倉の前に置いた。

「悪いが、店が開くまでには帰ってくれ」

盛岡は不機嫌そうに背中を向け、ショートピースの煙草に火を点《つ》けた。

「帰るのは構わないが、他にも出すものがあるだろう」

「もう勘弁してくれ。あんたは、いつまでおれに付きまとう気だ……」

言い終わる前に立ち上がり、盛岡の襟を引っ張りこちらを向かせ、胸倉を摑《つか》み上げた。

グラスが床に落下して、けたたましい音とともに砕け散る。

盛岡は、あまりのことにドッキリカメラでも仕掛けられたみたいに、ただ呆然《ぼうぜん》としていた。

「お前は、いつからそんなに偉くなった」

石倉は、決して怒鳴りつけるようなことはしなかった。

無表情に、そして静かに、それが人を威圧するのにもっとも効果的な方法であることを知っているからだ。

「な、何すんだ」

盛岡は身体を硬くし、目を潤ませている。

「どうした。声が震えてるぞ。いいか、おれに反抗するなら、それなりの覚悟をしろよ」

「覚悟って……」

「誰のお陰で商売できてると思ってんだ？　今すぐ引っ張ってもいいんだぞ」

今から三年前、新宿に店を出すという夢を抱いていた盛岡は金策に窮し、あるトラブルを引き起こした。

そのとき、事件を担当したのが石倉だった。

刑務所にぶち込むのは簡単だったが、この手の男には他にいくらでも使い道がある。

「わ、悪かったよ」

「早く出せ」

「何枚？」

「いつもと同じだ」

盛岡が喉《のど》を鳴らして生唾《なまつば》を飲《の》み、震える手でカウンターの下にあるレジを開け、万札を二十枚取り出した。

石倉は盛岡を放し、その手から万札をもぎ取ると枚数を確認する。

盛岡は、何か言いたそうな目でこちらを見ていたが、睨《にら》みつけると何も言わずに視線を足許に落とした。

「忘れるな。お前は、おれに逆らえる立場じゃねぇんだ」

石倉は万札をポケットに突っ込み、スツールから立ち上がった。

そのまま帰るつもりだったが、指先がポケットの中に入っている紙切れに触れた。信じているわけではないが、なぜか訊《き》いてみようという気になった。

「一つ、訊きたいことがある」

石倉は、スツールに座り直す。

「な、なんだよ」

「このマークに見覚えは？」

カウンターの上に、紙切れを広げて置いた。

犯行現場で発見された、リンゴのようなマークが描かれた紙だ。

新垣の語った都市伝説。そんなものは、嘘っぽちだと思っている。バカバカしい話だ。

だが、どうも気になる。頭から離れない。

そんなバカな話があるかと、誰かに言ってもらいたかったのかもしれない。

「し、知らない」

「本当にか？」

「これが、何なんだよ」

「殺し屋が使うマークなんだと」

「殺し屋？」

「ああ。そいつは、何の証拠も残さずに綺麗《きれい》にターゲットをこの世から抹殺するらしい。そのクセ、自分がやったことを誇示するかのように、このマークを残していくんだそうだ」

盛岡は「ふっ」と噴き出して笑った。

そうだ。これが普通の反応だ。

石倉は盛岡に釣られて笑い声を上げ、店を後にした。

10

奈緒美は、駅前の喫茶店に足を運び、改めてテーブルの上に置かれた写真に目を向けた。

そこには、確かに微笑んでいる自分の姿が写っていた。

だが、その写真を撮影した覚えがない。

背景には見覚えがある。

音大の大ホール前にあるカリヨン広場だ。円錐《えんすい》のかたちをした、七メートルほどの大きさのカリヨンというベルを鳴らす楽器がある。

一見、オブジェのように見えるが、これはれっきとした楽器だ。機械制御になっていて、演奏会の前などに、チャイムのように鳴らされる。

秋穂や玉木、結城のことは知っている。だが、隣の男には見覚えがない。

「本当に、覚えがない？」

向かいのテーブルに座る松崎に声をかけられ、はっと我に返った。

「はい。この人は……」

「写真からして、かなり親しい人物のように見えますね」

松崎の言う通り、写真を見る限りは、友だちというより、もっと親しい間柄であるように思える。だが――。

「本当に知らないんです」

奈緒美は肩を落とし、唇を噛《か》んだ。

単純な記憶違いというだけなら、こんなにも苛立《いらだ》ちはしない。話自体は覚えているのに、誰から聞いたのかは覚えていないということは、よくあることだ。

だが、それとは次元が違う。

松崎は、ゆっくりとした動作でコーヒーを一口飲んでから、仕切り直しをするように別の質問を投げかけてきた。

「朽木さんは、大学時代に交際してた男性はいますか？」

奈緒美は、改めて記憶を辿《たど》ってみる。

授業や演奏会、友だちとの飲み会の記憶はある。誰かと一緒に過ごした時間があるような気もするが、明確な答えを見つけられなかった。

「分かりません」

「なるほど。では、卒業後はどうですか？」

「いません」

首を左右に振って答えた。それは、はっきりしている。

「本当に？」

「ええ」

男性との出会いがなかったわけではない。誘いを受け、デートのようなことをしたこともあるし、交際を申し込まれたこともある。

だが、そこから先に進んだことはない。

みんなで話したりしているときは平気なのだが、男性と二人きりになると、なぜか息苦しさを感じてしまう。落ち着かなくなり、動悸《どうき》が激しくなる。下っ腹を掻《か》き回されるような不快感を味わうこともあった。

「男性が怖い？」

松崎が、静かな口調で言った。

その言葉は的を射ているのかもしれない。だが、素直に頷《うなず》く気にはなれなかった。

「分かりません。でも、感覚としては似ているかもしれません」

「男性恐怖症ということは？」

「そこまでは……」

奈緒美は、否定しながらも歯切れが悪いことを自分でも感じていた。

理由は分からないが、無意識のうちに異性との接触を避けている節はある。友人といるときには「彼氏が欲しい」と話を合わせることはあるが、本気でそう思ったことはない。

恋人がいないことを、寂しいと感じることもない。

「高校時代はどうです？」

「二年生のときに、付き合っていた人がいます」

奈緒美は、真っ直ぐ松崎を見ながら答えた。

「名前は？」

「中富慎二《なかとみしんじ》君」

「顔は覚えていますか？」

「はい」

メガネをかけた物静かな人だった。細面で、はにかんだように微笑む表情が好きだった。

二人そろって文化祭の実行委員に選ばれたのをきっかけに、話をするようになった。

お互いに奥手で、はっきりとどちらからか交際を申し込んだりというのはなかったが、常に一緒にいるようになった。

特に、大きなもめ事があったというわけではないが、三年生になり受験勉強が激化していく中で、自然に離れていった。

「なるほど。逆行性……の可能性はないな……やはり……特定の……に対する……ケンボウということになるか……」

松崎は腕組みをしながら、独り言のように言葉を並べる。

意識ここにあらずといった感じで焦点が合っていない。妄想にふけっているようにもみえる。

奈緒美は、途切れ途切れに聞こえた言葉を理解しようと試みたがうまくいかなかった。

「どういうことですか？」

助けを求めるように松崎に訊《たず》ねる。

松崎は、はっと我に返り「失礼」と詫《わ》びを入れてから、姿勢を正し話し始めた。

「まだ推測の段階でしかないので、あまり口にしたくはないんですが……」

「なんです？」

「朽木さんは、部分健忘の可能性がある」

松崎のよく響くバリトンの声が脳を揺さぶった。

ブブンケンボウ――。

「それは、なんですか？」

「健忘症はご存じですか？」

もしかして――。

「私が、健忘症だと？」

「可能性の話ですが」

「そんな……私には、ちゃんと記憶があります！」

奈緒美は、膝《ひざ》の上で何かを握り潰《つぶ》すように拳《こぶし》を固くして松崎を睨《にら》んだ。

だが、松崎はそれに怯《ひる》むことなく、まっすぐに見返してきた。怒りが、その黒い瞳《ひとみ》に吸い込まれていくような気がした。

「ちゃんと説明しますから、まずは落ち着いて」

松崎は諭すような口調で言うと、まるで手本を見せるようにコーヒーを飲み、ふうっと息を吐き出した。

奈緒美も、それをなぞるように、ゆっくりとティーカップのダージリンティーを口に流し込んだ。

芳ばしい香りが鼻腔《びこう》をくすぐり、幾分落ち着いたような気もする。

椅子の背もたれに背中を預け、目を閉じゆっくりと息を吐き出した。

「朽木さんは、健忘症と聞いて、老人性の認知症を思い浮かべたのではありませんか？」

落ち着くのを待ってから、松崎が切り出した。

確かにその通りだった。脳の機能低下により、日常生活にすら支障をきたす状態。とっさに思い浮かんだのはそのことだった。

「はい」

「最初に言っておくと、認知症は脳機能が低下した状態のことを言うんです」

「別の症状なんですか？」

「そうではありません。認知症とは、総称なんです。認知症の症状の中に、健忘症も含まれると認識してください。エイズの症状に発熱があります。だからといって、発熱イコールエイズではありませんよね。そういうことです」

なるほどと思う。あくまで、症状の一つということだ。

「分かりました」

「話を戻しましょう。健忘症というのは一般的に、もの忘れから、記憶喪失までを含んだ概念のことをいいます」

「はい」

「主に、宣言的記憶に障害がある場合のことを健忘症といいます」

「宣言的記憶？」

奈緒美は、聞きなれない言葉に首を捻《ひね》る。

「ええ。記憶には二種類あります。一つは、自転車の乗り方や楽器の演奏方法といった、技能に関係する手続き記憶。そして、もう一つが、ある期間、ある場所で、何かをしたというようなエピソードにかかわる記憶。これを宣言的記憶といいます」

「思い出？」

　ふっと頭に浮かんだ言葉を口にした。

「そうですね。思い出と言った方がわかり易いですね」

「でも、私にはちゃんと思い出があります。中学のときのことや、小学校のときも……」

「そう焦らないでください」

　松崎は、両手で落ち着くようにとジェスチャーする。

「すみません」

「いえ。お気持ちは分かりますから」

　松崎は一度咳払《せきばら》いをしてから話を続ける。

「先ほども言ったように、朽木さんは部分健忘の可能性があります」

「具体的にどういうことですか？」

「記憶の中に、思い出せるものと、そうでないものが混在している状態のことです」

「そんなことが？」

「あるんです。特定の期間にかんするものだったり、特定の誰かにかんするものだったりといった、エピソードの一部が欠落しているんです」

　――写真の人物だけを忘れてしまっているということか？

　奈緒美は、改めて写真に目を向けた。

頭では理解しているのだが、認めたくないという思いが強く残った。

「でも、それだと記憶がつながらなくなってしまうんじゃないんですか？」

特定の人物を忘れるということは、そこに空白ができるということになる。そうなると、関連する記憶に齟齬《そご》が生じる。

映画の登場人物が、突然一人いなくなれば、ストーリーは破綻《はたん》してしまうのと同じだ。

「人間の記憶は、ビデオカメラのように正確に映像を記録してはくれません」

「え？」

「宣言的記憶は、常に感情とセットになっています。自分に都合のいいように書き換えられている傾向にあります。脳が、登場人物が一人欠けても、辻褄《つじつま》が合うように記憶を改ざんしてしまうんです」

「そんな……」

「現に、朽木さんは写真の黒く塗り潰された男性のことは忘れていても、他の人のことは覚えていますよね」

「でも……」

奈緒美は、反論しようと口を開いたものの、その先の言葉が見つからなかった。

自分が、どんなに否定しようと、写真がその事実を証明している。

「なぜ？」

答えを探して松崎の目を見た。

「脳に、物理的な衝撃を受けたという可能性もありますし、メンタルな理由によって忘れてしまうこともあります」

「メンタル……心の問題ですか……」

「はい。トラウマとなるような強烈な経験をした場合、圧倒的な恐怖、痛み、絶望などから自我を守るために、記憶を封印してしまうことがあります」

喫茶店の中は、程よい温度に保たれているはずなのに、肩から腕にかけて鳥肌が立った。テーブルの上で自分の指先が小刻みに震えるのを、まるで他人事《ひとごと》のように眺めた。

「私は……」

呟《つぶや》くのと同時に、指先に人の肌の温《ぬく》もりを感じた。

視線を向けると、松崎が両手で包み込むように奈緒美の右手を握っていた。

そこから伝わる彼の体温は、ゆっくりと、だが確実に奈緒美の身体全体に広がり、硬くなっていた身体が溶けていく。

「なぜ、その彼を忘れてしまったのか？　その原因を見つけましょう」

松崎が囁《ささや》くような声で言った。

「私にできるでしょうか？」

「大丈夫です。私もついていますから」

松崎の声は、耳に心地いい余韻を残した――。

11

秋穂は、立川からモノレールに乗り換え、玉川上水の駅で降りた。

五年前まで通っていた音大があるのとは反対側の出口を出て、歩いて十五分ほどのところに秋穂のマンションはある。

上京して来たときに駅から近い方がいいと、玉川上水のマンションを借り、同じ場所に九年住んでいる。

何度か引っ越しを考えたこともあるが、楽器を演奏している人間にとって、防音であることは必須《ひっす》条件になる。そうなると、なかなか物件が見つからず、そのままになってしまった。

だが、もうすぐ生活環境も変わる——。

玉川上水沿いの遊歩道を真っ直ぐ進んだ、神社の前まで来たところで玉木の顔が浮かび、足を止めた。

ロビーで向けてきたあの視線——何も言わなくても分かる。あの視線には、深海のように暗くて重い嫉妬《しっと》の念が込められていた。

——お前は、まだ結城のことを好きなのか？

呪いのようなその言葉が、耳に届いてきそうだった。

確かに、秋穂にとって結城は特別な存在だった。

初めて彼を見たのは、音大のホールだった。誰もいないステージで、一人ヴァイオリン誰もいないステージで、一人ヴァイオリンを奏でていた。曲は「無伴奏ヴァイオリンのためのパルティータ」——。秋穂は彼と恋に落ちると直感した。

そして、それは現実のものとなった。

彼と初めてベッドをともにしたとき、身体だけではなく、心の奥底まで結ばれたような気がした。

こんな時間が、永遠に続くことを本気で願った。

だが、それも五年も前に終わったこと。

別れをむかえるとき、秋穂が結城に対してどういう感情を抱いていたのか、玉木だって理解しているはずだ。

それに、結城はドイツに行ったが、永住したわけではない。留学だったのだから、同じ業界で仕事をしていれば、いつかこういう日が来ることくらい分かっていたはずだ。

今から結婚しようという女を信じられない、玉木は器の小ささを露呈した。

苛立《いらだ》ちと、失望が秋穂の心を占めていた。

だが、もし玉木が「すまなかった」とひとこと言ってくれれば、気持ちを切り替える準備もできていた。

昔の男が現れたくらいのことで、楽しいはずの未来が壊れるなんてバカげている。

かつて結城に抱いた愛情が嘘ではないように、今、玉木に向けている愛情もまた真実だ。どっちがどうという問題ではない。二人の愛は、質が違う。それを自覚すれば、玉木だって結城が現れたくらいで気を揉《も》む必要などないのに——。

秋穂は、期待を込めてバッグから携帯を取り出してみたが、玉木からの着信も、メールもなかった。

電話をしてみようかと思ったが、思いとどまった。

こちらから電話をしたら、まるで言い訳をしているみたいになる。

「過去は消せないのよ」

秋穂は、誰にともなく吐き捨ててから、角を曲がり坂道を上り始めた。

コツコツと、ヒールがアスファルトを踏みしめる音が、やけに大きく聞こえた。

パトカーが、二台続けて坂道を下って行く。

——何かあったのだろうか？

この辺りは、街灯も人通りも少ない。夜遅くなったときなどは、一人で歩くのは正直怖い。

思っている矢先、不審な男の姿が目に入った。

電柱に背中を預け、よれよれのスーツを着た男が煙草を吹かしている。

薄暗がりの中で、顔ははっきりと見えない。

秋穂は、道の反対の端に寄り、顔を合わせないように俯《うつむ》き歩調を速めた。

心臓が、弾《はじ》けてしまいそうなほどバクバクと音を立てている。

何事もなく、男の前を通り過ぎた。

——良かった。

ほっと胸を撫《な》で下ろす。

コツコツとヒールがアスファルトを蹴《け》る足音が、夜の路地に響く。気のせいか、秋穂には重なるようにしてもう一つ足音が聞こえた。

立ち止まってみる。

コッ。

やっぱり足音が一つ多い。

誰かが、後ろからつけてきている。

——さっきの男？

そう思うと、全身が粟立《あわだ》ち、サーッと音を立てて血の気が引いていく。

——逃げなきゃ。

秋穂は、胸を押さえて歩き出す。

重なり合ってはいるが、やはり足音はもう一つある。

恐怖から、どんどん歩調を速める。

重なり合っていた足音がばらけ、二人分の足音が、はっきりと耳に届いた。

マンションの外観が見えた。

——もう少しだ！

マンションのエントランスに辿《たど》り着いた時には、全力疾走になっていた。

目に涙を浮かべ、必死の形相でオートロックを開け、エントランス内に飛び込むと、ちょうど同じマンションに住む中年男性がエレベーターから降りて来たところだった。

「どうしました？」

彼は、心配そうに声をかけてきた。

秋穂は、それには応《こた》えずに振り返りエントランスの外に目を向けた。

真っ暗な闇が広がっているだけで、さっきの男の姿を確認することはできなかった。

——なんなのよ。

秋穂は、逃げるようにエレベーターに飛び乗った。

12

結城は、愛車のベンツを中野にあるマンションの地下駐車場に停車させると、運転席のシートにもたれて大きく息を吐いた。

——身体が重い。

今回の仕事で、秋穂や玉木と一緒になったことは想定外だった。

だが考えてみれば、同じ業界にいるのだから、そういうことが起こる可能性は充分にあった。それが、たまたま今回だったというだけのこと。

学生時代の友人に過ぎない。そう割り切ってやっていくしかない。秋穂と玉木もそれくらい分かっているはずだ。

奈緒美のことも気がかりではあるが、こちらから話を持ち出せばやぶ蛇になる。もともと、彼女は嘘がつけるタイプではない。何か知っていれば、あんな風に振る舞えないはずだ。

結城は助手席のジャケットを摑《つか》むと、車を降りエレベーターに向かった。背後に誰かいる。その錯覚に取り憑《つ》かれ、慌てて振り返る。

しかし、そこに人の姿はなかった。

自嘲《じちょう》気味に笑いながら、エレベーターホールへと続くドアの鍵《かぎ》を開け、突き当たりにあるエレベーターに乗り込んだ。

最上階である二十階のボタンを押し、エレベーターの壁に背中を預ける。

ウィンチを巻き上げる低周波の音に、じっと耳を傾けた。

エレベーターを降り、真っ直ぐ廊下を進み、突き当たりのドアの鍵を開け、玄関で靴を脱ぎ、リビングに入る。

二十畳のリビングルームに、ソファーセットと、オーディオ機器が並んでいるだけの殺風景な部屋。

こうやって改めて目を向けると、一人で住むのには広すぎる空間だと思う。

他に三部屋あるが、ほとんど使わず一日の大半をこの部屋で過ごす。

普通に考えれば、留学先から戻って間もないようやく次の仕事が決まったばかりの人間が、都内の3LDKの部屋に住めるはずがない。

この物件は、結城の父親が保有していたのを譲り受けたものだ。

結城の父親は、従業員三百人を抱える貿易会社の社長だった。一ヶ月前に、心不全で亡くなった。

結城は、ドイツでその知らせを受け、急いで日本に戻ってきた。

自分は長男という立場にある。父親が生きているときは、音楽を止めて後を継げとしつこく言われてもいた。もし、勧める人間がいるのであれば、生前の父親の言葉に従って、会社を継ぐことも考えての帰国だった。

だが、結城が戻ったときには、すでに会社の後継ぎは、弟の博文《ひろふみ》に決まっていた。

博文は、音大に通うなどという酔狂なことはせず、無難に大学の経済学部に入り、卒業してからすぐ父親の会社で働き始めた。

元々、会社の取締役だった博文が、二代目になったことは、当然の結果といえる。

だが、長男である自分に分け与えられたのが、このマンションと三千万あまりの現金だけだったというのは納得できない。

父親の遺産のほとんどが会社名義になっている――というのがその理由だった。

父親と母親が生きていれば、こんな一方的なことにはならなかっただろう。終わったことを悔いても仕方ないが、せめて会社の株式くらい付与されてしかるべきだ。

——会社のことはぼくに任せて、兄さんは好きな音楽をやるといい。

穏やかに言った博文の言葉は、絶縁にも等しい意味合いを持っていた。だが、これでいい。

「私は、音楽を止める言い訳を探してたわけじゃない」

結城は、誰にともなく呟《つぶや》いた。

——なら、なぜ一時帰国にしなかった？

留学を切り上げる必要は無かった。父親の死を、音楽を止める言い訳にしたかったんじゃないのか？

——止める？　なぜ？　私には、選ばれた才能がある。

腹の底で、何かが蠢《うごめ》いているような不快感が走る。

気持ちを落ち着かせようと、リビングに置かれたオーディオのスイッチを入れ、CDの再生ボタンを押し、ソファーに座り目を閉じた。

五年前、オペラシティで行われた、音大の卒業公演を録音したものだ。

自らの才能を信じ、あらゆるものを犠牲にしながら五年間走り続けてきた。この卒業公演は、輝かしい未来へのスタート地点だと思っていた。

ざわざわと人の小さな話し声が複数交わった、雑音が聞こえる。

次第に、それは小さくなり、緊張感がみなぎっていく。

コツコツと人の歩く足音が響く。

——この足音は、私のだ。

指揮台に立ち、深々と一礼する。

それと同時に、会場に拍手が鳴り響いた。

あのときの光景が、鮮明に蘇《よみがえ》る。

やがて、ピタリと拍手が止む。

タクトを構えたのだ。

それに合わせて、ソファーの上で右手を肩の高さに上げ、左手を腰の位置に据え、指揮者の基本スタンスをとる。

そこから、ゆっくりと息を吸い込み、充分な時間をとる。

そして——。

演奏が始まった。

神秘的な和音で始まる、ベートーベンの「交響曲第九番ニ短調作品一二五」だ。

一般に「歓喜の歌」として、合唱つきのものがクリスマスに演奏されているので、クラッシックの中では、知名度の高い曲だ。

しかし、それだけではこの曲の素晴らしさを知ったことにはならない。

第九は、第一楽章から第四楽章まで一時間以上ある曲だ。一般的に有名なあのフレーズは、第四楽章の終盤にならないと出て来ない。

演奏する側にも、聴く側にも忍耐を強いる曲。だからこそ、指揮をする醍醐味《だいごみ》がある。

曲に陶酔しているところに、耳障りな電子音が割り込んで来た。携帯電話の着信音だった。

——せっかくの安らぎの時間が台無しだ。

電源を切っておかなかったことを後悔しつつ、ステレオのヴォリュームをしぼり、テーブルの上の携帯電話を手に取った。

〈夜分にすみません、相葉です。今、大丈夫でしょうか？〉

バカ丁寧な対応。下手に出ることが、相手に嫌われない最善の策だと信じて疑わない、単純で臆病《おくびょう》な男。

「ええ。構いませんよ」

結城は、応《こた》えてから煙草に火を点《つ》けた。

〈初日の稽古《けいこ》はいかがでした？〉

相葉が切り出す。

それが、本来の目的で電話をかけてきたわけではないだろう。そう思いながらも、社交辞令で付き合う。

「今日は肩ならしみたいなものですからね。通しでそれぞれの技量を確かめたといった感じです」

〈どうでした？〉

「そうですね……個々の能力にバラつきがありますね」

結城の耳朶《みみたぶ》に、玉木の奏でるピアノの音が蘇った。

玉木は、相変わらず手の怪我を気にして、難易度の高い技巧が連続する部分に来ると迷いが生まれている。

傷は完治しているはずだ。失敗を恐れる玉木の心が、指の動きを鈍らせている。

〈間に合いそうですか？〉

「それは大丈夫でしょう。一応はプロですからね。完成度はともかく、かたちにはなると思います」

これがコンサートであったとしたなら、こんなに悠長なことは言っていられない。だがとりあえず、ミュージカルという性質上、あくまでメインは役者の歌と演技ということになる。

ミュージカルという性質上、オーケストラのメンバーは、譜面通りの演奏はできているので、むしろ問題はコンダクターである自分が、ミュージカルという舞台を、どう切り抜けるかにかかっているといっていい。

〈結城さんにそう言ってもらえると、心強いですね〉

また、持ち上げる。これ以上、まわりくどい会話を続けるのは時間の無駄だ。

「ところで、本題は？」

〈あ、そうでしたね〉

相葉は、まるで今思い出したかのように話を始めた。

〈二点あります。まず、稽古のことなんですが、演出家からの要望で明後日《あさって》には合わせを始めたいそうなんです〉

「明後日。実質、明日ですね」

〈ええ。演出サイドとしても、本番まで日がないですから、一日でも早く合わせて慣れたいということなんです〉

それは、当然の判断だろう。

結城としても、少しでも合わせに時間を割き、慣れておきたいというのが本音だ。

ミュージカルの指揮を振ったことが無いわけではない。ただ、それは学生時代の発表会用に、一度やったことがあるというレベルのものだ。

玉木の心配などする以前に、私自身が足を引っ張ることになりかねない。

「分かりました。そのつもりで準備します」

〈それと、例の件なのですが……〉

誰が聞いているわけでもないのに、相葉が声のトーンを低くした。

「ええ。今日、入金の手続きを済ませてあります」

稽古に向かう前に銀行に行き、指定された口座に三千万を振り込んだ。遺産分けとしてもらった金額の全てだ。

〈ありがとうございます。これで、私も一安心です〉

電話の向こうで、相葉が脱力したように息を吐き出すのが聞こえた。

「そちらも、約束は守ってもらいますよ」

〈当然です。契約書も取り交わしています。安心してください〉

「今は信じましょう」

相葉との電話を切った後、結城は、思わず失笑してしまった。

それは、相葉に対してではない。欲深い自分に対して向けられたものだ。

もしかしたら、自分は指揮者などより金儲《かねもう》けの方が向いているのかもしれない。

13

自宅のマンションに帰った奈緒美は、パンプスを脱ぐのと同時に、膝《ひざ》から崩れ落ちるように廊下に座り込んだ。

——部分健忘。

松崎の言ったその言葉が、繰り返し頭の中に響いていた。

ノイズを、耳許で延々とかき鳴らされているような不快感だ。

「私は、何を忘れているの？」

奈緒美の問いかけは、静寂に呑《の》まれて消えていった。

松崎の話では、極度の精神的なストレスなどにより、ある特定の期間や人物の記憶を、封印してしまうことがあるらしい。

心を守るための防衛本能なのだという。

その場合、無意識に過去を振り返ることを止め、都合の悪い部分に触れないようにしている。だから、指摘されるまでは絶対に気付かない。

頭では理解しているのだが、それを自分のこととして受け入れることができずにいた。

奈緒美が育ったのは、静岡県の浜松市だった。父は自動車工場で働いていた。無口で生真面目だが、本当に優しい人だ。母は、ちっちゃくて快活で、料理の腕が抜群で、よき理解者だった。

二つ下の弟は、生意気だけど、案外しっかり者だ。今は父と同じ会社に勤めている。ときどきケンカはしたけど、それは取るに足らない些細《ささい》なことで、翌日になれば笑い話になっていた。

学生時代にしたって、先生に怒られることや、友だちとケンカすることはあったが、それは誰もが通る思春期の通過儀礼のようなもの。

トラウマになり得るような出来事があったとは思えない。

誰だってそうだ。自分が歩んできた人生の道のりは、自らの記憶の中に形成されている。

それが、間違っていると指摘され、なるほどと納得できるわけがない。

——自分の記憶が信じられないのだとしたら、いったい何を信じればいいのか？

奈緒美は、カバンの中から手帳を取り出し、改めて挟んであった写真に目を向けた。

何度見返しても、思い出すことができない。

「私は……」

呟《つぶや》いたところで、奈緒美はある疑問に行き着いた。

——この写真は、いつから手帳に入っていたのだろう？

手帳は、学生時代からずっと使っている。だから、入っていても不思議ではない。だが、今まで写真の存在に気付かなかったのは不自然だ。

奈緒美は、這《は》うようにして部屋に移動し、サイドボードを開け、中から赤い表紙のアルバムを抜き出し床の上に広げた。

改めて見返すことはなかったが、大学時代に作ったアルバムだ。

この中に、答えがあるかもしれない。震える指先でページをめくり始めた。

最初に、入学式のときの写真が目に飛び込んできた。

このときは、まだすっぴんで垢《あか》抜けなくて、田舎臭い雰囲気があると自分でも思う。隣に立っている母親は、不安げな表情を浮かべている。

この写真を撮影したあと、何かあったらすぐ帰ってきなさいと、しつこいくらいに口にしていた。

さらにページをめくっていく。

新歓コンパのときの写真があった。アルコールで頬が赤く染まっている。確か、駅前にある居酒屋の座敷だった。

同じフルートを専攻していた真由《まゆ》と、ピースをしている写真。友だちと海に行ったときの写真。背景に見えるのは江《え》ノ島《しま》だ。アンサンブルの演奏会の写真。

そして――。

一人の男性と並んで撮影している写真が目に飛び込んで来た。

写真の中の奈緒美は、まるで一本の棒みたいにピンと立ち、無理に笑おうとしているのか、表情が硬くなっている。

そして、その男性の顔は、あの写真と同じように顔が黒く塗り潰《つぶ》されていた。

――なんで？

さらにページをめくる。

また、あの男の人が出て来た。黒く塗り潰されていて、その顔を確認することはできないが同じ人だろう。

今度は、学校のベンチに並んで座っている。

さっきの写真とは違って、彼の顔を見上げるようにして、笑顔で何かを語りかけている。

また、顔を黒く塗り潰した男性の写真。

頬を寄せ合うようにして、微笑みあっている。誰かが撮影したものではなく、男が自分でカメラを持ち、手を伸ばして撮影した写真。

次のページにも、その次のページにも、男と写っている写真があった。

どの写真の中でも、奈緒美は楽しそうに笑っていた。

そして、男の顔は黒く塗り潰されていた。

――これは、本当に私がやったの？

なぜだか、急に胸が押し潰されたように苦しくなり、目頭が熱くなった。

「教えて。あなたは誰なの？」

写真に向かって呼びかけるが、答えはなかった。

頬を、涙が伝った――。

なぜ、泣いているのか、その理由は分からないが、胸にぽっかりと大きな穴が空いたような喪失感があった。

どこからともなく、無伴奏のチェロ組曲が流れてきた。

哀しみを誘うような、旋律に耳を傾けていたが、しばらくしてそれが携帯電話の着信音であることに気付いた。

カバンから携帯電話を取り出し、鼻水をすすってから電話に出た。

「もしもし」

〈朽木さんの携帯電話でよろしいでしょうか〉

おどおどしたような口調の声が聞こえてきた。

「はい」

〈昨日、お会いしました国立署の新垣といいます。今、お時間大丈夫ですか？〉

マンションの前で会った、ひょろっと背の高い刑事の顔を思い出した。何の用件だろう。

見られているわけでもないのに背筋を伸ばし、掌《てのひら》で涙を拭《ぬぐ》った。

「ええ」

〈ちょっと調べさせて頂いたんですが、朽木さんのお部屋から、犯行現場のアパートが見えますよね〉

「はい」

返事をしながら、窓に視線を向けた。昨日、事件の話を聞いてから、怖くてカーテンを閉めたままにしてある。

〈その部屋に住み始めたのはいつ頃からですか？〉

「五年くらい前です」

大学を卒業する間際に、引っ越しをした。

それまでは、大学に近い玉川上水の駅近くに住んでいた。秋穂と同じマンションの、フロア違いだった。

〈そうですか。ちょっと窓の外を覗《のぞ》いてみてもらえますか？〉

「なぜです？」

〈お時間は取らせません。カーテンを開けて、窓の前に立ってもらうだけで結構ですから〉

なぜ、そんなことをさせるのだろう。不審に思いはしたが、拒否してあらぬ疑いをかけられるのも嫌だ。

奈緒美は立ち上がり、窓に歩み寄ってカーテンを引いた。

アパートの前は屋外用の照明で照らされていた。帰ってくるときは、気付かなかった。写真のことがひっかかり、呆然《ぼうぜん》自失の状態だったからだろう。

〈ああ、見えました〉

新垣が、楽しそうに言った。

目を凝らすと、事件のあったアパートの外階段に、携帯電話を手に立っているスーツ姿の男が見えた。

彼は、自分の存在をアピールするように大きく手を振った。

「なぜ、こんなことを？」

〈すみません。ただの確認です〉

「なんの確認ですか？」

〈実は、このアパートが見えるのは、朽木さんの部屋の窓だけなんですよ〉

「そうなんですか？」

〈そのマンション、ちょっと変わったかたちをしてますから〉

新垣が言うように、奈緒美の住むマンションは、L字形になっていて、確かに角部屋である位置からしかアパートは見えないかもしれない。

でも——。

「下の階からも見えるんじゃないんですか？」

〈一階は、塀が邪魔するんです〉

「上の階もあります」

〈空室です〉

「その上は」

〈角部屋の位置は、三階まで。その他は四階までなんです〉

奈緒美の背中を冷たい汗が伝った。

――疑われてる？

「なぜ、このマンションに限定するんですか？　隣にも建物はあります」

〈その通りです。ですから、ただの確認なんです〉

そう言うのと同時に、一方的に電話が切られた。

「何なの……」

奈緒美は、急いでカーテンを閉め、フローリングの上にへたり込んだ。

事件のことが気になり、テレビのスイッチを入れる。

政治のニュースが続いた後、アパートでの事件が流れ始めた。昼間撮影したと思われるアパートの映像が映し出される。

〈……アパートで発見された遺体は、白骨化し、頭部が切断されており、現在のところ、その行方は分かっていないとのことです……〉

リポーターの言葉を聞き、肌が粟立《あわだ》った。

――発見されていない頭蓋骨《ずがいこつ》。

網膜に、夢の中の映像が鮮明に蘇《よみがえ》る。髑髏《どくろ》を持った男——。

これは、単なる偶然なのだろうか？

三日目

1

傘をさすほどではないが、ポツポツと雨が降り出してきた。

市内の総合病院に足を運んだ石倉は、エントランスの前で足を止め、灰色に濁った空を恨めしそうに見上げたが、すぐに背中を丸めて待合室に入った。

「降ってきましたね」

駐車場に車を停めに行っていた新垣が、大袈裟《おおげさ》に声を上げながら駆け寄ってくる。

新垣と一緒にいると、学生の引率をしている気分になってくる。相手にせず、いないものと扱うのがいい。

喉《のど》を鳴らして痰《たん》を切ってからエレベーターに乗り、地下二階のボタンを押した。

石倉が病院に足を運んだのは、監察医から正式な司法解剖の結果を聞くためだ。

昨日の捜査会議で、一通りの報告があったが、あれは正式な解剖前の所見に過ぎない。

だからといって、わざわざ病院に足を運ぶことでもない。報告書類にだけ目を通せばそれで事足りる。

だが、今回の事件はどうも引っ掛かる。

石倉は、どうしてもと志願して、わざわざ病院まで足を運んだ。

エレベーターを降り、廊下を真っ直ぐ進み、突き当たりにある解剖室の前に立つと、丁度中から緑色の手術着姿の監察医、松本《まつもと》が出て来た。

「えっと、石倉さんでしたな」

マスクを外し、ブルドッグのような顎《あご》を震わせながら言った。

「ええ。こっちは新垣」

「よろしくお願いします」

石倉の紹介に、新垣は場違いな笑みで応《こた》える。

「ここではなんですから、私の部屋でお話ししましょう」

松本は、隣の部屋のドアを開け、手招きして中に入るように促した。石倉は、それに従い部屋に足を踏み入れる。

剝《む》き出しの蛍光灯が二本だけの薄暗い室内だった。

八畳ほどの室内に、所狭しとキャビネットが並べられ、部屋の一番奥まったところに壁を向くかたちでデスクが置かれていた。

「さてと」

松本は手をこすり合わせながらデスクに座ると、積み上げられた書類の山からファイルを引っ張り出した。

「で、何か分かりましたか？」

「何か分かったかと言われてもねえ」

待ちきれないといった様子で口を挟む新垣を見て、呆《あき》れたように松本が答えた。

監察医は、司法解剖の中で判明した事実を報告するのが仕事だ。その中から、事件に関連あると思われる情報を拾い出し、捜査に反映させていくのは警察の仕事。

「遺体は、何時頃のものだ？」

石倉は、新垣に代わって松本に質問を投げかける。

「正式な鑑定はまだ終わってないですが、状況からして少なくとも四年は経過しているでしょうね」

「ずっと土の中？」

「おそらく。つい最近になって掘り起こされたものである可能性が高いですね」

もし、これが殺人事件だった場合、殺して埋めておいたものを四年経ってからわざわざ掘り起こし、あのアパートに置いたということになる。

今まで捜査に引っ掛からなかったのだから、そのまま埋めておけば事件が発覚することはなかったろうに――。

――犯人はいったい何を目的にしている。

石倉は、ふと疑問に思い至った。

「頭部も一緒に埋まっていたのか？」

「首の骨に、新しい切断面がみられる。土も付着していなかった」

松本は、そう言いながらファイルの中に挟んであった、首の切断面をアップで撮影した写真を差し出してきた。

松本の言う通り、真っ直ぐで綺麗《きれい》な切断面だった。

「掘り起こした後に、わざわざ切断したってことか」

「そのようですな」

松本は、写真をファイルに戻しながら表情を歪《ゆが》めた。

「得物は？」

「今のところは、鋭利な刃物というところまでしか分かっていませんね。骨の継ぎ目を狙って、綺麗に切断してあります」

「医学に精通した人間ということか？」

「そこまでの知識は必要ないでしょう。ただ、慎重な人間であることは間違いないです」

石倉もその意見に同感だった。

犯人は、狼みたいに慎重で、思慮深く残忍だ。

「死因の特定は？」

「この状態だと、正直まだまだ時間がかかりそうですね」

「骨が折れてたんですよね」

　黙っていた新垣が、話に割って入った。

「骨折箇所は、左手と左の骨盤、左の大腿部《だいたい》。どれも重傷ですが、それが直接の死因にはなり得ないですね。まあ、肝心の頭部がありませんからね。なんとも……」

「そうですか……」

　新垣が空気の抜けた風船のように、元気を無くしてしぼんでいく。

「骨折箇所が左に偏っているのは？」

　石倉の言葉に反応して、松本が目を細めながら顔を上げた。

「さっきも言ったように、まだ頭部も発見されていないので、はっきりしたことは言えません。これは、あくまで私の個人的な感想ですが、この遺体は、事故にあったんじゃないかと思うんです」

「事故？」

「そう。交通事故か何かです」

「根拠は？」

「例えば、この人物が何かの事件に巻き込まれ、暴行を受けて死んだと仮定したとしましょう。そうした場合、骨折箇所が左に偏るのは不自然です」

「なるほど」

　松本の言っていることは納得できる。

暴行を加えるのに、身体の片側だけ攻撃するというのは不自然なように思える。だが、あり得ないことではない。

石倉の疑問を先読みしたかのように、松本がファイルの中から人体の図柄が描かれた紙を取り出しデスクに置くと、胸のポケットから赤ペンを取り出した。

「いいですか、骨折箇所は、ここと、ここと、ここ」

言いながら、松本は人体の図柄の左手と、骨盤の左側、左大腿部といった具合に丸印を書き込んでいく。

こうやって、図にしてみると、確かに骨折箇所が左の腰のあたりに集中していることが分かる。車か何かが衝突したのであれば、こういう偏った骨折の仕方をするかもしれない。

「車で撥《は》ねて、それを隠蔽《いんぺい》するために、遺体を埋めた」

石倉は、真っ直ぐに松本の目を見返しながら言った。

「あくまで、現段階での、私の個人的な意見ということになりますが……」

松本はそう言ってファイルを閉じた。

一見すると、その見解がもの凄《すご》く正しいもののように思える。だが、松本の推測を採用した場合、最大の謎が残ってしまう。

「もし、そうだとして、なぜ何年も経ってから掘り起こしたのか？　いやぁ、謎ですね」

新垣が、緊張感の無い口調で言いながら腕を組んだ。

「それは、そっちで調べてください」

新垣の言葉に、松本はお手上げだという風に両手を広げた。

「参考になった」

石倉は、空咳《からせき》をしてから立ち上がった。

何の理由もなく、死体を掘り起こすはずはない。しかも、わざわざ頭部を切断したのだから、それなりの意味があってしかるべきだ。

この謎を解かないことには、犯人に辿《たど》り着くことはできない。

——手強《てごわ》い奴だ。

石倉は、まだ見ぬ犯人を夢想し、思わず口許が緩んだ。

2

奈緒美は、ゆっくりと目を覚ました。

カーテンの隙間から射し込む春の柔らかい陽が、頰を照らしていた。

だが、そこに心地よさはなかった。

昨日は、ベッドに横になっても眠れなかった。朝方になって、ようやく目を閉じることができたが、それは、休息と呼べる眠りではなかった。いつもと同じ夢にうなされたからだ。

奈緒美は、胎児のように丸くなり、ただ呆然《ぼうぜん》と部屋の白い壁を見ていた。

今日は、稽古《けいこ》に行くのを止め、このままじっとしていたい。その願望にとりつかれ、目を閉じようとしたとき、テーブルの上の携帯電話が着信した。

手を伸ばし、携帯電話を手に取る。

〈松崎です〉

受話器の向こうから、松崎の声が聞こえてきた。

「おはようございます」

〈突然、すみません。実は、奈緒美さんに頼みたいことがあったんです〉

松崎は、挨拶《あいさつ》もそこそこに喋《しゃべ》り始めた。

「頼みですか？」

苗字ではなく、名前で呼ばれたことに違和感を覚えながらも返事をする。

〈ええ。奈緒美さんの記憶を取り戻すためにも必要なことです〉

「私の……」

〈ええ。昨日、見せてもらった写真。あれには、奈緒美さん以外の人物も写っていましたよね〉

「はい」

秋穂に玉木、結城も一緒にいた。

〈その人たちと、今でも連絡を取っていますか？〉

——連絡を取るもなにも。

「今、一緒に仕事をしています」

〈でしたら、都合がいい。写真の人物が何者で、どういう関係にあったのか、知っている範囲で訊《き》いてみてください〉

「そうか……」

奈緒美は、はっとなり身体を起こした。

あまりのショックに頭がいっぱいになっていて、そんな単純なことにも気付かなかった。秋穂たちも一緒に写真に写っているのだから、この人物のことを知っているはずだ。

――ずっとあのことが忘れられずに一人でいるじゃない！

昨日、秋穂が言っていた言葉が脳裏を過《よ》ぎる。

彼女の言った〈あのこと〉とは、写真の人物に関係あることなのかもしれない。

失われた記憶は二度と戻らないと、諦《あきら》めにも似た感情を抱いていただけに、それを取り戻す糸口を見つけたことで、目の前に光が射したような気がした。

〈できますか？〉

「はい」

奈緒美は、携帯電話を握る手に力を込めて返事をした。

〈奈緒美さん。話を聞くうえで、一つ注意して欲しいことがあります〉

「なんでしょう」

〈聞いた話を、信じ込まないこと。あくまで、情報の一つとして認識するように心がけて

ください〉

「どういうことですか？」

〈嘘が含まれている可能性があるからです〉

松崎の口調が、一段重くなったように感じた。それは、言葉の意味が持つ重みなのかもしれない。

「嘘？」

〈ええ。悪意から、または奈緒美さんを傷つけまいとするが故に、話をする人が嘘をつく可能性があります〉

「はい」

奈緒美は、固唾《かたず》を呑《の》みながら返事をした。

最初の悪意という部分は納得しかねるが、傷つけまいとして嘘をつくということは、人間関係において、よくあることだ。

〈記憶を失っている状態では、それらの嘘を真実として認識し、実際にそうであったと記憶の書き換えが行われることがあります〉

「客観的な視点を持てということですか？」

〈そういうことです〉

「分かりました」

〈では、何か分かったら、私にも連絡をください〉

電話が切れた。

奈緒美は大きく息を吸い込み、それを腹に溜《た》めて立ち上がった。

＊　＊　＊

練習場所であるホールに着いた奈緒美は、すぐに控え室に向かった。

秋穂を見つけ、練習が終わった後に少しで構わないので時間をもらえないか、その打診だけでもしておきたかった。

だが、控え室で秋穂の姿を見つけることができなかった。

一足先にステージにいるのかもしれない。

奈緒美は手早く荷物をロッカーに入れ、フルートを組み立てステージに向かった。

すでに何人かが合奏の準備や音出しを始めていた。

だが、そこにも秋穂は見当たらない。

「ねえ。秋穂は？」

ピアノの前で連続した激しい音階を繰り返し、ウォーミングアップをしている玉木を見つけて声をかけた。

「知らない」

顔を上げた玉木を見て、奈緒美はぎょっとした。

まるで人形のように表情がなく、心ここにあらずといった感じだ。

「会ってないの?」

「ああ」

短く答えた玉木の声には、話し掛けるなという圧力のようなものが感じられた。結城のことで、二人の間に何か諍《いさか》いがあったのかもしれない。

待っていれば、そのうち姿を見せるだろう。

諦めて定位置である二列目の中央の席に座り、フルートを構え他のメンバーと同じようにウォーミングアップのスケール練習を始めた。

それぞれが、自分のタイミングで、出したい音を出す。無秩序な音の洪水。オーケストラの練習が始まる前の独特の空気感だった。

いつもは心地よく感じるのだが、今日は神経を逆撫《さかな》でされているような不快感がついてまわった。

やがて、ステージ袖《そで》から結城が優雅ともいえる足取りで、指揮台に上がり咳払《せきばら》いをする。

それが、合図であったかのように音の洪水が止んだ。

結城が、タクトでコツコツと譜面台を叩《たた》きながら言った。

「一人いないな」

全員の視線が、空席になった秋穂の席に向けられたが、口を開く者は誰もいなかった。

通常のオーケストラ編成であれば、ヴァイオリンは音量を補うために二十名はいるので、一人くらいいなくても練習を開始してしまう。

しかし、今回のような少人数編成だと、ヴァイオリンは二名。それぞれ、違うパートを演奏するので、一人欠けただけで演奏がストップする。

「朽木。知ってるか？」

「今日は、見てません」

奈緒美が答えると、結城は視線をピアノがいる一番後ろの列に向けた。

「玉木。知ってるか？」

「なぜ、おれが？」

玉木の返事は、結城に対する敵意に満ち溢《あふ》れていた。

「なぜって……」

結城は、苦笑いを浮かべ、呆《あき》れたように首を振った。

いくらなんでも、今の玉木の返答は無い。

玉木は、秋穂の恋人であると同時に、コンサートマスター、今回のオーケストラのリーダーにあたる。知らぬ、存ぜぬでは済まない。

「私、電話してきます」

これ以上、険悪な雰囲気が続くのは嫌だ。奈緒美は、お節介と思いながらも名乗り出た。

「そうしてくれ」

結城の言葉を受けて奈緒美が立ち上がったところで、ヴァイオリンを持った秋穂がステージに入って来た。

練習開始時刻に遅れているのに、慌てているわけでも反省している風でもなかった。それが当たり前であるかのように、堂々とした足取りで歩いて来て「遅れてすみません」と感情のこもっていない謝罪をして席に着いた。

横柄とも思えるその態度に、メンバーから不満の囁《ささや》きが漏れた。

「遅れるときは事前連絡をする。当たり前のことは言わせるな」

結城の叱責《しっせき》にも、秋穂はレガートのように抑揚の無い返事だった。

「まあ、いい。練習を始める前に、紹介しておきたい人物がいる」

結城はそう切り出すと、客席に身体を向けた。

客席の前から三列目のほぼ中央に、見慣れない男が座っていた。

身長はそれほど高くないが、今にもパンクしそうなほどに肉を蓄えている。両足を、前の席に乗せ、偉そうにふんぞり返っていた。

「今回のミュージカルの演出を手がける柏井さんだ」

結城に促され、全員で拍手をする。

しかし柏井は、特に挨拶《あいさつ》をするでもなく、どこかの政治家みたいに軽く手を上げただけだった。

その態度が不満だったのだろう。結城が唇を噛《か》むようにして表情を歪《ゆが》めたが、それもほんの一拍だけのことで、咳払いをしてすぐに元の表情に戻った。

「じゃあ、早速始めようか」

結城はタクトを指先で器用に回したあと、譜面台をコッコッと叩いた。

オーボエとピアノの音に合わせて、それぞれの楽器がチューニングを始めた。

「今日は、第一主題を重点的にやる」

チューニングの音が止んだところで結城が言う。

昨日は、慣らしの意味を込めて、通しで演奏をしただけだった。本格的な練習は今日から始まるといっていい。

結城が、指揮棒を目線の高さに構える。

それと同時に、ホール全体が静寂に包まれ、ビリビリと痺《しび》れるような緊張感が広がっていく——。

その緊張が、最大限に達したとき、結城の指揮棒が振り下ろされ、演奏が始まった。

このミュージカルの主題となるテーマ。

全ての楽器が音を奏で、チャイコフスキーの交響曲を思わせる雄大で荘厳な旋律が始まり、重なり合った音の波動が、ホール全体を共鳴させる。

だが、一小節足らずで結城の指揮が止まった。

「トランペット。タイミングがズレてる。タン、タタンになってる。そこは、タン、ン、タタンだ。休符があるのだから、しっかり意識して」

結城が、不機嫌そうにタクトで譜面台を叩く。

こんな初歩的なことを言わせるな——そう言いたげだ。

トランペットの倉田《くらた》が「すみません」と謝罪しながら、指示を譜面に書き込む。

「それから、フルート。フォルテが小さすぎる。集音マイクで拾うといっても、曲全体を通してのバランスを考えて音量を決めないと、後々自分の首を絞めることになるぞ」

「はい」

返事をして、譜面のｆの記号に丸印をつける。

正直、いろいろなことに気を取られて、意識が散漫になっていた。しっかり演奏に集中しないと今みたいに初歩的な指示を受けることになる。

「もう一度頭から」

結城が、改めて指揮棒を構え、演奏が再開される。

が、再びワンフレーズ終わったところで指揮棒が止まった。

「ヴァイオリン。リズムにズレがある。そこは、ターララ。それと、アクセントが弱い。なぜ、その場所に音楽記号があるのか、理解して演奏してくれ」

「はい」

秋穂は、返事こそしたものの、その指示を譜面に書き込もうとはしなかった。

「書かずに覚えられるのか？」

結城の指摘に、秋穂は「大丈夫です」と冷たく言い放った。

明らかに反抗的な態度だった。

「ご機嫌斜めだな。彼とケンカでもしたか？」

結城が、冗談めかして言ったが、笑いは起きなかった。

本人はそのつもりがないのかもしれないが、冗談と受け取れるような内容ではなかった。

「平気です」

秋穂が真顔で返す。

「じゃあ、もう一度頭から」

再び、結城の指揮が振られる。

また、ワンフレーズで止まった。

「ピアノ！」

結城が怒りに満ちた声を上げ、叩きつけるようにタクトを譜面台に打ち付けた。

「私の指示は、全員に向けている。他の楽器だから関係ないという感覚は捨てろ」

演奏者の中にピアノは二人いる。その両方に向けられた言葉なのか、あるいは――。

「気をつけます」

返事が聞こえたが、それは玉木の声ではなかった。

「ピアノは二人いるはずだが」

「……すみません」

ようやく、消え入りそうな玉木の声が聞こえた。

結城の指揮する音楽に、錆《さ》びついた歯車のようにギスギスとした不快感を覚えた――。

3

病院を出た石倉は、立川で南武線《なんぶ》に乗り換え、府中本町《ふちゅうほんちょう》の駅で降りた。新垣は連れて来なかった。手分けして不動産会社のオーダーシートにあった名前の人物を捜索するというのが一応の名目だ。だが、石倉にはそれをするつもりはなかった。その気になれば、すぐにでも見つけることができる。だが、それこそが犯人の目論見《もくろみ》のような気がしていた。

行動を起こすのは、もう少し様子を見てからでも遅くない。

競馬が開催される土日は、歩くのも困難なほど混雑する駅だが、平日はそれが夢であるかのように静まり返っている。

ギャンブルなどは所詮《しょせん》は夢物語だ。ビジネスとして成立させるためには、必ず賭《か》ける側が損する仕組みになっている。だが、それでも大枚を叩《はた》いてギャンブルに興じる者がいる。元女房の現夫がそうだ。

――自分だけは大丈夫。

奴らは、何の根拠もなくそう考えている。

損をする仕組みであることは分かっている。だが、その貧乏クジを引くのは、自分以外の誰かだと――。

特別意識など、幻想に過ぎない。誰にでも幸せになるチャンスがあるように、不運もまた誰にでも平等にやってくる。

そんな単純なことにすら気付けない。そういう奴らは、自分だけは捕まらないという、根拠のない特別意識を持ったまま、やがては犯罪に手を染める。

石倉は、今までそういう奴を何人も見てきた。

考えただけで胸クソが悪い。

石倉は、喉《のど》を鳴らし、痰《たん》を吐き出してから改札口を抜けた。

目の前の道を左に入り、スロープのような坂道を下って道なりに二十分ほど歩くと、その団地に辿り着く。

白壁の四階建て、各フロアに十軒ずつ2DKの物件が並んでいる。

駅からも離れているし、建物もバブル以前に造られたものらしく、老朽化が進んでいる分、賃料は駅に近いワンルームマンションを借りるより安いだろう。

道路に面した小さな広場を横切り、自転車置き場の脇を通って建物に向かう。

エレベーターが無いので、コンクリートの外階段で三階まで上がり、奥から二番目の部屋のインターホンを押した。

しばらくして、茶色い鉄製のドアが開き、中年の女が顔を出した。元妻の紀子だ。

化粧もしていなければ、髪に櫛《くし》を通してもいない。薄汚れたグレイのトレーナーに、黒のスパッツを穿《は》いている。

いかにも寝起きですといった感じだ。

こんなにも、薄汚い女だっただろうか、石倉は思わず顔をしかめた。

石倉が紀子に初めて会ったのは、病院だった。

捜査の際、腕を骨折し、入院した病院の看護師が紀子だった。誰もが目を奪われるような美しい女ではなかったが、清潔感はあった。

——それが、今はどうだ？

「何しに来たの？」

紀子は、元夫の突然の訪問に、目を見開き驚きの表情を浮かべたが、すぐにそれは軽蔑《けいべつ》の視線へと変わった。

石倉は、返事をすることなくドアチェーンがかかっていないのを確認すると、力いっぱいドアを開け、紀子を押し退けるようにして玄関に入った。

「ちょっと、なんなのよ！」

金切り声を上げる紀子を無視して、土足のまま廊下を進み、突き当たりにあるドアを開けた。

散らかり放題の部屋。畳んでもいない洗濯物が山になり、ゴミ袋が無造作に部屋に転がっている。

部屋の隅に置かれたテレビには埃《ほこり》が積もり、カーテンはヤニで黄色く変色し、ベランダへと通じるガラス戸も、曇りガラスのようにうす汚れていた。

部屋中に、饐《す》えた臭いが充満している。

石倉と暮らしているとき、紀子は部屋をこんな風に散らかしていることはなかった。確かに石倉がうるさく言ったというのもあるが、それでも紀子は自発的に片付けをしていたように思う。

相手が代わるだけで、人間はこうも堕落するものか――。

別れるとき、紀子はうるさく注文を出す石倉に「息苦しい」と言った。だが、今、目の前に広がるこの有様はどうだ？　これが望んだことか？

――これこそ息苦しい。

「出て行ってよ！」

石倉は、叫びながらすがってくる紀子を突き飛ばし、部屋の奥にある襖《ふすま》を開けた。

そこに、男はいた。スーパーの元店長で紀子の現夫。

トランクスにランニングシャツという恰好《かっこう》で、敷きっぱなしの布団の上に寝転んでいたが、石倉の存在を認めて慌てた様子で起き上がった。

「な、なんだ」

状況が理解できずに、落ち着きなく視線を左右に動かしながら声を上げる。

石倉は、返事をする代わりに、男の鼻っ面めがけて右の拳《こぶし》を突き出した。

男は「ふごっ」と悲鳴とも叫びともつかぬ声を上げ、両手で顔を押さえてうずくまった。汗染みのこびりついた布団に、真っ赤な血がボタボタと流れ落ちた。

男は、何が起こったのか理解できない様子で、ただ「うぅーうぅー」と唸《うな》っている。いい気味だ。だが、まだ終わりじゃない。石倉は、男の髪を鷲掴《わしづか》みにして、持ち上げて強引に立ち上がらせる。

「おれが、誰だか分かるか？」

石倉の問いに、男は目に涙を溜《た》めながら何度も頷《うなず》いた。

「止めて！」

紀子が叫び声を上げながら、腕にしがみついてくる。

「触るな」

石倉は、紀子の顔面に左の肘《ひじ》を叩《たた》き込んだ。

彼女は、その衝撃で後方に吹っ飛び、壁に激突してズルズルと崩れ落ちた。心が折れたのか、そのまま動かなくなった。

微《かす》かにすすり泣く声が聞こえる。ただ時間が過ぎるのを待っているといった感じだ。

「頼む。もうやめてくれ」

男が、震える声で言った。

四十を過ぎた男が、涙で顔をぐしゃぐしゃにしている。この男には、一つの家族を守ろうとする計画性も覚悟もない。ただ、今の自分の感情に正直なだけだ。

彰がこんな奴と一緒に生活しているかと思うと、それだけでゾッとする。

石倉は、スーツのポケットから二十枚の一万円札を取り出し、それを男の眼前に突きつけた。

「お前らが待ち望んだ金だ」

男は何も言わずにひっくひっくと子どものように肩を上下させている。

「確認するぞ。この金は、何だ？」

「よ、養育費です」

ようやく男が震える声で答えた。

「養育費は、何のために使う金だ？」

「生活のために……」

「誰の？」

「こ、子どもの」

「そうだ。おれは、子どもの養育費を払う約束はしたが、貴様の競馬の賭け金を肩代わりする約束をした覚えはない。そうだな？」

男は返事をすることなく、息を呑んだ。

石倉は、掴んだ髪を引っ張り、男の顔面を壁に激突させる。

鈍い音とともに、男が畳の上に倒れ込んだ。顔中が血で真っ赤に染まっている。

「もう一度確認する。この金は一円たりとも、他のことに使われてはいけない。言っている意味は分かるな？」

男は、激しく首を上下させた。

「忘れるなよ。この金が、一円でもお前らの道楽に使われるようなことがあれば、おれはまた来る。そのときは、そうだな――この団地の屋上から飛んでもらうことになる」

石倉の言ったその言葉で、男の両目が今にも零《こぼ》れ落ちそうなほど見開かれた。

「返事は？」

「は、はい」

男は頼りなく眉《まゆ》を下げ、だらしなく涎《よだれ》を垂らしながら頷いた。

プライドの欠片《かけら》もない惨めな男。その様は、石倉の中に眠る加虐性を刺激した。

黒くぬるぬるとしたその感情に突き動かされた石倉は、男の顔に向かって痰を吐きかけた後、つま先で腹を蹴《け》り上げた。

「いやぁ！　止めて！」

紀子の叫びが部屋に響き渡る。

前にも、同じように女の悲鳴を聞いたことがあった――。

――お願い！　止めて！

あのときと同じように、石倉は身体の芯《しん》から震えた。

どくどくと音をたてて熱を持った血液が股間《こかん》に流れ込んでいくのが分かった。渇ききった心が満たされていくのを感じる。

――女の悲鳴は、気持ちいい。

歯止めの利かなくなった石倉は、紀子の声が掠《かす》れ、その悲鳴が止むまで男の腹を蹴り続けた。

石倉は肩で大きく息をしながら、視線を足許に落とした。

布団の上の男が白目を剥《む》き、だらしなく口から吐瀉《としゃ》物を垂れ流していた。

「クソが！」

石倉は、吐き捨てながら持っていた札を投げ捨てた。

一万円札が、ひらひらと回転しながら、男の上に舞い落ちていく。

「約束を忘れるなよ」

石倉はそう言い残し、紀子の啜《すす》り泣きを背に部屋を後にした。

玄関のドアを閉め、ふうっと息を吐き出し、降ったり止んだりを続ける濁った空に目を向けた。

こんなことをしたら、虚脱感に支配されると思っていた。だが、実際に胸に広がったのは、心躍るような充足感だった。

なぜ、もっと早くこうしなかったのか——と自らを責める思いすらあった。

離婚したときは、彰のためにそれが最善のことだと理解して親権を紀子に渡した。しかし、それは大きな間違いだった。

これ以上、彰をあんな掃き溜めに住まわせておくことはできない。

なんとしても、彰をあそこから連れ出すのだ。だが、ただ強引に連れてきてもダメだ。

合法的に紀子とあの男から、彰を引き離さなければならない。

石倉は、携帯電話を手にとり、壁紙に設定してある彰の写真に目を向けた。俯《うつむ》き加減で、戸惑ったように笑っている。目許は、本当に自分に似てきた。そう思い、石倉は表情をゆるめた。

もう一度、親権を争う裁判を起こせばいい。

優秀な弁護士をつけ、離婚の原因が本当は浮気であったことを明らかにし、現在の劣悪な家庭環境を訴えれば勝てる。

そのためには金がいる。

石倉は、ドアに痰《たん》を吐きかけてから歩き出した。

4

稽古《けいこ》を終えた結城が応接室に戻ると、柏井が革張りのソファーに脚を組んでふんぞり返っていた。

——見苦しい。

結城は、言いかけた言葉を呑み込んだ。

どんなに偉そうに振る舞ってみても、だらしないその姿は、豚が藁《わら》に寝転がっているのと大差ない。

「まだ、いらっしゃったんですか?」

結城は、煙草に火を点《つ》け柏井の向かいに座った。

合わせの稽古をする前に、演奏の仕上がりを見学したいと言い出したのは柏井だった。練習風景を他の人間に見られることは好きではないが、柏井に「あんた、本当に指揮ができるのか？」とまで言われては、要求に応じないわけにはいかない。

紹介ついでに、最初の一時間だけということで許可した。

それが、結局最後まで客席に居座った。ただ、いるだけなら我慢もしよう。しかし、この豚は途中で居眠りをして鼾《いびき》をかく始末だった。

おまけに、未《いま》だに応接室のソファーでゴロゴロしている。

「どういう意味だ？」

「こんなところで、呑気《のんき》に油を売っていて、本番に間に合うんですか？」

「ずい分な言い方だな」

苛立《いらだ》たしさを体現するように、柏井が髪をかきむしる。

自分の感情をコントロールできない。まるで子どもだな。演出家としてはいいかもしれないが、コンダクターには向いていない。

コンダクターは、常に冷静でなければならないと結城は心得ている。

芸術家という見方をする人間も多いが、コンダクターはそれ以上に職人でなければならない。

ある意味、翻訳の仕事に似ている。

作者の意図を理解し、それをより正確に伝えるための言語をチョイスし、組み立てていく。一文字でも間違えれば、作者の意図から外れていってしまう。

「冗談で言っただけですよ。それより、演奏はどうでした？」

眠っていた人間に分かるはずもない。そんなことは百も承知で口にした。

「まだ、荒削りだが、なかなかいいんじゃないか」

柏井は、大口を開けてあくびをした。

——子守歌代わりにしていた男がよく言う。

「そうですか？」

「不満そうだな」

「途中から引き継がされましたからね。前任の指揮者のクセが残っています」

結城も、前任指揮者のことは知っている。何度か、演奏会を聴きに行ったこともある。どことなく抜けた感じの男で、演奏者の裁量に任せて指揮を振るきらいがあり、作曲家の意図を無視したアレンジが加えられることが多々見受けられた。

正確に再現する気がないなら、クラッシックの指揮者などやるべきではない。

「私は気にならなかった」

「今回の曲はオリジナルですし、普通に聴いていれば分からないでしょう。しかし、今の演奏では譜面との間に歪《ゆが》みが生じています」

「君はちょっと潔癖すぎるんじゃないか？」

潔癖とはよく言ったものだ。この男も、オーケストラのメンバーも、いい加減過ぎるのだ。だから、私のことを潔癖だと感じる。

はっきりいって、今日のような演奏を続けているようでは、お話にならない。

「音楽とは、完璧《かんぺき》でなければならないんです」

「そういうもんかね？　私はピアノなんか、なかなか良かったと思うな」

「ええ。知ってます」

柏井は、一瞬おや？　という顔をしたが、すぐに合点がいったようで、大げさに手を叩《たた》いた。

「そうか。同じ大学の出身だったか」

「ええ。学生時代から注目されていました」

玉木は、音大時代は三本の指に入るピアニストだった。「今は？」と訊《き》かれると、首を捻《ひね》るしかない。

玉木は、ミスを犯すかもしれないという怯《おび》えを抱えたまま演奏している。何も変わっていない。自分がどう見られているのか？　常にそればかりを意識している。

演奏だけでなく、私生活においても――。

自分の特性を最大限に伸ばす努力を怠っている。

誰かを羨《うらや》み、ねたみ、ひがみ、他人のものを欲しがる。それが、本当に自分の望みではないことに気付きもしない。

だから、いつまでたっても二番手に甘んじている。

「他に、同期だったのは誰だ？」

「ヴァイオリンと、フルートです」

結城は、敢《あ》えて名前ではなく楽器の名前を口にした。

この脂ぎったトドのような男に、余計な詮索《せんさく》をされるのは嫌だ。

「ほう。二人とも美人じゃないか。うらやましいね。私も音大に入っておけば良かった」

――やはり、そういう見方しかできない。

「仲間ですよ」

「フルートの、なんていったかな……」

柏井が、思い出そうとしているように宙に指を漂わせる。

本当は、名前は頭に入っているクセに、わざと思い出せないふりをしている。そうやって、自分のストーカーじみた感情を読み取られまいとしている。

外見だけでなく、その心まで歪んでいる。

「朽木奈緒美ですか？」

「ああ。そうだ。彼女――」

そこで、柏井は黙った。

自分からではなく、誰かが言ったことに便乗したがっている。

「お気に入りですか？」

「いいね。彼女は。どことなく危なっかしくて、何とかしてやりたいと思うんだよねぇ」

——誰かをどうこうする前に、自分をどうにかしろ。

「ああ見えて、意外にしっかりしてますよ」

「内面なんてどうでもいい。ああいう感じの女が好きだってことだよ」

柏井が、小鼻をひくひくと動かす。

薄気味悪い豚だ。結城は、目を逸《そ》らした。

「そうですか」

「ヴァイオリンはなんていったっけ」

「真矢秋穂です」

「彼女はダメだね。顔は綺麗《きれい》だが、キツイ感じがする。ああいう女はSEXも下手だし、淡白だ」

——そんな目で、秋穂を見るな。

結城の腹の中で、黒い憎悪が蛇のようにとぐろを巻きながら増幅する。

「やっぱり奈緒美ちゃんの方がいい」

「彼女、大学時代から付き合っている男がいますよ。そろそろ結婚の予定です」

——もちろん嘘だ。

何年かぶりに再会したばかりで、現在、恋人がいるかどうかは訊いていない。

だが、この手の男は隙を与えると、執拗《しつよう》に追いまわす。人の好《よ》い奈緒美が、それに振り回されるのは見ていられない。

――奈緒美は、未《いま》だにあのことを引き摺《ず》っているのだろうか？

結城は、蘇《よみがえ》りかけた過去の記憶を、振り払った。

「婚約者がいても、マリッジブルーとかあるだろ。まだ可能性はありだな」

柏井がかないもしない願望を夢想し、ニヤニヤと笑いながら言った。どこまでも下衆《げす》な男だ。

同じ空気を吸っているだけで気分が悪くなる。

タイミング良く、携帯電話に着信があった。

「すみません。ちょっと失礼します」

結城は煙草を灰皿に押し付け、携帯電話を手に廊下に出た。

「もしもし」

〈お疲れさまです。相葉です〉

あの下品な演出家の豚をどうにかしろ――そう言いかけた言葉を腹の底に沈めた。

「どうしました」

〈実は、先日締結した契約書の書類に、捺印《なついん》漏れがありまして〉

ミュージカルの売り上げの四十パーセントを、指定された口座に振り込むという旨が記載された契約書だ。

「分かりました。書類を持って来て頂ければ、捺印します」

〈そうしたいところなのですが、今は持ち出しができなくなっていまして……〉

「それで」

〈うちの会社に来て頂くしかないんです〉

明日からは本番を行うホールでの練習が始まる。

今日の練習を踏まえ、明日からどう仕上げていくのか、スコアを全部見直しておこうと考えていた。余計なことで時間を取られたくない。

「今は、そんな時間はないですよ」

〈困りましたね……〉

結城が壁に背中を付け、息を吐き出したところで、応接室のドアが開き、柏井がのそのそと現れ「帰るよ」という風に軽く手を上げた。結城は目礼でそれに応《こた》えると、背中を向け、足音が遠のくのを待った。

「どうにかしてください」

〈そうだ。もし、ご迷惑でなければ、明日、私が印鑑を取りにうかがいますが……〉

それが、一番手っ取り早い方法だろう。

「助かります」

〈では、明日の朝〉

結城は電話を切り、大きくため息をついた。

我慢しろ。あと少しの辛抱だ。そうすれば、このバカげた環境から抜け出し、再スタートを切ることができる。

5

「ねえ。奈緒美。ご飯行かない？」

練習を終え、控え室で片付けをしている奈緒美に秋穂が声をかけてきた。

昨日の写真のことで、秋穂にいろいろと訊いてみたい。そう思っていた奈緒美にとっては、願ってもない誘いだった。

「待って。すぐに終わらせるから」

奈緒美は、分解したフルートの接合部分のグリスを手早く拭《ふ》き取り、ケースに仕舞い、カバンを持って秋穂と一緒に廊下に出た。

「よう」

廊下の壁に背中を預けるようにして玉木が立っていた。

微笑を浮かべてはいるが、それが無理して作られたものであることは、一目瞭然《りょうぜん》だった。

秋穂はため息をつき、玉木を睨《にら》むように見上げると「なに？」と、咎《とが》めるような口調で言った。

二人の間に、深い溝ができていることは明らかだ。

「一緒に帰ろうと思ったんだ」

「私、奈緒美とご飯行くから」

玉木と秋穂は、お互いをけん制し合うような口調で会話を続ける。

「あ、私ならいいよ。今日は帰るから」

奈緒美は、重苦しい雰囲気に耐えきれず口を挟んだ。

「気にしなくていいのよ」

「でも、ちゃんと話した方がいいよ」

「話すことなんてないわ」

秋穂は、玉木を睨みつけながら言い放った。

玉木は、拳《こぶし》を固くして苦虫を嚙《か》み潰《つぶ》したみたいな表情で俯《うつむ》いた。

「行きましょう」

しばらくの沈黙の後、秋穂は投げ捨てるように言うと、エントランスに向かって歩き出した。

追うべきか、それとも呼び止めるべきか、一瞬の迷いがあった。だが、今の秋穂を止めても素直に聞き入れてくれるとは思えない。

「秋穂から話を聞いておくから」

奈緒美は、玉木にそう耳打ちした。

「悪い。頼む」

バツの悪そうな表情を浮かべる玉木の言葉を受けて、奈緒美は秋穂の後を追いかけた。

ずいぶん先に行ってしまったかと思ったが、意外にも秋穂はエントランスの前で待っていた。

「この辺で、いい店知ってる？」

秋穂は、さっきまでの険悪な空気を払拭《ふっしょく》するような明るい口調だった。

「イタリアンは？」

「いいわね」

「北口に、美味《おい》しい店があるの」

奈緒美が案内するかたちで、駅の北側の線路沿いにあるイタリアンレストランに入った。テーブルが十席ほどと、あまり広い店内ではないが、間接照明の落ち着いた雰囲気のお店だ。

一番奥のテーブル席に座り、ウェイターに赤ワインと前菜のマリネを注文した。

「なかなか、いい雰囲気ね」

秋穂が、店内をじっくり見廻《まわ》しながら感嘆の声を上げた。

「でしょ。料理もけっこういけるの」

音大時代に、この店に足を運んだことがある。

誰と来たのかは思い出せないが、すごく寒い日だったことだけは鮮明に覚えている。赤ワインを呑んで、ひどく酔ったような気がする。

「どうしたの？」

考えを巡らせていると、秋穂が心配そうに顔を覗《のぞ》き込んできた。

「なんでもない」

「お待たせしました」

首を振り、停滞していた考えを振り払ったところで、ウェイターが注文したワインを運んで来た。

グラスをそれぞれの前に置き、慣れた手つきでワインを注ぎ、一礼して歩き去って行く。

「ねえ。結婚式はいつなの？」

奈緒美は、ワインを一口飲んでから秋穂に話題を振った。

その話を最初にしたのは、さっきの玉木とのことが気になっていたからだ。

結城の登場により、明らかに二人の関係に歪《ゆが》みが生まれている。音楽と同じで、ほんのわずかな歪みが、不協和音となり取り返しのつかないことになる。

できれば、玉木と秋穂には幸せになって欲しい。それは、結城と玉木のどっちの味方ということではなく、誰も傷ついて欲しくないからだ。

「六月の予定」

「場所は？」

「表参道《おもてさんどう》の教会」

結婚を控えて楽しい会話のはずなのに、秋穂は疲れたようにがっくりと肩を落とした。

「玉木に何か言われたの？」

「何も……でもね、それがむかつくの」

秋穂は頬杖《ほおづえ》をつき、白く長い指先でワイングラスを口に運んだ。たった、それだけの仕草なのに、同性から見ても魅惑的に見える。

「気にしてないんじゃないの？」

「そんなわけないでしょ。顔を見れば分かるわ。それなのに、彼は気にしてないふりをするの。口に出さない分、態度に出てるのよ」

「そんなことないと思うよ」

奈緒美は玉木をフォローしてはみたものの、秋穂の意見はもっともだと思う。彼がいつもと様子が違うことは、誰の目にも明らかだった。

玉木は、学生のときから自分の感情を隠すのが得意ではなかった。だから、彼が秋穂に想いを寄せていることは、周知の事実にもなっていた。

「口に出さないで、ただ私に疑いの視線を送ってくるの。お前は、まだあいつのことが好きなのかって……」

「違うんでしょ」

「もちろんよ」

秋穂が、怒った表情で顔を上げた。

「ご、ごめん」

「いいの。そうやって訊《き》いてくれれば、私だってはっきり言えるの。違うって。でも、訊かれてもないのに、自分から言うのって変でしょ」

「そうね」

　奈緒美は、反論しなかった。

「男って、どうしてあんなに他の人より上でいようって思うのかしら？」

「自分の方が優れてるって証明したいんじゃない？」

「でもさ、そういうのって女から見るとどうでもいいことじゃない。その人の弱い部分も、劣っている部分も、全部ひっくるめて愛してるんだから」

　秋穂は、うっすら頬を染めながら、もう一口ワインを飲んだ。

「玉木のことは、愛してるんでしょ」

「分からない」

「え？」

「このまま、ずっとあんな目で見られるんだとしたら、とても一緒に生活なんて無理。正直、幻滅したわ」

　彼女が玉木との結婚生活に疑問を抱いてしまうのはもっともだ。だが、今ならその擦れ違いを修正することは可能だとも思う。

　玉木が意地を張らずに、自分の口で秋穂の気持ちを確かめればいい。

　秋穂の左手の薬指に嵌《は》められた婚約指輪。それを外していないことが、玉木への想いが途切れていないという何よりの証拠だ。

「一度、ちゃんと話し合った方がいいわね」

「他人のことより、奈緒美はどうなの？」

「え？」

思わぬ反撃を受け、奈緒美は言葉に詰まった。

「え？　じゃないでしょ。誰かいい人はいないの？」

「いれば話してるわよ」

「彼氏欲しいとか思わないの？」

「今は、それどころじゃないから」

夢の映像が頭に浮かび、声のトーンが暗くなる。

「奈緒美っていつもそればっかり。忙しいって言いながら、意図的に男を遠ざけてる感じがするわ」

秋穂は、ワイングラスの縁を、人差し指でゆっくりと撫《な》でながら言った。

「そんな風に見える？」

「見える」

「そっか……」

奈緒美は、ワイングラスをじっと見つめた。

意図的にではないが、どこか男性とのかかわりを避けているところはあると自覚している。怖いという感覚が、どうしても抜けない。

もしかしたら、それもあの写真と関係あるのかもしれない。

「ねえ。実は、秋穂に訊きたいことがあったの」

奈緒美は、まっすぐ秋穂の目を見てから口にした。

「私に？」

「うん。見て欲しいものがあるの」

カバンから例の集合写真を取り出し、テーブルの上に置いた。

それを見た瞬間、秋穂の表情にさっと影が差した。

「奈緒美……」

秋穂は、両目を見開き喘《あえ》ぐように言った。

そこに、タイミング悪くウェイターがやってきて、注文していたサーモンのマリネをテーブルに並べる。

「これは、あなたがやったの？」

ウェイターが立ち去るのを待って、秋穂は写真の黒く塗り潰《つぶ》された部分を指差した。

「分からないの」

「分からない？　自分のことでしょ」

秋穂は、いつになく苛立《いらだ》たしげに言う。

「そうなんだけど、思い出せないの。誰が写真を塗り潰したのかも、この人が誰なのかも」

「冗談はよしてよ」

そう言った秋穂の表情は、引きつっていた。

「私、今心理カウンセラーに診てもらってるの」

「カウンセラー？」

「ずっと悪夢にうなされていて、眠れない日が多くなって、それで通うようになったの」

「そうだったんだ」

「それでね、そのカウンセラーの話だと、私は部分健忘の可能性があるんだって」

「ブブンケンボウ？」

予想通り秋穂が分からないという風に首を捻《ひね》った。

無理もない。奈緒美も昨日松崎から聞いたときには、同じような反応になった。

付け焼き刃の知識でしかないが、自分の知っている範囲で秋穂に事情の説明をした。

記憶の特定の部分だけが欠落した症状にあり、この写真の人物が何者なのかを思い出せずにいること。昨日まで、手帳に写真を挟んでいることすら認識していなかったこと——。

「本当に、そんなことがあるの？」

話し終えるのと同時に、秋穂は下唇を噛《か》んだ。

「私も、少し調べたんだけど、幾つか症例はあるみたいなの」

「そっか……」

秋穂は、視線を宙に漂わせ、ぽつりと呟《つぶや》いた。

この反応。やはり何かを知っている。しかも、ある程度の事情も把握しているようだ。

「お願い。教えて。彼は、誰なの？」

「誰だっけ？　私も名前が思い出せないな」

秋穂は、おどけた調子で言うと、ワインを口に含んだ。

すぐに嘘だとわかった。知っているけど、言いたくない。そんな感じだ。

「本当は、知ってるんじゃないの？」

「覚えてないわ。写真に写っているのが誰なのか思い出せないことって結構あるじゃない。同窓会なんかでも、この人誰だっけ？　って人は一人くらいいるわ」

秋穂は、口の端を吊《つ》り上げて笑った。

――なぜ、彼のことを隠すの？　どうして、教えてくれないの？

疑問が、頭の中を駆け巡り、怒りなのか悔しさなのか分からないけど、身体が熱くなった。

「お願い。私、知りたいの……」

「奈緒美」

秋穂が、優しい口調で言いながら、包み込むように手をとった。

「私……」

「焦らない方がいいわ。そのうち、思い出すから」

「でも……」

私の知らない私がいる。それなのに、秋穂を含めた周りの人間は、私の知らない私を知っている。彼のことを知っている――。

その不自然な感覚は、じわじわと心を蝕《むしば》んでいくような気がしていた。

彼のことを思い出さなければ、自分自身が壊れていく。

そんな強迫観念にも似た思いに支配されていた。

「ねえ。奈緒美。そんなことより……」

「お願いだから、教えてよ！」

話を逸《そ》らそうとする秋穂に腹が立ち、奈緒美はつい大きな声を出した。

その途端、昂《たか》ぶった感情に歯止めが利かず、我慢していた涙が溢《あふ》れだし、ポタポタとテーブルの上に落ちた。

「奈緒美。大丈夫？」

秋穂の声が遠くに聞こえた。

「うん。大丈夫」

大きく深呼吸をして、手の甲で涙を拭《ぬぐ》い、顔を上げた。

「今日は帰りましょう」

奈緒美は、秋穂の申し出に頷《うなず》いて応《こた》えた。

こうやって訊き出しているのに答えてくれないのは、そこに話したくない何らかの事情があるからに他ならない。

話してくれないなら、自分で調べるしかないという、決意にも似た思いが芽生えていた。

せっかくの食事に、手をつけていないのは申し訳ないと思いながらも、会計を済ませて店を出た。

無言のまま、駅まで歩き、改札口の中に入ったところで、秋穂がふと足を止めた。

「タクミのことは、もう忘れていいんじゃない……」

秋穂は呟くように言うと、足早に武蔵野《むさしの》線のホームに向かって歩いて行った。

——タクミ。

それが、写真の男の名前なの？

6

〈例の資料を、自宅のポストに入れておきました〉

玉木の携帯電話に野島からのメールが入ったのは、ホールを出てすぐのことだった。

秋穂とのことで苛立っていた玉木だったが、すぐに気持ちを切り替えた。

例の資料というのは、結城がドイツのヴァイオリニストの死に関与している証拠のことだろう。

もし、その証拠が本物なら、結城を秋穂から遠ざけることができる。だが、それにはこちらの動きを察知されてはならない。

——うまく立ち回らなければ、共倒れになる。

玉木は、はやる気持ちを抑えながら帰路を急いだ。南武線で武蔵溝《みぞ》ノ口《くち》に抜け、そこから田園都市《でんえんとし》線に乗り換え、マンションのある二子《ふたこ》玉《たま》川《がわ》までの一時間が、やけに長く感じられた。

マンションに帰った玉木は、すぐにエントランスの郵便受けを開け、中を確認する。B5判の封筒が入っていた。

宛名も差出人も書かれていない。直接、この場所に持ってきたのだろう。

封を切ると、クリアケースに入ったCDが入っていた。

部屋に戻り、さっそくカバンの中から、ラップトップのパソコンを取り出し、ソファーに移動した。

妙な高揚感があり、地面に足が着いていないような感覚だった。

テーブルの上にパソコンを置き、電源を入れる。

パソコンが起動するのと同時に、震える手でCDをケースから取り出し、パソコンのトレイに挿入した。

CDの中にはPDFファイルと、いくつかのフォトデータが収められていた。

まず、PDFファイルをクリックする。

スキャニングしたと思われる、新聞の記事が表示された。

被害者らしき女性の白黒写真が掲載され、それを囲むように文字が並んでいたが、ドイツ語が分からない。

画面をスクロールしていくと、二枚目に翻訳した文章が記載されていた。

〈ヴァイオリニスト、不可解な死！〉

玉木は、見出しを見て息を呑《の》んだ。

そのまま記事を読み進める。

〈楽団に所属しているヴァイオリニストが、自宅マンションの前の路上で、頭から血を流して倒れているのが発見された――〉

画面をスクロールさせる。

〈警察は、自殺と事故の両面から捜査を進めている。情報筋によると、彼女は、一週間後に演奏会を控えており、自殺だとは考え難いという。現場には、争った形跡もあり、殺害された可能性も高いとして――〉

文章を読みながら、興奮で掌《てのひら》に汗が滲《にじ》んだ。

ドイツで死んだヴァイオリニスト。野島の言っていることは、本当だった。だが、これだけでは、結城が事件に関与していたという証拠にはならない。

幾つかあるフォトデータを開いてみる。

一枚目は、被害者と思われる女性の生前の写真だった。

何かの証明写真に使われたものだろうか、無表情に、正面を見ている写真だった。

切れ長の目に、厚みのある唇。艶《つや》のある長い栗毛で、整った顔立ちをした美しい女性。

どことなく、秋穂に雰囲気が似ているようにも見えるが――。

玉木は、その考えを振り払うと、次の画像を開く。

そこには、さっきの女性と、結城が身体を寄せ合うようにして写っていた。緑が多い。公園のような場所だろう。二人とも、楽しそうに笑っていた。

写真の右隅に、リンゴに似たマークが記されている。

死んだ女と、恋人関係であったことを裏付ける写真。だが、これだけでは判断のしようがない。

次の画像は、直後の現場写真と思われるものだった。

住宅街といった趣のレンガ敷きの歩道がある、マンション前の道路。

パトカーが二台停車していて、その脇に警察官が二人立っている。遺体はシートがかけられているが、まだ運び出されていなかった。

真っ赤な血が、道路に流れ出ている様が、生々しかった。

現場を取り囲むように、人だかりができていた。何事かと集まってきた野次馬だろう。

玉木は、目を見開き、息を止めた。

写真の中に、小さな赤い丸印が書き込まれていた。

野次馬とは少し離れた場所。

マンションの陰から、背中を丸め、警官の目を逃れるように歩き去ろうとしている東洋人の姿だった。

粒子が粗く、影になっているが、それでも玉木には確信があった。

「これは、結城――」

テーブルの上の携帯電話が、急に振動を始めた。玉木は、ビクッと肩を震わせてから電話を手に取った。

「もしもし」

〈ファイルは見てもらえましたか？〉

聞こえてきたのは、野島の声だった。

「見た……」

〈間違いはなかったでしょ〉

「まだ、はっきりそうと決まったわけじゃない」

〈しかし、限りなく黒に近い。そうでしょ〉

玉木は、返事をすることができなかった。

〈迷っている場合ではありませんよ。もし、彼が殺人鬼だった場合、次の犠牲者は、あなたの恋人かもしれないんですよ〉

「まさか、そんなはずはない」

〈思った以上に楽観的なんですね〉

「なんだと」

〈考えてもみてください。結城さんは、たまたま帰国し、たまたま空席になったコンダクターの代役を務めたら、たまたま大学時代の恋人と再会した。そんな偶然が、本当に起こ

るとでも思ってるんですか？〉

玉木は、携帯電話をぎゅっと握り締めた。

野島の言う通り、確かに出来過ぎた偶然だ。結城は、最初からオーケストラのメンバーに、秋穂がいることを知っていた可能性も否定できない。

「具体的に、何をすればいい？」

〈お願いしたいことは二つです。一つは、彼の行動を観察すること〉

「観察？」

〈ええ。普段通りにオーケストラの練習をしていただきながら、彼の行動と言動をつぶさに観察してください。その中で、少しでも不自然なことがあれば、私に報告する〉

それだけのことなら、改めてどうということはない。

「もう一つは？」

〈彼が、帰国した理由を、それとなく訊《き》きだしてください〉

「本当のことを言うとは思えない」

〈それでいいんです。その内容いかんで、色々と見えることもあります〉

「なるほど」

結城が口にする理由が、嘘か真実かは後でいくらでも調べられる。そのとき、結城が嘘をついたのであれば、野島の推測が正しいという証明にもなる。

〈注意して欲しいことが一つあります〉

「なんだ？」

〈結城さんにも、そして真矢さんにも、その他の誰にも勘ぐられないようにしてください。あなたが、結城さんを監視していることはもちろん、私の存在も絶対に知られてはなりません〉

「そこまで警戒する必要があるのか？」

〈あなたは、口封じに殺されたいんですか？〉

野島の淡々と放ったその言葉は、大袈裟だと笑い飛ばせない重みがあった。

「殺すって……」

〈しばらくは、恋人に近づかない方がいいかもしれませんね〉

「なぜ？」

〈近くにいれば、あなたの態度の変化を勘ぐられるかもしれない。女の勘は鋭いですからね。こんなことに、未来の花嫁を巻き込みたくないでしょ〉

野島の言うことには一理ある。

秋穂は勘のいい女だ。玉木の些細《ささい》な変化も見逃さないだろう。結城を陥れようとしている姿を見たら、彼女はきっと失望するだろう。

「分かった」

〈いいお返事が聞けて良かったです。また、連絡します〉

電話は切れた。

玉木は、携帯電話をテーブルの上に放り、両手で顔を覆い天井を仰いだ。指の隙間から、光が射し込んでくる。

——おれは、たった今、友だちを売った。

「それがどうした」

声が聞こえた。

それが、自分の発した声だと認識するのに、玉木はしばらく時間を要した。

どんなに友だち面をしていようとも、結城が憎かった。あいつさえいなければ、こんな惨めな思いをすることはなかった。

秋穂と結城が付き合っていたという事実は、どう頑張っても消せない。心のどこかに、再び二人が惹《ひ》かれあうんじゃないかという怯《おび》えを抱えている。

結城と秋穂が、普通の恋愛をして、その過程の中で別れたのであれば、こんなにも苦しむことはなかった。

玉木はリビングを出て、ピアノの置いてある部屋に向かった。

ピアノの前に座り、フォトスタンドを手に取った。

写真の中で、秋穂が微笑んでいる。玉木はそれを裏返し、フックを外し蓋《ふた》を開ける。写真と蓋の間には、二つに折った白い封筒が挟んであった。

ところどころ、茶色い染みが付着している。

左手の甲が、じりっと熱を持つ。

今の生活は、作為的に作られた虚構に過ぎない。

——だが、それでも、おれはそれを守らなければならない。

野島の抱く疑惑が真実であれば、結城はドイツ当局に引き渡されることになる。仮に真実でなくても記事になればいい。

そうすれば、秋穂も結城がどんな男だったか、改めて思い出すことになる。

結城には、あくまでドイツの件で自滅してもらう必要がある。

7

秋穂は、自宅のマンションへと続く道を歩いていた。

さっきの奈緒美との会話が脳裏を過《よ》ぎる。

彼女は部分健忘だと言っていた。一人の人間に関する記憶だけを忘れてしまう。本当にそんなことがあるのだろうか。

ふざけているようには見えなかったし、奈緒美はそういう嘘がつけるタイプではない。

五年前のあの一件以来、みんな奈緒美に彼のことを話すのを避けてきた。奈緒美も、決して彼のことを口にしようとはしなかった。

精神的なショックから、そうしていたのだと思っていた。

それが、まさか忘れていたなんて——。

「何で今さら……」

秋穂は、赤信号の前で立ち止まり、空を見上げた。

東京の空を見上げても、星はほとんど見えない。ふいに故郷の鳥取が懐かしくなった。

砂丘から星空を眺めると、ドビュッシーの「月の光」を思い出す。疲れた心をどこまでも癒《いや》してくれる柔らかい調べ。

もう、考えるのは止めよう。過去を振り返っても、何も返ってはこない。あれは、不幸な事故だった。

それに、今は他人のことを心配している場合ではない。

結城の存在によって、玉木との間に生まれた歪《ゆが》み。それを、どうにかしなければならない。

廊下で別れた後、玉木は追いかけてきてくれると思っていたし、そうして欲しかった。だが、彼はそうしなかった。

奈緒美の言うように、帰ったらちゃんと電話して話そう。

嫌な女だと思われても構わない。「結城のことを気にして、ウジウジするな」と感情を爆発させよう。きっと、玉木はオロオロしながらも、受け容《い》れてくれるはずだ。

秋穂は、自分のマンションの前まで来たところで、ふと足を止めた。

マンションのクリーム色の壁に背を付け、じっと立っている人影を見つけたからだ。

たぶん男だろう。暗くて、人相まではっきり見えないが、昨晩の男に似ている。

——警察に通報するべきだろうか？

だが、彼はまだ何もしていない。誰かを待っていただけなら、大恥をかくことになる。

秋穂は、バッグの中に手を入れ、痴漢撃退用のスプレーを手に持ち、マンションの入り口に向かった。

素早く男の横を通り過ぎようとしたときだった——。

男が、目の前に立ち塞《ふさ》がる。

——何？　何なの？

秋穂は、震える足を堪《こら》え、後退《あとずさ》りする。

男が、近付いてくる。

「来ないで！」

秋穂は精一杯の声を出し、スプレーを男の顔に向けて構える。

「落ち着いてください」

男は、のんびりした口調で言うと、くたびれた感じのするスーツの上着の内ポケットから、黒い手帳を取り出し、それを開いて呈示した。

警視庁と刻印された金色のバッジと、写真付きの身分証明書だった。

「警察？」

「ええ。国立署の石倉といいます」

男は、言いながら手帳を内ポケットに仕舞った。

秋穂は、膝《ひざ》からアスファルトの上に崩れ落ちそうになるのを、辛うじて堪えた。

「なんで、警察が……」

「驚かせてしまってスミマセン。実は、ちょっとお訊《き》きしたいことがあったんです」

石倉は、顎《あご》を撫《な》でまわすような仕草をしながら、喉《のど》を鳴らして痰《たん》を切った。

「訊きたいこと？」

「ええ」

「何かあったんですか？」

「いいえ。このマンションでは何も……。ただ、あるアパートで遺体が発見されましてね、それに関連して情報を集めているというわけです」

「殺人事件なんですか？」

秋穂は、震える声で訊いた。

「私は、遺体が発見されたと言っただけですよ。どうして、殺人だと思うんですか？」

薄暗がりの中で、石倉の目が、ギラギラと輝いているように見えた。

「いいえ。私はただ……」

「ただ、何です？」

「警察の方が、わざわざ聞き込みをしているんで……」

「警察は、殺人事件じゃなくても、聞き込みをしますよ」

「そんな……ただ、そうかなって思っただけで……」

まだ、何か言われると思ったが、石倉は「そうですか――」とそれ以上の追及はしてこなかった。

ただ、目を細め、口の端を吊《つ》り上げてニヤリと笑った。

――何かを疑われている。

秋穂は、そんな強迫観念に駆られた。早く、この場から逃げ出したい。

「あの、もう、いいですか？」

「いえ。肝心なことをまだ訊いていませんでした」

「な、なんですか？」

「実は、国立で起きた、ある事件を追ってるんですが……」

「国立ですか？　ここは玉川上水ですよ」

国立から、玉川上水までは電車で四十分以上かかる。捜査範囲を広げるにしても、離れすぎている気がする。

「電車だと、中央線で立川に出て、モノレールに乗り換えてと時間がかかりますが、直線距離だと三キロくらいしか離れてないんですよ」

「そうなんですか……」

そういえば、車で移動したときに、ずいぶん近いなと印象を抱いたのを思い出した。

「それで、われわれも、この近辺まで捜査の手を伸ばしているというわけです」

「そうですか」

捜査範囲のことについては納得したが、秋穂は石倉という刑事に対する不信感を拭《ぬぐ》うことはできなかった。

「最近、この辺りで不審な人物を見かけたりしませんでしたか？」

不審な人物と言われても、何を基準に答えていいのか分からない。

街を歩いていて、この人怪しいと思うだけなら、何度もある。だが、どこで、どういう風にと訊かれると、答えようがない。

「さあ？　記憶にないです」

秋穂は首を捻《ひね》った。

「誰かが出入りしているとか、大きな物音を聞いたとか、なんでもいいんです」

「分かりません」

写真を見せられて、この人物を知っているかと訊かれるのならまだしも、こんな曖昧《あいまい》な質問では、思いつくことなど何もない。

「そうですか。いや、お手間を取らせました」

石倉は、苦笑いを浮かべながら顔を上げた。

秋穂は、重苦しい空気から逃げるように一礼して、足早に石倉の横を通り過ぎ、オートロックのマンションのエントランス前に立ち、バッグの中からキーケースを取り出した。

「すみません」

いきなり肩を叩《たた》かれ、秋穂は驚きのあまり飛び上がり、キーケースを落とした。

心臓が胸骨の内側で、バクバクと激しく脈打っている。

「大丈夫ですか？」

石倉がキーケースを拾い、差し出してきた。

能面のように無表情だ。それなのに、心の奥底を見透かされているような気がして落ち着かない。

「あ、はい」

震える手を抑えて、石倉からキーケースを受け取る。

「いや、すみません。大事なことを訊いていませんでした」

「な、なんですか？」

「お名前。あなたの」

「真矢秋穂です」

「マヤアキホさん。字は？」

「真実の真に、弓矢の矢。季節の秋に、稲穂の穂です」

「そうですか。あなたが、真矢秋穂さん」

石倉が、メモ帳にペンを走らせながら、嬉《うれ》しそうに唇を舐《な》めた。

ぞくっとするような不気味な表情だった。

この刑事は、今「あなたが」と言った。まるで、以前から知っていたかのような物言いだ。

——どういうこと？

秋穂が訊《たず》ねる前に、石倉はポケットに手を突っ込み、アスファルトに痰を吐き出しながら大股《おおまた》で歩き去ってしまった。

秋穂は、石倉が闇に溶けて見えなくなるのを見送ってから、オートロックを解除し、エントランスに入り、エレベーターに乗り込んだ。

七階の自分の部屋に入り、内側から鍵《かぎ》とドアストッパーをかけた。

「あの刑事は、なんなのよ」

思い返しただけで、背筋がぶるぶると震える。

——冗談じゃないわ。

秋穂は、携帯電話から玉木の番号を呼び出し、発信した。

だが、いくらコールしても、玉木が電話に出ることはなかった。

——肝心なときに、どうして。

サイドボードの上に手を置き、大きく息を吐き出したところで、携帯電話に着信があった。

玉木かと思い、バッグから取り出したが、表示されていたのは奈緒美の番号だった。

秋穂は電話には出ず、じっと着信が鳴り止むのを待ってから電源を切った。

「もうなんなのよ……」

唇を噛《か》んだ秋穂の目に、サイドボードの上に置かれたジュエリーボックスが映った。

吸い寄せられるようにその蓋《ふた》を開けると、中にはピアスやネックレス、指輪などが並んでいた。

「なんなのよ」

秋穂はもう一度呟《つぶや》き、ボックスをひっくり返し、中身をサイドボードの上にぶちまけた。

散らばったジュエリーの中に、一際輝きを放つ指輪を見つけた。

その指輪を摘《つま》むようにして、蛍光灯の光に翳《かざ》してみる。

秋穂の指に嵌《は》めるのには、小さすぎる指輪だ。

指輪の内側に彫ってある文字が見えた。

それは、愛を誓った言葉——。

「ごめんなさい」

秋穂は、その指輪を抱きしめるようにして、床の上に座り込み、肩を震わせた。

8

マンションに帰り着いた奈緒美は、ベッドに大の字に寝転んだ。

酔ったわけではないのに、頭がふらふらした。

秋穂は、知っていながら、頑《かたく》なに口を閉ざしていた。駅の改札口で呟いた、タクミという名前だけが唯一の手がかり。

あのとき、詳しく話を聞く前に、秋穂は歩き去ってしまった。

改めて、彼女に話を聞いてみよう。家に帰っているだろうから、少しは冷静に対応してくれるかもしれない。奈緒美は、秋穂に電話をかけたが、コール音が鳴り響くばかりで、最後まで応答してはくれなかった。

秋穂がダメなら、玉木か結城に訊《き》いてみるという手もある。

——だが、話してくれるだろうか？

今日の秋穂の感じを見ると、どんな理由があるかは分からないけど、そのことには触れたくないといった感じだった。玉木や結城も口を閉ざしてしまう可能性は高い。

「諦《あきら》めちゃだめ」

奈緒美は、沈みかけた気持ちを奮い立たせる。

なんとしても、写真の人物が誰かを確かめる必要がある。

写真に一緒に写っているのだから、同じ大学の学生であることは間違いないだろう。そこまで分かっていれば、捜す手がないわけではない。

奈緒美は、クローゼットを開け、奥に仕舞ってあった段ボールの箱を引っ張り出した。

そこには、音大時代にもらった書類などがまとめて詰め込んである。

箱の中を漁《あさ》り、卒業者名簿を手にした。「巧」「匠」「琢己」思いつく限りの漢字を頭に浮かべ、指でなぞっていく。

だが、時間を浪費しただけで、期待はあっさりと裏切られた。名簿の中に、タクミという名前を見つけることはできなかった。

何度目かのため息をついたところで、奈緒美はふと思いついた。

今日、あったことを松崎に相談してみよう。彼なら、糸口を見つけてくれるような気がした。

救いを求めるように、電話をかけた。

「もしもし。先生」

電話がつながるなり、早口で言った。

〈どうしました？　慌ててますね〉

松崎は、低く冷静な口調だった。

「すみません。少し、相談にのって欲しいと思って」

〈何か、分かりましたか？〉

こちらの考えを察したのか、松崎がまずそれを訊いた。

外を歩いているのだろう。風が受話口に当たるぼぅという音と、カツカツという足音が聞こえた。

「はい。少しですけど……」

今日、秋穂に写真を見せたこと。それから、彼がタクミという名前であるらしいこと。

そして、卒業者の名簿を探してみたが、該当する人物を見つけられなかったことを説明した。

松崎はなぜか、秋穂、玉木、結城の複雑な人間関係について興味を示し、幾つか質問してきた。

自分の記憶とは関係ないと思いながらも、質問されたことについてだけは、知っている範囲で答えた。

〈なるほど。実に興味深いですね〉

「私、どうすればいいか……」

全てを話し終えると、松崎が唸《うな》るように言った。

〈勝手な推測ですが、五年前に何か起きているようですね〉

「何かとは？」

〈何でしょうね。まあ、それが何であったにせよ、奈緒美さんの記憶と、お友だちの人間関係に大きな影響を及ぼしているのは確かでしょう〉

「私は、どうすれば……」

奈緒美は、携帯電話を持つ手に力を込めた。

〈そんなに、悲観的になることはないでしょ。手がかりが一つあるんですから〉

手がかりとは、タクミという名前のことだろう。だが——。

「大学の名簿には、彼の名前はありませんでした」

〈奈緒美さんが探したのは、同期生の名簿ですか？〉

「はい」

〈それには、同期生全員が載ってるんですか？〉

「いえ、演奏科の生徒だけです」

〈ということは、別の学部や先輩、後輩などまだ調べてないわけですよね〉

「でも、どうやってそれを調べれば……」

〈簡単ですよ。名簿は学校に保管されているでしょうから、行って調べればいいんです〉

松崎の言う通りだ。結論を焦るあまり、頭が固くなってしまっていたようだ。

奈緒美は、冷静になろうと演奏を始める前のように、時間をかけてゆっくりと息を吸い込んだ。

「そうですね。私、母校に行ってみようと思います」

〈いつですか？〉

「明日あたり」

〈時間は？〉

「午前中です」

〈ちょっと待ってください〉

電話の向こうで、ペラペラと何かをめくる音が聞こえた。

〈この時間をずらせば大丈夫だな……〉

松崎の独り言が漏れ聞こえてくる。

「あの……」

〈うん。大丈夫だ。待ち合わせ場所はどうします？〉

「先生。もしかして、一緒に行くんですか？」

〈そのつもりですけど〉

松崎が、さも当然だという風に言った。

一緒に行動してくれるのは心強い。だが――。

「私一人で平気です」

〈遠慮しないでください〉

「いや、そうではなくて……」

〈迷惑ですか？〉

「いえ」

〈なら、いいじゃないですか。音大ですよね。そしたら、玉川上水の駅に、九時でどうですか？〉

半ば強引に松崎が話を進めてしまう。それに圧《お》されるかたちで、奈緒美は「分かりました」と返事をしてしまった。

電話を切ったあと、妙に身体が熱かった。

――松崎は、なぜ同行を申し出てきたのだろう。

カウンセラーとしての責任からなのか？　純粋な厚意からなのか？　それとも、もっと別の感情からなのか。

その答えを知ることは、酷《ひど》く恐ろしいことのような気がした。

9

石倉が署に戻ったのは、日付が変わってからだった。

紀子の家を出た後、聞き込み捜査に戻った。

回ったのは犯行現場近隣ではない。あのアパートの窓から見えた幾つかのマンションに的を絞った。

——犯人は、犯行現場を見ていた。

石倉はその考えに自信を持っていた。

天体望遠鏡を使えば、一般的に販売しているものでも、条件が良ければ二百倍くらいの倍率で見ることができる。対象となる場所はかなり広範囲になる。

先は長い——。

煙草に火を点《つ》けながら、刑事部屋の自分のデスクに腰を下ろした。

散乱した書類の上に、茶色の封筒が置かれているのに気付いた。

消印は押されてないし、切手も貼られてない。配達されたものではないようだ。

警察署の中を、一般の人間が自由に出入りできるはずもないので、捜査員か、受付の人間が預かってデスクに置いたということになる。

腰を浮かせ、辺りを見回してみた。

刑事部屋は、聞き込みで捜査員のほとんどが出払っていて、閑散としていた。後で受付に確認してみよう。座り直して、封筒に目を向けた。

達筆な文字で〈石倉毅様〉と書かれていた。明らかに女が書いたと思われる字だ。

こういう仕事をしていると、過去に逮捕した人間から手紙が届くことがある。その内容は、恨みつらみを書き連ねたものであったり、人生のやり直しを誓う、感謝の念が込められたものだったりと、両極端だ。

その類《たぐい》のものだろうと心得て、封筒を裏返した。差出人の名前はない。

封筒の開け口に指を突っ込み、べりべりと糊《のり》を剥《は》がし、封を開け、中を覗《のぞ》いた。

予想していた手紙は入っていなかった。

代わりに、小さなメモ紙が二枚デスクの上に滑り落ちた。

「なんだ、これは？」

思わず声が漏れた。

封筒にしっかりと封をしておいて、中に入っているのが名刺サイズのメモ紙二枚というのは、どうにも解せない。

メモ紙を手に取った。そこには、公園のような場所を象《かたど》った地図と、住所が書かれていて、地図の真ん中には、×印が書かれている。

——まるで、宝の地図だ。

デスク脇のラップトップのパソコンを立ち上げ、ネットの地図帳に、書かれている住所を入力して検索をかける。

表示されたのは、有名な音楽大学の敷地の中だった。

――これは何だ？

石倉は疑問を抱きながらも、現在捜査中の首無し白骨遺体の事件と関連があるのでは、という思いに駆られた。

「まさかな……」

自嘲《じちょう》気味に笑いながらも、その考えを否定できない。

もう一枚のメモも、同じように住所と地図。そして、×印が書かれていた。

「石倉警部。どうかしたんですか？」

聞き込み捜査から戻って来た新垣が、背中越しに声をかけてきた。

「なんでもない」

石倉は、新垣に見えないように、素早くメモをジャケットのポケットに押し込んだ。

別に慌てる必要もないが、このメモが何を意味しているのか分からぬうちは、胸の内にしまっておこう。

これが、犯人逮捕につながる手がかりになるという計算もあった。

情報を隠匿し、他の捜査員を出し抜くくらいのずる賢さと、したたかさが無ければ刑事としてやっていけない。

「手紙ですか？」

デスクの上の封筒に目をつけた新垣が、ぽつりと言った。

「ああ。昔、捕まえた窃盗犯からのお礼の手紙だよ」

「そうっすか」

素《す》っ頓狂《とんきょう》な声で答えた新垣は隣の椅子に座り、大きく伸びをした。

素直で真面目なのはいいことなのだろうが、ここまでくると、ただ愚鈍なだけだ。

おそらく、新垣は今まで他人に裏切られたことがないのだろう。自分が狼の群れの中にいることに気付かぬ子羊だ。

石倉は、心の内で新垣を嘲笑した。

「それで、そっちはどうだった？」

石倉は、話をすり替えた。

「いやぁ、さっぱりです。ちょっと気になってる女はいるんですけどね」

新垣が言うと、合コンの感想のように聞こえる。

「気になる女？」

「ええ。オーケストラやってる女なんですけどね。似てるんですよ」

そう言って、新垣が例の写真をデスクの上に置いた。遺体が握り締めていた例の写真のコピーだ。

「この写真に写っている女にか？」

「ええ。この女です」

新垣が、一人の女を指差した。

実物を見ていないから、新垣の意見に肯定も否定もできない。それに、この写真の画像はすり切れていて、はっきりと顔を判別することはできないような気がする。

「明日には、画像解析の結果が出るだろ」

「ええ。それを見て、もう一度当たってみます」

新垣は、もう一度「似てるんだよな……」と呟《つぶや》きながら、頬杖《ほおづえ》をついた。

石倉は、煙草を灰皿に押しつけながら、別のことを考え始めていた。

ポケットに手を突っ込み、指先でメモの感触を確かめた——。

四日目

1

気がつくと、奈緒美は穴の中にいた。

身体の大きさに合わせて掘られた長方形の穴に、仰向けに寝そべっている——。

四角く切り取られた視界には、星の光をかき消すように、青々と輝く月が見えた。

なんで、私はこんなところにいるの？

早く穴から出なきゃ。

奈緒美は起き上がろうとしたが、ダメだった。

腕も、脚も、首も、身体の全ての神経が断たれてしまったかのように、ぴくりとも動かない。

どうして？

目の奥で、鈍痛がする。

息苦しい。脂汗がじっとりと胸を濡《ぬ》らす。

――助けて！

口は動いたけど、声にはならなかった。

穴を覗《のぞ》き込んでいる影が見えた。

黒いパーカーのフードを頭にすっぽり被っていて、その顔は確認できない。それでも、あの男だとすぐに分かった。

前にも夢に出て来た、髑髏《どくろ》を持った男。

彼は、ゆっくりと口を動かしながら何事かを言った。だが、その声は耳に届かない。

――今、なんて言ったの？

男は、白い歯を見せて笑うと、足許に落ちていた髑髏を手に取り、それを穴の中にいる奈緒美の胸の上に置いた。

髑髏と目が合った。あまりのことに、喉《のど》を絞って悲鳴を上げたが、声にはならなかった。

男は、スコップを手に持ち、それを地面に突き立てた。

そのまま、何の躊躇《ちゅうちょ》もなく、土を掬《すく》い上げ穴の中に放る。

身体にドサッと土が載せられる重みを感じた。

このままでは、生き埋めになる。

――お願い！　やめて！

叫びは音にならなかった。

男は、再び土を掬い上げ、穴の中に落とす。

その単純な作業を、タクトでリズムを刻むように、寸分違《たが》わぬ動きで繰り返す。

――いや！　助けて！

やがて、顔にも土が被《かぶ》せられる。

息が苦しい――。

必死にもがくが、どうにもならない。

やがて、顔にかかる土で、一切の光が奪われた。

ザッ、ザッ、ザッという地面にスコップを突き立てる音だけが、延々と続く――。

「止めて！」

奈緒美は、叫び声とともに、飛び起きた。

慌てて周囲を見回し、そこが土の中ではなく、自室のベッドの上だと気付き、ほっと胸を撫《な》で下ろした。

汗で髪が頬に張り付いていた。未《いま》だ震えの残る指先で、それを払った。

――なんでこんな夢ばかり見るの？

血流に合わせて、鈍痛のする頭を抱え、うな垂れた。

――あの男は、いったい何者なの？

ふと、アパートで起きた事件のことを思い出した。

まさか。そんなはずはない。頭を振って、脳裏を過《よ》ぎる悪い考えを捨てようとした。だが、それは執拗《しつよう》に頭にこびりついて剝《は》がれない。

「そんなはずないわ……」

口に出して考えを否定し、呼吸を整えてから立ち上がった。

奈緒美は、ふらふらとした足取りでキッチンに向かい、冷蔵庫の中からミネラルウォーターを取り出し、冷水を喉に流し込んだ。

ふっと息を吐き、少しだけ楽になったような気がした。

シャワーを浴びて気分を入れ替えようと、ユニットバスのドアを開けた瞬間、背中を這《は》い回るような恐怖が襲った。

この前と、同じ状況だ——。

洗面台の上にとり付けられた鏡に、赤い文字が書かれている。

キャップの外れたルージュが、ユニットバスの床に転がっている。

〈私はあなたの中にいて、あなたは、私の中にいる〉

鏡いっぱい使って、壁の落書きのように乱雑に書かれていた。

自分の筆跡かどうかも分からない。ただ、指先に目を向けると、赤い汚れが付着していた。

「なんで……」

それは、どういう意味なの？

膝《ひざ》の力が抜け、壁に背中をこすりつけるようにして、フローリングの床に座り込んでしまった。

おさまりかけていた痛みが、再び脳を締め付ける。

――私はあなたの中にいて、あなたは、私の中にいる。

それではまるで、多重人格ではないか。

2

膠着《こうちゃく》していた事件に、動きがあったのは、早朝のことだった。

――遺体の運搬方法が明らかになった。

その一報が入り、緊急の捜査会議が招集された。

単独で地図の場所に足を運ぼうと思っていた石倉にとっては、厄介なタイミングではあったが、無視するわけにもいかない。

石倉は、いつものように新垣と並んで会議テーブルに座ることになった。

捜査報告に立ったのは、澤原《さわはら》という老刑事だった。

一見温厚そうに見えるのだが、一度喰《く》らいついたら絶対に離れない。すっぽんのような男だ。

澤原が、淡々とした口調で話し始めた。

「近隣の住民の聞き込みから、レッド・ホース運輸の軽トラックが、事件発覚の前日にアパートの前に停車していたという目撃証言が取れました」

　捜査員たちが、一斉にメモを取る。

　その業者なら、石倉も耳にしたことがあった。あまり、評判のいい会社ではない。配送を自社の従業員にやらせるのではなく、業務委託契約を結んだ個人事業主に任せるという、フランチャイズのような仕組みになっている。

　そのせいで教育が行き届いておらず、接客態度が悪いばかりか、配送品の破損や紛失といった事故も多い。

「レッド・ホース運輸だとすると、なかなか難しいかもしれませんね」

　新垣が声を低くして話しかけてきた。

「黙ってろ」

　石倉が睨《にら》みつけると、新垣は主人に叱られた子犬のように、首をすくめた。

「レッド・ホース運輸に問い合わせをし、伝票の確認をしてもらいましたが、該当する荷物は存在しませんでした」

　澤原の説明が続く。

「ここからは私見ですが、おそらく犯人は、配送の車を偽装して、遺体を運び込んだものと思われます」

　澤原は、そう締めくくった。最後に、私見を挟むことで、しっかりとアピールする。いかにもベテラン刑事らしいやり口だ。

澤原の言う通り、配送会社の車を偽装すれば、目立つことなく遺体をアパートに運び入れることができただろう。レッド・ホース運輸は、白い幌《ほろ》付きの軽トラックに、赤い馬のシルエットがマークになっている。

シンプルで分かり易いのだが、逆に偽装が簡単だともいえる。

捜査本部の方針はどうか分からないが、この線から捜査していくのには、膨大な人手と時間が必要になるだろう。

「聞き込みの際、近隣の文房具店、及びホームセンターで、赤いカッティングシートを購入した者がいないかも当たってくれ」

署長から指示が出された後、それぞれのチームから、現在までの聞き込み情報の報告があり、捜査会議は解散となった。

石倉は、自分たちのチームの報告の際、送られてきた地図の件と、新垣が写真に写っている女に似ている人物を見たことは、敢《あ》えて口には出さなかった。

他の捜査員たちも、持っている情報の全部を出し切ったわけではないはずだ。

確定情報でないものを上層部に流せば、逆に動きが遅くなる。縦割りの厳しい警察組織において、スタンドプレーが必要なときもある。

「石倉警部」

石倉が席を立ち廊下に出ると、新垣が小走りで駆け寄ってきた。

——ちょろちょろとつきまといやがって。

石倉は、内心で新垣を罵《ののし》る。

「なんだ？」

「私たちの分担なんですが……」

石倉は、手を翳《かざ》して新垣の言葉を遮った。

「おれは、他を当たる」

昨日の二枚のメモに描かれた地図——。

あの場所に行ってみよう。それが、犯人からの誘いであったとしても、行動を起こさなければ何も始まらない。

どんな理由があるか知らないが、犯人は間違いなく自分を狙っている。

「では、私も」

「一人でいい」

まだ何か言いたそうな新垣に背中を向け、逃げるように歩き始めた。

誰にも邪魔はさせない。

——これは、おれの仕事だ。

3

奈緒美は多摩モノレールの座席に座り、ぼんやりと車窓を眺めていた。

高架を走るモノレールから見える景色は、電車のそれとは明らかに違い、街並みを見下ろすかたちになる。

この辺りは、山間部を切り開いて、新しく造られた町だ。山がところどころ削られ、そこに戸建てが立ち並んでいる。

まるで、ミニチュアのように見える。

大学時代、この風景を見てベートーベンの「田園」を思い浮かべた。

前の席に、黒いケースに入ったチェロを抱えている男子学生がいた。目を閉じ、何かを口ずさんでいる。

その隣には、ヴァイオリンが入っていると思われるケースを持った女子学生二人が談笑していた。

五年前、奈緒美も同じように、車輛《しゃりょう》の中で話に華を咲かせていた。

――なぜ、写真の男のことだけ思い出せないのだろう?

目的の駅に到着し、学生たちと一緒にモノレールを降り、改札口を抜け、駅のロータリーに向かった。

辺りを見回していると「おはようございます」と声をかけられた。松崎だ。白のワイシャツにベージュのジャケットに、黒縁のメガネをかけていた。

「すみません。お待たせしました」

頭を下げる奈緒美に、松崎が「今来たところです」と応じる。

「それより、行きましょう」

松崎に促され、二人で並んで歩き始めた。

駅のロータリーから線路沿いに続く道を真っ直ぐに歩く。

昨日の雨が、嘘のように晴れあがったいい天気だった。

——私は、写真の彼ともこうやって、この道を歩いたのだろうか？

やがて、茶色いレンガ造りの校門の前まで来た。門の脇には、映画館のチケットカウンターのようなかたちで守衛室がある。

音大は女子学生の比率が圧倒的に高いうえに、学内には数百万、数千万円クラスの楽器がたくさんある。必然的に、他の大学よりセキュリティーは強化されている。

卒業生だと名乗れば、奈緒美は中に入ることはできる。だが、松崎はそうはいかない。嘘を言っても、調べればすぐに分かってしまう。

思案していると、松崎がスタスタと守衛室に向かって歩いて行ってしまった。

「ちょっと先生」

奈緒美は、慌てて後を追いかけた。

「昨日、連絡した心理カウンセラーの松崎です」

松崎は、守衛に向かってそう名乗ると、名刺を取り出し警備員に差し出した。

警備員は「ああ」と納得した顔をすると、デスクの引き出しから首から下げるかたちの入構許可証を二つ取り出し、松崎に渡すと、カウンターの上のノートに名前を書くように促した。

松崎は必要事項の記入を済ませると、入館証の一つを首から下げ、もう一つを奈緒美に渡し、堂々と構内に足を踏み入れた。

「あの……」

奈緒美は、松崎を付き従うように追いかけながら、声をかけた。

「昨日のうちに話を通しておいたんです。その方が時間短縮になるでしょう」

松崎が、さも当然だという風に答えた。

「さすがですね」

「それと、持ち出しをしないという条件で、図書館の地下に保管してある資料を見せてもらえることになっています」

松崎は、まるで以前に来たことがあるかのように、迷うことなく図書館へと通じる小道を歩いた。

立場が逆転したかのように、奈緒美はその後に付き従った。

図書館司書に声をかけると、すでに話が通っているようで、特に質問されることもなく、地下にある倉庫に案内された。

司書の話では、名簿の類《たぐい》は全て地下倉庫に保管してあるのだという。

百坪はあろうかという地下倉庫には、等間隔で天井までの高さがあるラックが並び、敷き詰められるように段ボール箱が収められていた。

段ボール箱には、それがいつ頃の、何の資料なのかが書かれた用紙が貼り付けてあった。

「このあたりですね」

松崎は、いつの間にか、一番奥にあるラックの前に移動していた。

急いで松崎の許に駆け寄る。

ラックに、名簿類と書かれたプレートが貼り付けてあった。

「始めましょう」

「はい」

松崎の合図で、段ボールに書かれた年号を確認し、その中に入っている名簿を取り出し「タクミ」という名前を確認するという、単純な作業を開始した。

奈緒美は、名簿の数が想像していたのよりずっと多いことに驚いた。

考えてみれば当然だ。家で確認した名簿は、演奏学科の卒業生だけが掲載されたものだ。音大には音楽教育学科、音楽文化デザイン学科など、様々な科が存在する。

「なぜ、心理カウンセラーになろうと思ったんですか？」

奈緒美は、最初の段ボール箱の名簿を見終わったところで、作業の手を休めて松崎に訊《き》いてみた。

「奈緒美さんは、なぜ音楽を始めたんですか？」

「質問に質問で返すのはずるいです」

「先に質問しようと思ったのは、私です」

松崎は、そう言うといたずらっぽく笑った。

「私が答えたら、先生も話してくれますか？」

「いいですよ」

松崎が、両手を広げたジェスチャーをする。

「初恋の人が、音楽をやってたんです」

恋人同士が打ち明け話をしているようで、なんだか恥ずかしくなり、奈緒美は松崎から視線を逸《そ》らした。

体温が一気に上昇し、耳まで熱くなった。

「どんな人なんですか？」

「近所に住んでいる年上のお兄さんで、地域楽団のオーケストラのオーボエ奏者だったんです」

「へえ」

「そのお兄さんに、よく遊んでもらってたんです。私も同じ楽器がやりたいって言ったら、奈緒美ちゃんはフルートの方がいいよって」

「それで、その人とはどうなったんですか？」

「私が、中学に上がる前に結婚して、引っ越してしまいました」

「それなのに、音楽を続けた」

奈緒美は、頬を赤らめながら頷《うなず》いた。あの日に戻ったような気がする。

相手の年齢や、経歴、周りとのしがらみなど一切考えず、ただ純粋に好きという感情を大切にしていた幼い頃——。

「次は先生ですよ」

「大学で心理学を勉強していて、苦しんでいる人のために働きたいと思ったんですよ」

松崎は手を止め、ワイシャツの袖《そで》で額の汗を拭《ぬぐ》ってから言った。

口調は真剣そのものなのだが、目許が笑っていた。

「嘘ですね」

「ええ」

松崎は、悪びれもせずあっさり認めた。

「先生」

「よく嘘だと分かりましたね」

「女の勘です」

「女性は、洞察力に優れているんです。意識はしていませんが、相手の表情や言葉遣いを常に観察している。嘘をついたとき、微妙に表れるそれらの変化を、敏感に察知するんです」

「話、逸らさないでください」

奈緒美は、意識的に怒った口調で抗議した。

松崎は、参ったなという風に、表情を歪《ゆが》めたが、やがて諦《あきら》めたように話し始めた。

「好奇心と言ったら怒ります？」

「好奇心？」

「ええ。人間に対する好奇心。探究心といってもいいかもしれない」

松崎は、メガネの奥で目を輝かせた。昆虫採集をする少年のようだ。

「分からないことを知りたいとか、そういうことですか？」

奈緒美は、探るように松崎に訊き返した。

「そう。人間の精神は、どの生物より繊細で複雑で、奥が深い」

「他の生物には、心がない？」

「まだ研究段階ですね。一部の動物にはあると言われています。だけど、動物は心より、本能によって行動が左右されることが多いんです」

「人間にも本能はあるわ」

「それを剝《む》き出しにしているわけじゃありません。例えば、子孫繁栄のためのパートナー選びも、ほとんどの動物は、種族の中で価値基準が統一されている。強いものとか、色の美しいものとか」

少し、イメージが湧いてきた。

ライオンの世界なども、一番強い雄が群れのボスになり、複数の雌を従える。より良い遺伝子を残すためのルールだ。

「人間は、外見だったり、お金だったり、内面だったりバラバラですね」

「その通り。だから、一つの法則に当て嵌《は》めるのが難しいんです」

「なんだか、科学の話みたい」

「科学は、答えがある。決まった法則に従えば、高い確率で予測した結果になる。だけど、人間の精神は違う」

「予測できない？」

「できない」

「絶対に？」

「絶対に不可能です。周りの環境、些細《ささい》な一言、月が綺麗《きれい》だと思っただけで、人間の心は変わってしまう。実に不安定なものなんです」

説明することはできないが、奈緒美も感覚として松崎の言っていることを理解することができた。

だが――。

「心理カウンセラーのお仕事って、人の心をコントロールすることじゃないんですか？」

「まさか。神にだって、人間の心を操作することなどできません」

松崎は肩をすくめ、おどけた調子で答えた。

「それだと、心理カウンセリングって、意味がないってことになっちゃいませんか？」

正面から答えを否定され、奈緒美は少しだけムキになる。

「無意味ではない。何かの症状を抱えている人というのは、心のバランスを崩して、自分を分析できない状態に陥っているんです」

「自分を見失っているってこと？」

「簡単に言ってしまえば。カウンセラーは、相手の話を聞き、どんな問題を抱えているのかを示し、その解決方法を一緒に探していく仕事なんです」

確かにそうだ。奈緒美自身が、彼のカウンセリングを受け、自分がどういう状況に置かれているのかを幾らか理解できるようになった。

それだけで、心にかかる負担はずい分と楽になる。

「私の両親はね――」不意に松崎が語り始めた。「殺されたんです」

「え？」

奈緒美は驚きの声を上げた。

それが「殺された」という非日常的な言葉に対してなのか、急に過去を語り始めた松崎に対してなのかは、奈緒美自身分からなかった。

「今から、十五年前です。私は、まだ中学校に入ったばかりのときでした……」

「そんな……」

「その日、私はヴァイオリンのレッスンを受けていて、帰りが遅くなったんです。家に帰ると、電気が消えてました。真っ暗だった。変だなって思いながらも、ドアノブに手をかけたら、鍵《かぎ》がかかっていなかった……」

松崎は、そのときの光景を鮮明に思いだしたのか、ドアノブを回す動作をしながら、目を細めた。

その横顔は、何かに怯《おび》えているようだった。

松崎の緊張が、奈緒美にも伝播《でんぱ》し、息をしているのも困難なほどに胸が締め付けられる。

その先は、聞いてはいけない——そんな気がした。

だが、奈緒美のそんな思いを裏切るように、松崎は語り続ける。

「私は、ドアを開けて中に入った。そしたら、むわっと生臭い臭いがしたんだ。ただいまって声をかけたけど、返事はなかった。電気を点《つ》けると、廊下に点々と赤黒い染みが付いているのが見えた……」

「先生……」

「私は、その染みを辿り、バスルームの前に立った。そこだけ、電気が点いていた。ドアを開けると……」

松崎の表情は変わらなかったが、その目だけは真っ赤に充血し、うっすらと涙の膜が張っていた。

しばらくの沈黙のあと、松崎は洟《はな》をすすり上げるようにしてから、言葉を続けた。

「そこは、血の海だった。浴槽の中に、父と母がいた。解体処理された牛のように、四肢が切り離された状態で」

松崎の、想像もしていなかった衝撃的な過去に、奈緒美はただ口を大きく開け、息を呑《の》むことしかできなかった。

心に抱えた、とてつもなく深い闇――。

「バスルームの中に、一人の青年がいた。彼は、血塗《ちまみ》れの手で包丁を握り、煙草を咥《くわ》えていた」

「犯人……」

「彼は、私になんて言ったか知ってるか？」

奈緒美の言葉に、松崎はそう問い返してきた。

そんな恐ろしい現場で、いったいどんなやりとりが行われたのかなど、想像できるはずもなかった。

「私には……」

「手伝ってくれって言ったんだ」

松崎は、言ったあとに目蓋《まぶた》を固く閉じた。

脊椎《せきつい》が凍りついたような気がした。

犯人は、何らかの理由で松崎の両親を殺害したあと、証拠を隠滅するために、遺体を解体処理しようとしたのだろう。だが、その作業は思いの外手こずった。そこに、息子である松崎が帰ってきてしまった――。

　正気の沙汰《さた》ではない。

「私は、力いっぱい叫びました。ただ、ひたすらに叫び、気が付いたときには、病院にいました」

　重苦しい沈黙のあと、松崎は泣き笑いのような表情で言った。

「犯人は、どうなったんですか？」

　奈緒美は、声を絞り出すようにして訊《き》いた。

「すぐに逮捕されました」

「そうですか」

　――それが、せめてもの救いだ。

「なぜ、犯人はそんなことを……」

「その青年は、過去に傷害事件を起こしていて、そのとき弁護士だった私の父が、彼の弁護を担当したんです」

「それが、どうして……」

　本来であれば、恩人であるはずだ。

「その青年は、悪魔に『殺せ』と命じられたと……」

「そんな」

　奈緒美は、そのあとの言葉を失った。

被害者に殺害される理由が存在しない。そんな理不尽なことはない。

「結局、彼は実刑を受けることはありませんでした」

「なぜ、です？　そんなのおかしいです！」

奈緒美は、予想外の展開に、興奮気味に松崎に詰め寄った。

人を二人殺しておいて、裁きを受けないなんて、どう考えてもあり得ない。

「犯行時、被告人は心神喪失状態にあり、責任能力がない。それが、裁判官の出した結論でした……」

「心神喪失って……そんなの……」

「私はね、納得できなかった。だけど、そのときの私は、心神喪失が何かもよく分かっていなかった……」

「それで、心理カウンセラーに」

「ええ。必死に勉強した。心神喪失状態とは、いったいどういうものなのか……」

「犯人は、本当に心神喪失状態だったんでしょうか？」

「それは、分からない。でも、仮に心神喪失状態で、善悪の判断がつかなかったとして、だからといって、その人の犯した罪は許されるのか？」

「分かりません」

奈緒美は、首を左右に振った。

犯した罪は、いったい誰によって許されるのか――。

法律だろうか、それとも被害者遺族だろうか。神だという人もいるだろう。

「すみません。変な話を聞かせてしまいましたね」

「いえ。私が、変なことを訊いたから……」

奈緒美は、真っ直ぐに松崎の目を見返した。

――この人なら、私が忘れてしまった記憶を取り戻してくれるかもしれない。

4

秋穂は、汐留《しおどめ》の駅で下車して日本テレビ前を通り、ミュージカル本番が行われる劇場に足を運んだ。

千五百人を収容できる大規模の劇場だ。

五年ほど前にできたばかりで、観客として来たことはあるが、演奏者として入るのは初めての経験だった。

正面のエントランスは閉じられている。

回り込むかたちで劇場の裏口に向かい、鉄製のドア脇にあるインターホンを押し、オーケストラのメンバーであることを告げ、入館名簿に名前を記載して中に入った。

女性用の控え室は地下一階だと聞かされていた。だが、秋穂はそのまま一階にある男性用の控え室に向かった。

「おはようございます」

言いながら控え室のドアを開け、それとなく見回してみるが、そこに、玉木の姿は無かった。

「玉木ならまだ来てないよ」

トランペットの小太りの男が、察して声をかけてくれた。

「すみません。ありがとうございました」

秋穂は礼を言ってドアを閉めると、裏口から通じる廊下に移動し、壁に背中を預けて彼の到着を待つことにした。

昨日の刑事の顔が目に浮かんだ。

全ての人間を見下したようなあの目。しつこくて、粘着質なあの喋《しゃべ》り方。思い出しただけで、落ち着かない気分になる。

あの時、刑事に見られているだけで、真綿で首を絞められているような感覚を味わった。身震いしたところで、秋穂は裏口から入ってくる玉木の姿を見つけた。

「おはよう」

秋穂は小走りで駆けより声をかけたが、玉木は「ああ」と気の無い返事をしただけだった。

何か別のことを考えているのが、手に取るように分かった。

「ねえ。ちょっと時間ある？」

秋穂は、玉木を薄暗い階段の踊り場に連れ出した。

「どうした？」

玉木の口調には、棘《とげ》があった。

きっと、まだ結城のことを気にしているのだろう。昨日、マンションに帰った後、電話をしたにもかかわらず、玉木は電話口に出ることはなかった。

疑っているなら、そう言ってくれればいいものを、気にしていないふりをして、強がってみせる。

男は、つまらないプライドを振りかざし、精一杯背伸びをしてみせる。

そうやって、自分の器の小ささを露呈する。

「ねえ。なんで、電話に出なかったの？」

責め口調にならないよう注意しながら、話を切り出した。

「電話？」

「そう。折り返してもくれなかったじゃない」

「電話なんてくれたか？　気付かなかったな」

玉木が視線を宙に漂わせ、惚《とぼ》けてみせる。

「したわよ。電話。確認してみてよ」

「悪かったよ。たぶんおれが気付かなかったんだな」

玉木は、肩をすくめながら言った。

本当に悪いなんて、これっぽっちも思っていない。自分が謝っておけば、それで済む。そう思ってるに違いない。せっかく折れようと思っていた秋穂だったが、悪びれもしないその態度に腹が立った。付き合ってから五年、どんなに忙しくても、必ず折り返しの電話をくれたし、自分のことを気遣ってくれていた。この人だけは変わらないと思っていた。それなのに——。

「気付かないわけないでしょ」

「そんなこと言われてもな……」

玉木が逃げるように目を逸《そ》らした。

「私は、どうして無視したのかって訊いてるの」

「どうしてって、気付かなかったって言ってるじゃないか」

「何それ？」

「しつこいよ。だいたい大事な用件だったのか？」

玉木の言ったその一言は、拒絶にも値する言葉だ。

結婚を控えている恋人同士なのに、まるで用事が無ければ電話をするなみたいな言い方だ。

燃え上がるような怒りが、秋穂の中を駆け巡った。

「彼が戻って来たのは、私のせいじゃないわ！」

秋穂は、廊下にこだました声が、自分のものであると気付くのに時間がかかった。

玉木が、驚いたように目を剝《む》いている。

「大丈夫？」

声を上げながら駆け寄ってきたのは、奈緒美だった。

タイミング悪く、廊下を通りかかってしまったようだ。

いつもなら「ねえ、聞いてよ」と不満をぶつけるところだけど、昨日のことがある。できれば今は会いたくなかった。

「なんでもないわ」

秋穂は、自分の身体を抱くようにして、奈緒美に背を向けた。

「玉木が何かしたの？」

それでも、奈緒美が心配そうに声をかけてくる。

――あなたは、どうしていつもそうなの？　そうやって、すぐ人の世話を焼く。でもね、気付いてないだけで、一番かわいそうなのは、あなたなのよ。

「なんでもないから。気にしないで」

秋穂は、逃げるように階段を駆け上がった。

二階に上がり、行く当てもなくただ廊下を真っ直ぐに進んだ。

誰も、追いかけてこなかった。

奈緒美はいい。だが、玉木には追いかけてきて欲しかった。「ごめん。悪かった」そう言ってさえくれれば、玉木に微笑みかける準備もできていた。

廊下の先にある化粧室の中に入り、個室に閉じ籠《こ》もって鍵《かぎ》をかけた。

壁に背中を預け大きく息を吐き出す。

頬を何かが滑り落ちていく。指で触れてみて、初めて泣いていることに気付いた。

胸が、ざわざわと揺れる。

こんなことで、二人の関係が終わってしまうなんてバカげてる。

玉木は、きっと結城が戻ってきたことで、私の心が揺れていると思っている。だから、私を試してるんだ。

器の小さい男——。

5

奈緒美は、松崎と資料を探すという作業を、時間ギリギリまで続けていた。

だが、結局〈タクミ〉という人物を見つけ出すことができなかった。続きはまた明日やると松崎と約束をして、急いで劇場に足を運んだ。

裏口を入り、控え室に向かおうとしたところで、その叫び声を聞いた。

「彼が戻って来たのは、私のせいじゃないわ!」

話の全部を聞いていたわけではないが、だいたいの事情が呑《の》み込めた。

玉木は、結城の存在に嫉妬《しっと》している。秋穂が結城とよりを戻すんじゃないかと疑いの視線を向けている。それは、二人の関係に、亀裂《きれつ》を生じさせた。

コンダクターである結城の登場により、二人の息の合ったアンサンブルが、崩壊の危機を迎えているのだ。

「ねえ。何で追いかけないの？」

奈緒美は、走り去っていく秋穂の背中を、黙って眺める玉木に詰め寄った。

「大丈夫だよ」

玉木は、病人のような気怠《けだる》い表情だった。

「大丈夫じゃないわよ。秋穂、泣いてたよ」

「そうか」

他人事《ひとごと》のような返事だった。

興味が無い映画を、無理やり見せられているように、焦点の合っていない目をしていた。

「ねえ。何があったのよ」

「何もない」

「二人ともおかしいよ」

「別に、おかしくないさ」

「おかしいわよ。婚約破棄されちゃうわよ」

「大丈夫。秋穂は、必ずおれのところに戻って来るから」

玉木は、陶酔したような笑みを浮かべた。

「結城君に奪《と》られちゃうよ」

奈緒美は、本気でそんな風に思っていたわけじゃない。いくら言っても聞く耳持たずの玉木に腹が立ち、つい口が滑っただけだった。

だが、玉木はその言葉にだけは敏感に反応し、今にも飛び掛かってきそうな、鬼の形相で睨《にら》みつけてきた。

「お前も、そう思ってるのか？」

玉木の声は、怒鳴ったわけではないのに、身震いするほどの迫力があった。

奈緒美は、何も言い返せず、ただ身体を硬くしてそこに立っていた。

「答えろ。お前も、そう思ってるのか？」

玉木が、奈緒美の手首を強く摑《つか》んだ。

その瞬間、奈緒美はビリビリと痺《しび》れるような震えに襲われた。

摑まれた手首を中心に、ぶつぶつと肌が粟立《あわだ》っていく。

息が苦しい。

吐き気を覚えるほどの不快感に襲われる。

嫌だ、嫌だ、嫌だ——。

「放して！」

奈緒美は、叫びながら後ろに飛び退くようにして玉木から逃れ、胸に手を当てた。動悸《どうき》が収まらない。

玉木は、しばらく奥歯を嚙《か》み締めるようにして、充血した目で睨んでいたが、やがて背中を向けて歩き去って行った。

奈緒美は、玉木が去ったあとも、手の震えが止まらなかった。

歪《ゆが》みが、大きくなっていく――。

奈緒美は、漠然とそんな風に感じていた。

奈緒美は、重い足取りで控え室に入ったが、秋穂の姿はなかった。

彼女のことを気にかけながらも、フルートを組み立て、楽譜を持って地下に向かった。

防音のドアを押し開け、奈落《ならく》に足を踏み入れる。

ここは、ステージの丁度真下に位置する場所で、客席からは死角になるよう造られ、壁や床も目立たないようにするために、黒く塗り潰《つぶ》されている。

天井は、二メートル弱。場所によっては、もっと低い。背の高い人は、腰を屈《かが》めなければ歩けないほどだ。

空気の循環も悪いし、ステージ上とくらべると、雲泥の差がある。

戦時中の防空壕《ぼうくうごう》を思わせる。

ミュージカルの本番中、ここがオーケストラの仕事場になる。

奈緒美は、前から二列目の自分の席に着き、前面の壁に取り付けられたモニターが、視界に入るよう譜面台を調整する。

ステージの真下にいるので、当然のことながらステージ上の役者の芝居を見ることはできない。音楽だけなら、指揮者に合わせていればいいのだが、時折効果音として楽器を使用することもある。

そうなった時は、指揮者とステージ上の芝居の両方に目を向ける必要がある。

さらに、譜面台の横にもスタンド付きの小型モニターが置かれている。

コンピューター制御で、オーケストラ全員のモニターが連動していて、カラオケの字幕みたいに楽譜が流れる仕組みになっている。

万が一、譜面を見失った場合のための予防策だ。

一通り確認を済ませた奈緒美は、振り返りメンバーの顔を見渡した。

後方で電子ピアノに座る玉木の姿があった。

スタンドランプの明かりに照らされ、ぼんやりと見える彼の顔は、薄ら笑っているようにすら見えた。

秋穂の姿は見当たらない。

──あの場で、すぐに秋穂の後を追いかけるべきだった。

捜しに行こうと腰を上げたところで、秋穂がヴァイオリンを手に入って来た。

「ねえ。大丈夫？」

奈緒美は、目の前を通り過ぎようとする秋穂に声をかけた。

「平気よ」

言葉とは裏腹に、秋穂は薄暗がりの中でもはっきり分かるほど、目が充血し、そのまわりの肌が浮腫《むく》んでいた。

「そうは見えないけど」

「別に」

「ねえ。話してよ」

「放っておいてよ！」

秋穂の声は、音出しをしているオーケストラのメンバーの手を止めさせた。

何事かと周囲の視線が集まる。言葉を失い、この先どうするべきか困惑しているところに、結城が入って来た。

「どうした？」

「いえ。別に」

緊張した空気を感じたらしい結城の問いかけに、秋穂は短く答え、俯《うつむ》き加減のまま自分の席に歩いて行ってしまった。

「彼女、どうしたんだ？」

結城が、周囲の視線を意識しながらも、小声で問いかけてきた。

彼が秋穂を気にするのは、指揮者として楽団員のメンタルを気遣ってなのか、それとも、昔の恋人としてなのか。

どちらにしても、秋穂と玉木の視線がある中で、結城にあれこれ話すのは躊躇《ためら》われた。

「なんでもない。気にしないで」

奈緒美は、誤魔化すように言ってから席に着いた。

結城は納得していない様子だったが、一つ咳払《せきばら》いをして指揮台の横に立ち、ゆっくりと全員の顔を見回してから、今日の練習予定を話し始めた。

「今日は、役者との合わせの稽古《けいこ》は中止になった」

奈緒美の隣にいるクラリネットの中山が「なんだよ」と不満の声を上げた。

怒るのはもっともだと思う。本当は、明日からの予定だった合わせの練習を、役者側からの要望で一日早めた。

フルートやヴァイオリンのように、手で持ち運べる小さい楽器はいいのだが、パーカッションなどの大型楽器は、練習場所が変更になると、大移動しなければならない。

「なぜです?」

奈緒美は燻《くすぶ》る不満を代表するかたちで訊《き》いてみた。

「演出家からの要請だ。どうしても、手直しをしたい個所があるそうだ」

結城の口調は投げ遣《や》りだった。何よりも、彼自身が納得していない。そんな空気がひしひしと伝わってくる。

責めるべき人を失い、楽団の面々の不満はすぐに収束した。

「合わせが中止になったが、稽古は予定通り行う」

結城はそう告げると、指揮台に上がった。

奈落にオーケストラがある場合の指揮台は、通常よりも段差が高い。指揮者は、ステージの演技が生で見られるように、視線がステージと同じ高さになるように設置され、客席から見えないように目隠しがされている。

演奏者は、指揮者を見上げるかたちで演奏することになる。

「チューニングを始めよう」

結城が指示を出し、オーボエがAの音を出す。しかし、それに応じるはずのピアノの音が聞こえてこなかった。

「玉木。チューニング」

もう一度、結城の声が飛ぶ。

「あ、はあ」

玉木が、気の無い返事をしてから、電子ピアノの鍵盤《けんばん》を叩《たた》いた。

ホールで練習しているときと違い、音は天井から降ってきた。

電子ピアノのスピーカーは、そのまま会場のPAに直結しているので、演奏者のいる位置と、実際に音が聞こえる位置が違うという現象が起きる。

これは、ピアノに限ったことではない。電子楽器ではない金管楽器、木管楽器、弦楽器、全ての席の前に、集音マイクが設置されていて、客席には生音ではなくPAを通した音が伝えられる。

ミュージカルの仕事は、何回かやっているが、最初はやはり戸惑う。

「じゃあ、始めようか」

チューニングが終わったところで、結城が指揮棒で譜面台をコツコツと叩いた。音の波が、さっと引いていく。

「頭から」

結城が短く言って、指揮棒を構えた。

すうっ、と大きく息を吸い込む音がして、指揮棒が振り下ろされる。

どこまでも広がる大海原のように雄大で、ときに荒々しい主旋律が響き渡る。

ホールとは明らかに迫力が違う。

スペースの問題で、通常のオーケストラより明らかに少ない人数編成で演奏されていたため、音量が足りなかった。

しかし、今回はPAを通して、本来、人数で補っている音量の少ない楽器の音も増幅され、圧倒的な迫力を生み出している。

曲が最高潮まで盛り上がったところで、百八十度ターンともいうべき変調をし、曲調は、川のせせらぎのように、静かで緩やかなものになる。

ここで役者の台詞《せりふ》が入るからだ。

「ピアノ」

結城が指揮を止め、甲高い声で叫んだ。

今のは、奈緒美にも分かった。細かいミスではない。玉木のピアノだけ、変調のタイミングが早かった。

明らかに指揮を見ていない証拠だ。

「すみません」

玉木が謝罪する声が聞こえた。

「自分勝手に演奏するな。もう一回、頭から」

言うのと同時に、結城が指揮棒を構え、再び演奏が始まった。

雄大な旋律から、変調してゆるやかな流れに――。

――まただ。

ピアノが先行している。奈緒美が思うのと同時に、結城の指揮が止まった。

「ピアノ、いい加減にしろ！」

結城の声は、怒気を孕《はら》んでいた。

「問題ないと思いますが」

あろうことか、玉木が反論の声を上げた。

演奏者が指揮者の指示に意見するなど、通常では考えられない。

それがまかり通れば、オーケストラは舵取《かじと》りを失い、たちまち沈没してしまう。それくらい玉木にもわかっているはずだ。

おそらく、秋穂に対する想いが、そういった常識を崩壊させているのだろう。

「自覚症状がないのは、プロとして問題だぞ。お前は走り過ぎだ。他のパートのテンポに合ってない」

結城は、あくまで冷静な口調で返す。

「曲のテンポは間違ってない。他が遅いだけでしょ」

「当たり前だ。私は、練習のために、通常よりゆっくり指揮を振ったんだ」

玉木は、それ以上反論はしなかった。

結城が、いつもよりゆっくり指揮を振っていたことは、この場にいる全員が承知していた。見ていれば分かることだ。

玉木は、プロの演奏家としてあるまじきミスを犯した。

奈緒美は、足許に置いたクロスを拾うふりをしながら、後方にいる玉木の顔を盗み見た。血管が浮き出るほどに顔を真っ赤にしている。おそらく、彼の腹の底にあるのは、結城に対する怒りだろう。

「もう一回。頭から。今度は指揮をちゃんと見てくれ。学生じゃないんだから、こんな初歩的なことを言わせるな」

結城は鋭い目つきで言ってから、再び指揮棒を構えた。

玉木と結城の不協和音は、そのままオーケストラ全体の雰囲気に伝播《でんぱ》して、ギスギスとした空気を生み出していた。

このままでは、このオーケストラは崩壊する。

奈緒美は、漠然とそう感じていた。

6

石倉は、玉川上水の駅に降り立った。

ロータリーへと続く階段を降りると、道路の反対側に霊園が広がっているのが見えた。ブロック塀に囲われてはいるものの、不気味な印象は拭《ぬぐ》えない。

駅を出てすぐ左に曲がり、線路沿いの道を真っ直ぐに進む。

百メートルほど進んだところで、茶色いレンガ造りの門が見えた。

学校名の書かれた銅製のプレートがかかっていて、その横には、構内の案内図が記されていた。

ポケットからメモを取り出し、その図を目で追っていく。

――あった。

メモに書かれたのと同じ場所が、構内に存在する。

石倉が、門に隣接する守衛室の小窓を叩くと、中から警備員の制服を着た男が顔を覗《のぞ》かせた。

「少し、学校の中を歩かせてもらいたいんだが……」

手帳を掲げると、その警備員はメガネをかけ、鼻先がつくほどに手帳に顔を近づけた。

「警察？　何かあったんですか？」

警備員は、落ち着きのない声で言う。

警察手帳を呈示すると、たいがいの人間は同じ反応を見せる。やましいことがあるわけではない。権力に対する怯《おび》えからだ。

「ちょっと確認したいことがある。それだけだ」

「あ、いや。しかし、私の一存では……。ちょっと待ってください。確認を……」

「そこまでしなくてもいい。ぐるっと一周回るだけだ」

「あ、いや、しかし……」

こういう融通の利かないタイプは、長く話せば話すほど事態がこじれていく。強引に進めてしまうのが得策だ。

「時間はかからない」

石倉は、そう告げて立ち去ろうとしたが、警備員は今にも泣き出しそうな顔で追いすがってきた。

「あの、そしたら、入構証だけでも着けてください」

「入構証ね」

「ええ。他の警備の人間に怪しまれてもいけないので」

警備員が、困ったように眉《まゆ》を下げながら言った。

見るからに下っ端の警備員だ。素通りさせたとなれば、上役に叱責《しっせき》されることになるのだろう。警備員が差し出してきた入構証を受け取り、首からぶら下げた。

「あ、あと、ここにお名前を」

警備員が窓からノートを差し出しながら言った。

石倉は舌打ちをしながらも、ノートの指定された場所に名前を走り書きした。

今日の日付で、上の欄にも、もう一人分名前があった。

石倉はノートを警備員に突っ返して、芝生に囲まれたアスファルトの小道を歩き始めた。

右手には、白壁の校舎が並んでいて、それぞれの壁には音符を模した校章が掲げられていた。

校舎のいたるところから、楽器の音が漏れ出している。

音楽鑑賞という習慣のない石倉には、それらの音が上手《うま》いか下手かを判断することもできないし、楽器の種類すら分からない。

穿《うが》った見方なのかもしれないが、すれ違う学生たちは、他の大学のそれにくらべて、どこか上品に見える。

――音楽は金持ちのやるもの。

石倉の中には、その思いが根強く残っている。

中学時代の同級生の家にピアノがあったが、値段は三百万円だと聞き、耳を疑った。

石倉の父親も警察官だった。出世から見放され、現場を駆けずり回り、兄を含めた家族四人が、官舎でなんとか生活していけるレベルのものだった。

そんな高額の物を購入する余裕も、設置するスペースさえ無かった。

金持ちの家に生まれていれば、自分の人生も、少し違ったものになっていたかもしれない。

頭に浮かぶいらぬ妄想を振り払い、石倉は黙々と足を進めた。

一号館と二号館の間の細い通路を抜けたところで、石倉は一瞬足を止める。

視界に、赤茶けたレンガ造りで、緑色のアーチ形の天井を持つ建物が見えた。おそらく、この大学の保有するホール。

正面入り口の前の広場には、巨大なオブジェが設置されていた。

高さは七メートルくらい。円錐《えんすい》で、大きさの違うベルが、クリスマスツリーの飾りのようにぶら下がっている。

「そういうことか」

石倉は、歩みを進め、そのオブジェに触れた。

金属のひんやりとした感触が、掌《てのひら》を通して伝わってくる。

ポケットから、焼き増しされた写真を取り出し、目の前のオブジェと比較した。

間違いない。白骨遺体が持っていた写真は、ここで撮影されたものだ。

石倉は、オブジェの周りをゆっくり歩きながら、舐《な》めまわすように視線を這《は》わせる。

——おれにメモを送って来たのは、情報を伝えようとしただけなのか？　それとも、もっと別の意図があるのか？

おそらく後者だ。石倉はそう踏んでいた。

オブジェのちょうど裏側に来たところで、石倉はふと足を止めた。

目の高さの位置に、黒いマジックのようなもので文字が書かれていた。

〈私は、知っている〉

たった一行の文字。その横には、犯行現場に残されていたのと同じ、リンゴを模したマークが添えられていた。

犯人が残したものとみて間違いないだろう。

石倉が、愛撫《あいぶ》するように文字を指でなぞったところで、携帯電話に着信があった。

「石倉です」

〈今、どこにいますか？〉

電話口から聞こえてきたのは、慌てた口調の新垣の声だった。

「音大のホール前にいる」

〈なんで、そんなとこにいるんですか？〉

「帰ったら話す。それより、なんだ？」

〈あ、そうでした〉

どこまでも惚《とぼ》けた野郎だ。石倉は、舌打ちをする。

「早くしろ」

〈はい。頭部が発見されました〉

「なんだと？」

〈行方不明だった白骨遺体の頭部が発見されたんです〉

――おかしい。

石倉はすぐに違和感を覚えた。

たった今発見されたはずの頭蓋骨《ずがいこつ》が、どうしてアパートで発見された首無し遺体のものだと分かった？

検死結果を待たずに特定した言い方をしたのはなぜだ？

「本当に同一のものなのか？」

〈ええ。状況から考えて、間違いないと思います〉

「なぜ、そう言いきれる？」

〈タレ込みがあったんです〉

「誰から？」

〈不明です。ただ、霊園に頭蓋骨が埋葬してあると――〉

「霊園のどこにあった？」

〈墓石の下ではなく、霊園の空き区画に埋められていました〉

「埋葬されたものじゃないってことか？」

〈ええ。タレ込みの内容も、墓地の空き区画、3―4を探せという指示だったようです〉

「もしかして、玉川上水駅前の霊園か？」

〈どうして、そこだと分かったんです？〉

「不動産業者にあったオーダーシートだよ」

〈ああ、なるほど〉

石倉は、胃を絞られたような痛みを味わった。

まさかという思いはあった。だが、今回のことではっきりした。あの女が、何らかのかたちで事件に関与している。

――本当に面倒なことになった。

「とにかく、今からそっちに行く」

携帯電話を切ってポケットの中に突っ込み、アスファルトを蹴《け》って歩き出した石倉だったが、誰かの視線を感じてふと足を止めた。

周囲に視線を走らせたが、楽しそうに談笑する学生たちの姿があるだけだった。それでも、石倉は見られているという感覚を拭《ぬぐ》うことは出来なかった。

――頭部発見のタイミングが良すぎる。

石倉が、この場所に辿《たど》り着くのとほぼ同時だった。これは、ただの偶然ではないはずだ。

もしかしたら、メモによっておびき寄せられたのかもしれない。

――おれに、何を見せたかったんだ。おれに、何をやらせたいんだ。なぜ、おれに的を絞ったんだ。

疑問ばかりが浮かび、それは消化されることなく、苛立《いらだ》ちへと変わった。

「クソ！」

石倉は、抑えきれなくなり、大声で叫んだ。

近くを歩いていた学生のカップルが、気持ち悪いものでも見るように、歩く進路を変え離れていく。

額に汗が滲《にじ》んだ。

石倉は、苛立ちとともに、恐怖にも似た感情が胸に渦巻いているのを感じた。

その気持ちを振り払うように、痰《たん》を吐き捨てて歩き出した。

吐き出された痰の中に、真っ赤な血が交じっていた――。

7

練習を終え、指揮者用の控え室に戻った結城はソファーに身体を沈めた。

びりびりと痺《しび》れるような疲労感があった。

今日は、朝から不愉快なことが続いた。予定を一日早めて、合わせをやりたいと言い出したのは柏井だった。

それなのに、今朝になって、明日に延期だ――と印鑑を取りに来た相葉から一方的に告げられた。

周囲のことを一切無視して、自分の都合だけ押し付けるクソ野郎だ。

それに玉木。まるで、挑戦しているかのように、こちらの指揮を無視した演奏を続けた。

玉木の音だけ、オーケストラの中から飛び出して来て耳障りだった。だが、本当にそれほど彼の演奏に問題があったのか？

——彼を意識し過ぎていたのかも？。

結城が煙草に火を点《つ》けたところで、ノックの音がした。

「どうぞ」

白い天井に向かって煙を吐き出しながら答えた。

驚いたことに、入って来たのは玉木だった。

「玉木。お前……」

「なんだよ。鳩が豆鉄砲を食ったみたいな顔して」

慌てて立ち上がる結城に、玉木は人懐っこい笑みを浮かべていた。

「いや……とにかく座れよ」

「そうさせてもらうよ」

玉木が向かいのソファーに座るのを見届けてから、結城も腰を下ろした。

「どうしたんだ、急に」

結城は、煙草を灰皿に押し付けながら言った。

何をそんなに怯《おび》えているんだ？　なぜ、玉木の目を見られない？

「なんだよ。もう稽古《けいこ》は終わったんだ。今は、大学時代の友だちとして話してくれよ」

「そうだな」

結城には、玉木の真意が見えなかった。目隠し状態での会話。なんだか、尻《しり》がむず痒《がゆ》い。

「本当は、もっと早く顔を出そうと思ってたんだが、なんだかバタバタしてたみたいだからさ」

「そうだな」

——本当に、大学時代の友人としてここに来たのか？

結城は、心の中でそう問いかける。

「いやあ。懐かしいな。こっちに戻って来てたなら、連絡くらいくれれば良かったじゃないか」

玉木は、くつろいだように脚を組んで、両手を広げた。

「すまん。急だったんだ」

「いつ？」

「一ヶ月前だ。引っ越ししたり、仕事を探したり」

「呼ばれて戻って来たんじゃないのか？」

玉木が、大袈裟に驚きの声を上げた。

文化庁の留学制度でドイツに滞在しながら、その期間を満了することなく帰ってきたのだから、そう思われて当然だ。

「ちょっと色々とあってな」

結城は、曖昧《あいまい》な回答をした。

留学先で思うように結果が残せず、父親の死の連絡を受け、後を継ぐことを頭の片隅に入れて戻ってきたのに、弟に全て持っていかれた。それを口にすることは、敗北を宣言しているのと同じだ。

「トラブルか？」

玉木は、興味津々といった様子で目を輝かせている。

「いや、そういうわけじゃないんだが……向こうでやっていることに、可能性を感じられなくなったというか……」

「可能性ねぇ……」

玉木が納得できないという風に、口を尖《とが》らせた。

我ながら中途半端な言い訳だと思う。結城は、それを誤魔化すように、改めて煙草に火を点け、ゆっくりと煙を吸い込んだ。

「それより、結婚するらしいじゃないか」

「誰から聞いた？」

玉木の眉《まゆ》が、微《かす》かに動いた。

話題を変えようとして言ったのだが、あまりいい選択ではなかった。秋穂から聞いたと言えば、あらぬ疑いをかけられることになってしまう。

玉木は、良くも悪くも、執念深い男だ。

「朽木だよ」

「へえ。彼女も懐かしがってたろ」

「ああ。彼女は、相変わらずなのか？」

結城が投げたその言葉を、玉木は受け止めることなく目を伏せた。

何も言わずとも、それだけで充分だった。

奈緒美は、あれ以来、あいつのことを一切口にしなくなった。彼女の性格だから、自分を責めているのだろう。

──私のせいだと。

かわいそうだと思うが、どうすることもできない。

それに、あのことは、二度と口にすることはできない。それが契約でもある。

「まあ、何にしても、結婚おめでとう」

結城は、しばらくの沈黙のあと、仕切り直しをするように改まった口調で言った。

「まだだよ。それに……」

玉木が口籠《ご》もった。その先は、言わなくても分かる。

「それ以上言うな。私は、契約として割り切ってる」

「本当にそう思ってるのか？」

玉木の表情が、強張《こわば》った。

沸き上がる衝動を、必死に堪《こら》えているのが、結城にも伝わってきた。わざわざ会いに来た真意は、結城が秋穂に対する未練が無いか、確認するためだったのだろう。

だが、そんなことをしてどうなるものでもない。

仮に、未練があると言ったら、どうするつもりだ？　殴り飛ばして「おれの女に手を出すな！」と叫ぶか？

結城は、腹の底に渦巻く感情を包み込み、笑みを浮かべた。

「私は、彼女より、自分の将来が大事だった。それだけだ。それに、彼女は昔よりずっと綺麗《きれい》になった。お前といるからだろ」

「そうか？」

玉木がバツが悪そうに、首の後ろに手を当て、苦笑いを浮かべる。

「そうだよ」

「結城は、結婚は？」

「まだだよ」

「向こうでもモテたんだろ」

嫌みな言い方だ。女遊びの絶えない男と決め付けられているみたいだ。

結城は、遊びで秋穂と付き合ったわけじゃない。大学生活のほとんどを彼女と一緒に過ごした。別れたのだって、憎み合ってそうなったわけじゃない。そう仕向けたのは、他でもない玉木のはずだ。

――あの時、別の選択をしていれば、秋穂がお前なんかと結婚することはなかった。

割り切っていると自分で言ったばかりなのに、結城の中に、怒りにも似た感情が沸き上がってくる。

「まあ、恋人くらいはいたさ」

「その恋人は連れて来なかったのか？」

「来る前に別れちまったよ。飽きっぽいんだ」

結城は、言いながら煙草を灰皿に押し付け、立ち上がった。

「時間があれば、一杯どうだ？」

懐かしさが手伝い、玉木の誘いに一瞬だけ迷った。

だが、考えるまでもなく、現在と過去、同じ女を共有した男二人が、肩を並べて酒を呑んだって、いいことなんて一つもない。

それに、一緒にいれば五年前のことを思い出す。

「悪い。この後、プロデューサーと会うんだ」

「そっか。じゃあ、また今度だな」

玉木は、素直に引き下がると立ち上がり、ドアに向かって足を進めた。

「なあ、玉木」

結城は、ドアノブに手をかけた玉木の背中に声をかけた。

「なんだ？」

「今日は、すまなかった」

「何が？」

「お前に厳しくした」

振り返った玉木は、いつもの人懐っこい笑顔だった。

「なんだよ。そんなの気にしてたのかよ。コンダクターが遠慮してどうすんだよ」

「そうだな」

「これからも、ビシビシ頼むよ」

玉木は、声を上げて笑いながら控え室を出て行った。

結城は、頭を抱えて天井を仰いだ。

荒波に揉《も》まれるように、心が揺れた。あのとき別の選択をしていれば、こんな屈辱を味わうことはなかった。

「殺しておけば……」

結城は、誰にでもなく呟《つぶや》いた。

8

石倉は、呆然《ぼうぜん》としたまま、頭蓋骨《ずがいこつ》の発見現場である霊園を眺めていた。

三千坪ある霊園の敷地の一番端。音大の敷地とを隔てる塀の境目に、それは埋められていた。

青いビニールシートで囲われてはいるが、既に掘り起こしの作業は終了している。

遺体が発見されたその一角は、昨年まで音大の敷地内だった。とはいっても、校舎が建っていたわけではなく、桜の樹が立ち並ぶ空き地だった。

詳しい経緯は知らないが、霊園の拡張にともない、大学側が敷地の一部をゆずり、塀を押し広げた恰好《かっこう》になった。

それが証拠に、桜の樹が切り倒されていたが、切り株がまだ残っていた。

石倉は、風に背中を向け煙草に火を点《つ》けた。

誰かに握られているように、胃がぎゅっと収縮する。喉《のど》を鳴らして痰《たん》を吐き出した。

また、血が交じっている。

ブロック塀を隔てた向こう側を、電車が轟音《ごうおん》を立てながら通り過ぎていく。

「大変なことになりましたね」

新垣が、言葉とは不釣り合いなニヤけ顔をぶら下げて歩いて来た。

「いつから埋まってたか分かったのか？」

石倉は、苛立《いらだ》ちを抑えながら訊《き》いてみた。

「いや、それが、妙なんですよ」

「なんだ？」

「ええ。どうやら、身体の部分もこの場所に埋められていたようなんです」

「頭蓋骨だけ残して、例のアパートに運んだってことか？」

「そのようですね」

「埋まっていた死体を、掘り起こしてた奴がいるんだろ。誰か気付かなかったのか？」

「はあ。霊園ですからね。毎日見回りをしているわけではないですし……」

霊園の敷地は、外からは見えないようにコンクリートの塀で囲われている。夜、闇に紛れれば、見つからずに掘り起こすことは可能だ。

——だが、分からない。

「後から発見させるつもりなら、どうして頭蓋骨も一緒に運ばなかった？」

石倉は、新垣に問いかけた。普段は、部下に意見を求めることなどない。事件の捜査は、経験がものを言う。付け焼き刃の知識で推理したところで、犯人を捕らえることはできないと思っているからだ。

それでも、新垣に話を振ったのは、誰かと話していないと、頭がおかしくなってしまいそうだったからだ。

——私は、知っている。

石倉は、音大のオブジェに書かれていた文字を思い返した。

——やつは、どこまで知っている？

「そうですね。きっと、犯人は警察を挑発してるんですよ」

新垣が、名探偵よろしく腕組みをした。

「なんのために？」

「そりゃ、自分の力を誇示するためなんじゃないんですか？　自己顕示欲の表れですよ」

「自己顕示欲ねぇ」

そういう考え方ができなくもない。

現に、過去にその手の事件は何度か起きている。首を切断して放置した上で、警察に挑戦状を送りつけてきたり、犯行内容をネットにアップした奴もいた。

劇場型犯罪を行う奴らは、自らを主役、警察やマスコミを脇役に仕立て、見せつけるように挑発を繰り返す。だが――。

「存在をアピールしたいなら、自分の犯行であると明言しないのはなぜだ？」

石倉は、新垣の推理に口を挟んだ。

劇場型犯罪者の特徴の一つとして、偽名を使ったりはするが、自分が犯人であると名乗りを上げる。しかし、今回は遺体の場所を告げてきてはいるものの、自らが殺害したのだと明言していない。

「それは……なんででしょうね？」

新垣は、首を捻《ひね》って口ごもった。

この事件は、断じて劇場型犯罪ではない、石倉はそう考えている。犯人には、明確な目的がある。

「長くなりそうだ……」

石倉は、ポツリと呟いた。

「しかし、今回、頭蓋骨を埋めた場所を明かしたのはマズかったですね。頭蓋骨があれば、被害者の似顔絵も作れるし、歯の治療痕《こん》があれば、カルテから照合することも可能です。犯人に一歩近付きましたよ」

新垣が興奮した調子でまくしたてる。

――本当にそうだろうか？

頭蓋骨があれば、身許が判明することくらい、分かっていたはずだ。そうなると、敢《あ》えて発見させたと考えた方が自然だ。

犯人を追い詰めているように思えて、実のところ追い詰められているのは、こちらかもしれない。

「あ、そうだ。警部。鑑識から資料が回って来ました」

そう言って、新垣が一枚の写真を差し出して来た。

「なんだ？」

石倉は、写真を受け取り、薄暗がりの中、目を凝らす。

例の遺体が持っていた写真だった。

「画像解析をして、より鮮明な画像に復元したそうです」

新垣が説明を加えた。

大した技術だと素直に感嘆した。前の写真では、汚れが激しく、オブジェと写っている人数が確認できる程度だった。

それが、この写真では、それぞれの顔がはっきりと確認できるまでに復元されている。

自分だけの胸に留《とど》めておこうと思っていたが、ここまで来たらもう隠しておく理由もない。見つかるのは時間の問題だ。

「このオブジェを見つけた」

「え？　本当ですか？」

石倉が写真を指差して告げると、新垣が、大げさに身体を仰《の》け反らせて驚いた。

「この先にある音大に行ってみろ。同じオブジェがある」

「よく、それが分かりましたね」

「前に、何かの時に通りかかったことがあったんだ」

石倉は、適当な言い訳を並べると、新垣に背中を向けて歩き始めた。

「石倉警部。どちらに？」

「聞き込みだよ」

そう答えた石倉は、ブロック塀に設けられた通用口を抜けて道路に出ると、背中を丸め、線路沿いの道に出た。

——写真の人物に見覚えがある。

二度と会わないでおこうと思ったが、こうなれば、そうもいかないようだ。一度、話を聞いてみる必要がある。

空咳《からせき》をしてから、線路と道路を分けるフェンスに向かって痰を吐き捨てた。

視界に、白い菊の花が見えた。

フェンスの前に、空き瓶に挿して供えられていた。

この場所で、死んだ奴がいる。

石倉は、舌打ちをしてから、再び歩き始めた。

9

玉木は、憤然とした怒りを抱えながら帰路についた。

リビングのソファーに座り、深呼吸を繰り返したが、それでも怒りが収まることはなかった。左手の傷が、熱を持ってじんじんと脈打つ。

ジーンズに爪を立てた。

結城は、合奏中、まるで当て付けるかのように、厳しい口調で細かい指摘をしてきた。

演奏に、そんなに問題があったとは思えない。ホルンにクラリネット。指導しなければいけない奴は他にもいたはずだ。

あれでは、玉木の演奏のレベルが低いとアピールしているようだ。この上ない屈辱だ。

だが、それに耐えてまで結城と話した甲斐《かい》はあった。

結城は、呼び戻されてドイツから戻って来たわけではない。明言はしなかったが、何らかのトラブルがあって、戻らざるを得なくなったのだ。

——向こうでやっていることに可能性を感じられなくなった。

結城は、そう言っていたが、それが嘘であることは、音楽をやっている者なら誰でも分かる。

理由は簡単だ。音楽をやる上で、日本ほど可能性の低い国はない。

確かに国外では、毎年シビアな選考の上で、契約の更新が行われる。

いつ切られてもおかしくないという厳しい状況下に置かれるのだが、その反面、新しく目指そうとする人間にはチャンスがある。

だが、日本は違う。純然たる年功序列が息づき、楽団の誰かが死なない限り、新しい人材の補塡《ほてん》はない。

音大を卒業しても、就職先は皆無といっていい。

自分たちのように、細かい仕事をこなしながら音楽に携わっていくか、自衛隊、消防隊に所属し、マーチングバンドをやるか、さもなければ、楽器店で接客をやるかだ。

それだって、競争倍率が高く、やむなく一般の企業に就職する者も少なくない。

――結城は、何かを隠している。

その確信が持てただけでも充分だ。

玉木は、携帯電話を取りだし、野島に連絡を入れた。野島は、電話に出るなり待ち構えていたように〈何か、分かりましたか？〉と口にした。

――ハイエナめ。

玉木は、言いかけた言葉を呑《の》み込み、結城と話した内容を、掻《か》い摘《つま》んで野島に説明した。

〈なるほど。それは面白い〉

話し終えるのと同時に、野島は陰湿なくぐもった笑い声を上げた。耳障りだ。人の秘密を探り、面白おかしく書き立てる。こいつは、そういう下衆《げす》な野郎だ。今さらながら玉木はそれを実感していた。

どんなに否定しても、自分のやっていることも、さして変わらない。それも自覚している。

だが、やらなければならない。

秋穂と幸せな生活を営むためには、結城の存在は邪魔だ。

手の甲の傷が熱を持つ。痒《かゆ》い。

最近、秋穂とはゆっくりと話ができていない。

今日も、言い争いになった。すぐに携帯電話を確認してみたが、やはり彼女からの着信はなかった。

きっと、電話をかけて欲しいという願望から、あんなことを言ったのだろう。本当なら、たくさん話したいこともある。今すぐにでも彼女を抱きしめたい。

だが、恋敵を陥れるために奔走している今の自分の姿を知ったら、秋穂はなんと思うだろう？

考えるまでもない。醜い男だと失望するに決まっている。

それに、野島の言うように彼女を巻き込みたくもない。

〈玉木さん。しつこいようですが、誰にも勘付かれてはいませんよね〉

まるで、心の底を見透かしたようなタイミングで野島が言った。

「大丈夫だ。うまくやってる」

〈気を付けてくださいよ。特に、あなたの恋人に気付かれるのはマズイ。私にとっても、あなたにとっても〉

——そんなことは、お前などにいちいち言われなくても。

「分かってる」

〈しばらくは、彼女には近付かない方がいいでしょう。女は、鋭いですからね〉

「そうしてるよ」

〈それと、こちらもちょっと面白いものを見つけました〉

早く電話を切ろうとしていた玉木だったが、野島の意味深長な言い方に興味をそそられた。

「面白いもの？」

〈はい。今回のミュージカルのスポンサーの中に、一つだけ個人名が交じっていたんです〉

別に珍しいことではない。だが、気になる。

「誰だ？」

〈結城康文〉

「あいつが……」

指揮者が、自らスポンサーになるなんて話は、あまり聞かない。頭の裏側で、警告音が鳴っているような気がした。

〈ええ。これで、今回のミュージカルのメンバーは、結城さんが作為的に集めたという私の推論が、現実みを帯びてきましたね〉

「なんのために、そんなことをする必要がある？」

〈さあ、なんでしょうね。あなたの恋人である真矢さんに近づくためとも考えられますし、もっと他に、目的があるかもしれません〉

冗談じゃない。結城の好き勝手にはさせない。玉木は、奥歯にぎっと力を込めた。

〈彼の目的がなんであれ、くれぐれも、恋人を奪われないように注意してくださいね〉

「心配には及ばない」

〈そうだといいんですが……〉

野島は、含みを持たせた言い方をした。

「どういうことだ？」

〈いえ、気にしないでください。きっと、私の見間違いですから〉

そう言うと、野島は一方的に電話を切ってしまった。

もやっとした感覚だけが胸に残った。

——野島は、何を見た？

「そんなはずはない」

玉木は、頭に浮かぶ悪い考えを振り払い、練習部屋のドアを開け、スタインウェイのピアノの前に座った。

蓋《ふた》を開け、深呼吸してから鍵盤《けんばん》の上に指を乗せる。

目を閉じ、集中力を高めてから、鍵盤を叩《たた》く。

ショパンの「練習曲第三番ホ長調」だ。

弾くだけなら、できなくもないが、そこに感情を込めるとなると、相当のテクニックを要する曲だ。

帰りたくても、帰れない。願望と、諦《あきら》めが同居して、切ない旋律を表現している。

順調だ。気持ちが乗って来た。

いける！

そう思った拍子に、左手の指が麻痺《まひ》したように動かなくなった。

「クソ！」

両手を鍵盤に叩きつけた。

――なぜだ？　完治しているはずなのに。

熱を持った左手の甲が痒い。右手でボリボリとかく。そうすればするほど、痒みが増していく。

玉木は、苛立《いらだ》ちに後押しされ、左手の甲をめちゃめちゃにかきむしった。

皮膚が裂け、そこから血が一筋流れ落ち、白い鍵盤の上に赤い染みを作った。

10

「なんで、私がこんな思いをしなくちゃいけないの？」

秋穂は、自宅マンションに帰るなり、ベッドに仰向けに倒れた。

玉木が、ここまで心の狭い男だとは思わなかった。怒りを通り越して、失望を感じていた。

ちらりと目をやると、部屋の隅で段ボール箱が積み重なっていた。もう、引っ越しの準備をする気にもなれない。

「彼が戻ってきたのは、私のせいじゃないわ」

秋穂は、ホールで五年ぶりに結城の姿を見たとき、正直心臓が止まるかと思った。

畏怖《いふ》の念が、心の大半を支配していたのは確かだ。

久しぶりに再会した結城は、五年前よりずっと魅力的だった。もし、あのことを知らなければ、彼と別れることはなかったかもしれない。

――いいえ。そんなはずはないわ。

秋穂は、頭を過《よ》ぎる考えを振り払うように身体を起こした。

ささくれだった神経を、少しでも和らげたいと思い、オーディオのスイッチを入れた。

流れてきたのは、「G線上のアリア」だ。

伴奏付きのものが有名だが、本来この曲は、ヴァイオリンのGの弦一本だけで演奏するもので、それが、曲名の由来にもなっている。

弦を一本しか使わないので、誤魔化しがきかないし、感情を込めることが難しい曲。

だが、それだけに他の曲より遥《はる》かに重みがある。

ゆったりとした旋律は、心に溜《た》まった澱《おり》を、少しずつ取り去ってくれる。

少しだけ、硬さがほぐれたところで、玄関のインターホンが鳴った。

秋穂は、はっとなり立ち上がった。

――玉木が来たのかもしれない。

もう、こんなことの繰り返しは嫌だ。「ゴメン」と一言謝ってくれたら、それで全て終わりにしよう。

急いで玄関に向かい、チェーンとロックを外し、ドアを開けた。

目の前に現れた男の顔に、秋穂は息を呑《の》んだ。そこに立っていたのは、昨日の刑事、石倉だった。

「こんばんは」

昨晩と同じスーツ、ワイシャツを着た石倉は、玄関前の通路で、あの厭《いや》らしい笑みを浮かべていた。

閉められないように、ドアの隙間に足を差し込んでいる。

「な、なんですか？　こんな時間に」

「遅い時間に申し訳ないとは思ったんですがね、どうしても確認しておきたいことがありまして……」

「確認？」

圧《お》されてはいけない。秋穂は、意識して石倉を睨《にら》みつけたが、あまり効果はなかったようだ。それがどうしたと言わんばかりに、鼻を鳴らした。

「実は、見て頂きたい写真があるんです」

石倉はジャケットの内ポケットから一枚の写真を取り出し、差し出して来た。

「写真？」

秋穂は、戸惑いながらも差し出された写真を受け取った。驚きで、写真を取り落としそうになるのを、かろうじて堪《こら》えた。

全身の毛穴が開き、そこから一気に汗が流れ出す。

「この写真は……」

秋穂は、石倉に視線を向け、ようやくそれだけ言った。

「先日、アパートで白骨遺体が発見されたって話をしたと思うんですが……」

「ええ」

「その白骨遺体が、その写真を握り締めていたんですよ」

「な、なんですって！」

秋穂は、自分でも驚くほど大きな声を出していた。慌てて口を押さえる。その拍子に、写真がひらひらと玄関に舞い落ちた。

「なぜ、白骨遺体があなたの写っている写真を持っていたんでしょうね」

石倉は、落ちた写真を拾い上げながら言った。含みを持たせた口調だった。

「そ、そんなの知りません」

秋穂は、ドアを閉めようとするが、石倉はそうはさせてくれなかった。ドアの縁をしっかり摑《つか》んでいる。

「知らないことはないでしょ」

「本当に知らないんです」

「いいえ。あなたは何か知っているはずだ」

「他の人に訊《き》いてください」

秋穂は、胸の前で両手を合わせ、祈るような体勢で言った。

言ってから、しまったと思う。しかし、一度出てしまった言葉を呼び戻すことはできない。

「やっぱり、何か知ってるんですね」

「何も知りません。私だけじゃなくて、他の人にも訊いてみればいいでしょって意味です」

秋穂は、必死に抵抗してみせたが、苦し紛れの方便にしかならない。

「もちろん、他の人にも話は聞きます。ですが、できれば私はあなたから話が聞きたい」

「話すことは何もありません！」

秋穂は、意識して大きな声を出した。不審に思い、誰か来てくれればという期待があった。

「まあ、いいでしょう。今日のところは、これで失礼します」

石倉が、辺りを気にするような素振りを見せてから言った。

「早く帰ってください」

「明日、また改めてお話をうかがわせてもらいます」

石倉は、そう言い残すと、ドアの隙間からゆっくりと身体を引いた。

ドアが閉まる瞬間、石倉が口の端を吊《つ》り上げ、今にも涎《よだれ》を垂らしそうなほど陰湿な笑みを浮かべているのが見えた。

鍵《かぎ》をかけるのと同時に、秋穂は膝《ひざ》の力が抜け、ヘナヘナと玄関に座り込んだ。

——あの刑事は、なんなの？

もう終わったことではないか。それを、今さら——。

秋穂は、這《は》うようにして部屋に戻ると、カーテンを少し開け、窓の外に目を向けた。

マンションの前の道が見える。

街灯の下に、一人の男が立っているのが見えた。

まるで、スポットライトを浴びているかのように、闇に浮かび上がっていた。じっと、こちらを見上げている。

はっきりと顔が確認できたわけではないが、あの猫背気味の立ち姿は、石倉に間違いない。

これでは、ただのストーカーではないか――。

私は、監視されている。

急に怖くなり、テーブルの上に置いてある携帯電話を手に取った。

電話帳から玉木の番号を呼び出し、発信するが呼び出し音が響くだけで、電話に出てはくれなかった。

「お願い。電話して」

秋穂は、助けを求めるように留守電にメッセージを残した。

祈るように携帯電話を握り締め、玉木からの電話を待った。しかし、いつまで経っても携帯は鳴らなかった――。

秋穂の脳裏には、次々と悪い考えが浮かぶ。

私は、何もしていない、何も悪くない。

――お願い。誰か助けて。

秋穂は、すがるような想いで、手帳に挟んであった紙を取り出した。練習が再開したときにもらった、メンバーの連絡先の一覧だ。

その上の欄には、彼の名が書かれていた――。

11

自室のソファーに身を沈めた結城は、グラスに注いだウィスキーをちびちびとやりながら、辞書のような厚さを持つ、今回のミュージカルの総譜に目を通していた。

やはり、ネックになるのはピアノだ。

玉木は、技巧に偏り過ぎて、表現が疎《おろそ》かになる傾向がある。

手の怪我以降、意識し過ぎてのことだろうが、それでも今のままでは、機械で打ち込みをしたような軽いサウンドになってしまうことは明白だ。

ハムレットを現代版に置き換えたミュージカルなのだから、もっと重厚な雰囲気を維持しなければならない。

指導しようにも、それが難しいことは今日の練習で分かった。

玉木は、未《いま》だに過去の出来事を引き摺《ず》っている。

結城の言葉は、嫉妬《しっと》から出るものだという認識しかもっていない。

「やっかいだよ」

結城は呟《つぶや》いた後に、煙草に火を点《つ》け、部屋の中を漂いながら消えていく煙を、ぼんやりと眺めた。

室内に、インターホンの音が鳴り響き、ふと我に返る。

エントランスの映像を映し出すモニターを覗《のぞ》くと、そこには一人の男が立っていた。俯《うつむ》き加減で、顔がはっきりと見えない。

「どなたですか？」

モニターに向かって呼びかけると、男がゆっくりと顔を上げた。

背筋がぞくりとした。

——この男が、なぜ今さらになって自分の前に現れた？

もう、二度と会わない。そういう約束だったはずだ。

だが、約束を破ってまで現れるということは、よほどの事情があったのだと考えられる。

戸惑いながらも、結城はオートロックを解除した。

しばらくして、玄関のインターホンが鳴らされる。

ドアを開けると、さっきの男が薄ら笑いを浮かべて立っていた。

「何しに来たんだ？」

男は、結城の問いかけに応《こた》えることなく、ドアの中に身体を滑り込ませ、靴を脱いでリビングに入った。

「何をしに来たのかと訊いている」

結城は、男の後を追いかけ、リビングに入る。

男は、許可を得たわけでもないのに、我が物顔でソファーにふんぞり返っている。

「おれにも、一杯くれよ」

それが、男の第一声だった。

すぐに帰るつもりはないようだ。

結城は、諦《あきら》めたようにキッチンからグラスを取り出し、テーブルに置くと、ウィスキーをそれに注いだ。

男は、グラスを傾け、喉《のど》を鳴らしながらウィスキーを流し込むと、ぷはーっと満足気にアルコール臭い息を吐き出した。

「呑んだら帰ってくれ」

結城は、男の向かいのソファーに身を沈めながら言う。

「おれも、そうしたいところなんだが、そうもいかんよ」

「もう、話すことはないはずだ」

結城は、突き放すように言うが、男はどこ吹く風、煙草に火を点け、ゆっくりと煙を吐き出した。このふてぶてしい態度。弱みを握っている。そう言いたいのだろう。だが、それは諸刃の剣だ。

振るえば確実に自らの身を滅ぼすもの。

だからこそ、今まで均衡を保つことができていたのではないか。

「捜すのに時間がかかったよ。海外留学から戻ってたんだな」

「どうやって調べた？」

「実家に連絡したんだよ。弟さんが教えてくれた」

こっちの素性は知れている。行方をくらませたわけじゃないから、捜そうと思えばすぐに見つけることができる。

「どうせなら、女に捜されたいものだ」

「そう言うな。この写真を見たら気が変わるさ」

男は、そう言ってジャケットの内ポケットから、写真を取り出し、テーブルの上を滑らせるようにして置いた。

大学時代に、仲間と撮影した写真だった。この頃は良かった。秋穂が隣にいた。色々問題はあったが、まだ希望に満ちている。

「この写真がどうした？」

「その写真、白骨化した遺体が握り締めていたんだ」

「白骨化した遺体？」

――話が見えない。

「国立のアパートで発見された遺体が、その写真を握り締めていた。現在、その写真に写っている人物を参考人として追っている」

「どういうことだ？」

男は、結城の質問に答えることなく、さらに話を続ける。

「その白骨遺体は、頭部が切断された状態だった。今日になって、その頭部が玉川上水の駅近くにある霊園で発見された」

「なんだって？」

「いちいち言わなくても、ここまで聞けば分かるだろ」

男は、グラスの中のウィスキーをぐいっと呑み干し、げっぷをした。

「何を企《たくら》んでる？」

結城は、写真をつき返しながら真っ直ぐに男を睨《にら》んだ。しかし、男はそれに動じる様子はなかった。

アルコールが回り、充血した目で見返してくる。

「おれは、何も企んじゃいないさ。企んでるのは、他の誰かだ」

「心当たりがあるのか？」

「一つ、訊《き》きたいことがある」

男は、探るような目で、煙草を灰皿に押しつけた。

「なんだ？」

「この女、名前はなんといったっけ？」

男は、言いながら写真のある一点を指差した。

「なぜ、そんなことを気にする？」

「身内に気をつけろってことだよ」

「どういう意味だ？」

「破滅するって意味だよ」

男は立ち上がり、「何かあったら連絡しろ」とサイドボードの上に名刺を置き、ゆっくりとした足取りで部屋を出て行った。

「冗談じゃない」

結城は、呟いてから、グラスにウィスキーを注ぎ、口に含んだ。熱い液体が、ゆっくりと胃袋に落ちていく。

——破滅する。

確かにそうなのかもしれない。あの男を、このままのさばらせておけば、やがては共倒れになる。

結城が、ウィスキーを飲み干したところで、テーブルの上に置いた、携帯電話が振動しているのに気付いた。

見覚えのない番号だった。

「はい。結城です」

さっきの男かと思い、ぶっきらぼうに電話に出る。

返答はなく、電話の向こうで、すすり泣くような、微《かす》かな息遣いが聞こえた。

——女？

「もしもし。どなたですか？」

結城は訊いたが、やはり返答はなかった。

耳を凝らす。甘美な響きのあるその息遣いに覚えがあった。

「秋穂……なのか？」

まさかと思いながらも、口に出してみる。

しばらくの沈黙のあとに〈そう〉と短く返答があった。

――彼女がなぜ？

疑問と同時に、その声から、彼女が酷く怯《おび》えているのが伝わってきた。

「どうした？　何かあったのか？」

結城は、できるだけ柔らかい口調を意識して、呼びかける。

〈私……どうしたらいいか分からなくて……〉

秋穂の声は、ビブラートをかけたように震えていた。

「玉木に何かされたのか？」

〈違うの……彼は電話に出てくれなくて……〉

私は、玉木の代わりか？　複雑な思いに駆られたが、それを口には出さなかった。

「どうした？」

〈私……怖くて……〉

「怖い？」

〈外に……男がいて……私を見張ってるの……〉

「男？」

〈分からない。ストーカーみたいに男がつきまとってるの……〉

「ストーカー？」

〈そうよ……。怖いの。私、どうすれば……〉

電話の向こうで、秋穂が泣き崩れているのが分かった。

「秋穂。落ち着け」

〈落ち着いてるわ。ごめんなさい。ちょっと、話を聞いて欲しかっただけなの〉

「今、部屋にいるのか？」

〈うん〉

「分かった。今からそっちに行く」

〈え？〉

秋穂の声が、驚いたように裏返った。

「別に、部屋に入れろって言ってるわけじゃない。一人でいるのが不安なんだろ。一緒に、近くのファミレスにでもいればいい」

〈でも……〉

「とにかく、今からそっちに行くから」

結城は、秋穂からの返答がある前に電話を切ると、すぐに立ち上がり、ハンガーラックのジャケットを摑《つか》んで玄関に向かった。

私は、秋穂のことが心配だから、彼女のところに行こうとしているのか？ それとも、他の何かを期待しているのか？

結城は、その答えが出ぬまま、靴を履いて玄関のドアを開けた——。

12

リハーサル後、奈緒美は疲弊した身体を引き摺《ず》るように、自宅マンションに帰った。

アパートの前には、まだ何人か警察官の姿があったが、一昨日《おととい》の晩みたいに、妙な質問をされるのも嫌だ。逃げるように二階の自分の部屋に入った。

パンプスを脱ぐと、重い荷物を背負わされたみたいに、ずしっと背中が重くなったような気がした。

想像以上に疲れている。

この疲れは、肉体よりも精神的なものが大きい。

自分の記憶のこともそうだけど、秋穂と玉木のことも引っかかっていた。

帰りに、秋穂と話をしようとしたが、逃げるように控え室を出て行ってしまった。

お節介だと思われるかもしれないが、あとで電話してみよう。その前に、松崎だ。練習時間に追われ、後片付けを任せるかたちになってしまった。

電話をかけると、ワンコールで松崎が電話に出た。

「朽木です。今日は、すみませんでした」

〈いいえ。気にしないでください。それより、奈緒美さんからの連絡を待っていたんです〉

松崎が、早口で言った。珍しく、慌てた口調だった。

「どうしました」

〈実は、あの後、私なりに調べてみたんです〉

「そうだったんですか」

大学の図書館で別れた後、片付けを済ませて帰ったものとばかり思っていた。丸一日、私のために費やしてくれたことになる。申し訳ないと思う反面、嬉《うれ》しい気持ちもあった。

〈それで、見つけたんです。タクミさんだと思われる人物を〉

「え？」

奈緒美は、突然の報告に戸惑った。

追い求めていた人を見つけることができた。でも、いざとなると、それを知ることを怖いと感じる自分がいた。

松崎は、そんな心情はお構いなしに話を続ける。

〈実は、学校の教務課の方に、事情を説明して協力してもらったんです。中野《なかの》さんという女性の方なんですが、知っていますか？〉

「はい」

ちゃんと話したことはないが、丸顔で小柄な中年の女性だったのを記憶している。

〈先方も、奈緒美さんのことを覚えてましたよ。で、その方のアドバイスで入学のときの

名簿を見せてもらったんです〉

松崎の説明を聞き、奈緒美は、ああなるほどと思う。

図書館では、卒業名簿ばかり探していた。出口にいなければ、入り口を見てみればいい。それは盲点だった。

「はい」

奈緒美は、喉《のど》を鳴らして息を呑《の》んだ。

コンクールの結果発表のような、期待と不安の入り混じった緊張感が、全身を包む。

〈おそらく、間違いないと思うんですが、確証が持てないので、できれば奈緒美さんに直接確認してもらいたいんです〉

確認するのは構わない。でも——。

「私が見て分かるでしょうか。私は、その人の顔を覚えてないんです」

〈そこは安心してください。いろいろと彼に関する資料をもらって来ました。所属していた科や、参加した演奏会なんかです。それらを確認してもらって、奈緒美さんと接点があったことが分かれば、彼だということになります〉

松崎の機転に感嘆した。

確かに、奈緒美の歩んで来た学生生活と、彼の歩んで来た学生生活の中のどこかに交差する点があれば、その人物だと特定することができる。

「分かりました」

〈明日、何時頃ならお時間取れそうですか？〉

「午前中だったら大丈夫だと思います」

楽団の練習が始まるのは午後からだ。その前に立ち寄ることができるだろう。

〈分かりました。では、九時頃でよろしいですか？〉

「はい」

〈それと――〉

松崎が言いよどんだ。

「なんですか？」

〈実は、彼は卒業間際に事情により学校を辞めているんです〉

だから、卒業名簿に載っていなかったのか――と納得した。

だが、卒業間際という時期に違和感を覚えた。その時期に、学校を辞める人は、よほどの事情があるのだろう。

多少嫌なことがあっても、卒業資格をとった方がいいと考えるのが普通だ。

「なぜ、卒業間際に？」

〈彼は、自殺したそうです〉

――自殺。

淡々とした口調で言った松崎のその言葉は、鋭いナイフのように、奈緒美の心を切りつけた。

眩暈《めまい》がして、手が震え、携帯電話を落としそうになった。

まるで、波の上にいるかのようにぐらぐらと身体が揺れる。

トライアングルを打ち鳴らしたときのような、高周波の音が耳に響いた。

〈もしもし。奈緒美さん。大丈夫ですか〉

松崎の声に引っ張られて、どうにか意識を保つことができた。

「私は――」

〈まだ、その人だと決まったわけではありません。何があったにしても、しっかりと向き合うことが大事です〉

力強く言った松崎の言葉が、崩れかけた奈緒美の心を支えてくれていた。

――そうだ。私は、向き合わなければならない。

奈緒美は、下唇を嚙《か》み、心を落ち着けた。

全貌《ぜんぼう》が見えていないのに、先走っていろいろと悪い方に妄想しても仕方ない。明日、松崎に会って確認すれば全てがはっきりする。

「分かりました。明日、よろしくお願いします」

そう言って、電話を切った。

五日目

1

石倉は、会議室の一番後ろの席に座っていた。

隣に座る新垣は「元気ないですね」と呑気《のんき》な口調で話し掛けてきたが、相手をする気にもならない。

捜査会議が進行していく中、胃のむかつきを我慢しながら、一枚の写真を睨《にら》みつけていた。

会議が始まるのと同時に、全員に配布されたもので、そこには、一人の青年が写っていた。

雨宮礼司《あまみやれいじ》――。

それが、被害者の名前だった。

「なんだか、冴《さ》えない男ですね」

新垣が、独り言のように言った。

「黙ってろ」

石倉は新垣を睨みつつも、同じ印象を抱いていた。小太りで、腫《は》れぼったい目。襟足まで伸びた髪を、無造作に撫《な》で付けている。いかにも、ずぼらな感じのする男だ。

昨夜の頭部発見から、わずか数時間で身元が判明したのには、理由がある。頭蓋骨《ずがいこつ》と一緒に、ご丁寧に学生証が埋まっていたのだ。

それを元に照会をかけたところ、今朝になって、歯の治療痕《こん》から頭蓋骨の主は、雨宮礼司という青年であることが判明した。

雨宮という青年は、都内の進学校を卒業後、音楽大学に入学。ピアノ科から指揮科に転科し、将来を嘱望されていた。

しかし、大学四年の一月、教室で友人と話をしたのを最後に、忽然《こつぜん》と姿を消した。

何を隠そう、そのときに捜索願を受理したのは石倉自身だった。

雨宮の母親は、息子の失踪《しっそう》は、家出などではなく、何らかの事件に巻き込まれてのことだと信じて疑わなかった。

——何も言わずにいなくなるような子じゃないの！　お願いだから、捜して！

ヒステリックに騒ぎ立てる、母親の声が、ついさっきのことのように耳に蘇《よみがえ》った。

確かに、雨宮礼司の失踪は、家出などの自発的なものとは考え難かった。

書き置きも、自宅への電話もなかった。何かに悩んでいた様子もない。むしろ、将来を嘱望され、輝かしい青春時代であったといえる。

本当に何の前触れもなく、煙みたいに消えてしまった。

母親は、毎日のように警察を訪ねて来ては、捜査の進捗《しんちょく》状況を尋ねたり、街頭に立って、息子の写真を印刷したビラを通行人に配り、精力的に捜索活動を続けていた。

しかし、三ヶ月を過ぎた頃には、まるで別人のようにげっそりとやつれていた。

――死体だけでもいいんです。見つけてください。

落ち窪《くぼ》んだ両目を剝《む》き出し、そう訴えた。

母親の直感なのか――息子がすでに生存していないと確信しているらしかった。

そして、その予感は的中していたことになる。

しばらくして、担当が替わったので、石倉もその後の事情は知らない。

母親の顔は、はっきりと覚えていないが、情念の宿ったあの目だけは忘れない。この世に鬼がいるとしたら、あんな目をしているのだろう。

石倉は、頭をがりがりとかき、余計な考えを振り払った。

過去を振り返っていても仕方ない。問題は、これからのことだ。なぜ、五年前に死んだ男の遺体を、アパートに引っ張り出したのか？

情報だけ流し、真意を伝えてこない犯人の存在が不気味でならない。真っ暗な海の中に放り出されたような気分だ。

「石倉警部」

突然、名前を呼ばれ石倉は、はっと我に返る。

呼んだのは、壇上に立つ署長だった。糊《のり》のきいた制服を着込み、白髪の髪をきれいに後ろに撫で付けている。

署長も、キャリア組の温室育ちだ。

現場を泥だらけになって這《は》いずり回ったこともなければ、被害者の親族に、憎しみの言葉を投げかけられたことも、加害者に逆恨みされたこともない。

「なんでしょう」

石倉は喉《のど》をならし、絡んだ痰《たん》を払ってから答えた。

「被害者家族への報告と、聞き込みを行ってくれ」

「私が……ですか？」

そんなものは、近所の交番の警官にでも行かせればいい。警部である自分が、直々に出向くような話ではない。

不満をそのまま表情に出して言った。

「捜索願が出たとき、対応したのは、石倉君だったそうだね」

「そうですが……」

「面識があるなら、話もし易いだろう」

言わんとしていることは分かる。だが――。

「他の人間に行かせるわけにはいきませんか？」

石倉は、食い下がった。

もう一度母親に会えば、言われることは分かっている。なぜ、あのときに真剣に捜査をしなかったのか――警察は、ことが起きなければ動かないのか。

今まで、何度も浴びせられてきたお決まりの罵声《ばせい》。

「当時の話を持ち出されたら、答えられんだろ。二度手間だ」

「昔のことですから、私もはっきり覚えてはいません」

「何も知らない人間が行くよりいい」

「いや、しかし……」

「これは、命令だ」

署長は、会話の打ち切りを宣言すると、そのまま会議室を出て行ってしまった。

――面倒臭いことになりやがった。

胃がぎゅっと締め上げられる。何かがつかえたように胸がむかむかする。

「石倉警部。お供します」

新垣が、締まりのないニヤけ顔で言った。

――好きにしろ。

石倉は心の内で呟《つぶや》き、鼻を鳴らした。

2

奈緒美は、午前中のうちに松崎の診療所を訪れた。すぐに前回と同じ診療室に通され、背もたれのある革張りの椅子に座り、松崎と向かい合った。

今から、タクミという人物と対面する。

そう考えると、期待より不安のほうが先に立った。

「入学者の名簿の中から、タクミという名前を見つけたというのは、昨日お話ししましたよね」

話を切り出した松崎は、いつもより少し疲れているように見えた。

奈緒美は、気持ちを落ち着かせようと、ゆっくり深呼吸をしてから「はい」と返事をした。

「問題は、その人物が奈緒美さんと接点があったか？ ということですが……」

「はい」

松崎は、手許にある封筒から、一冊のパンフレットを取り出し、テーブルの上に置いた。

カラー印刷されたもので、正面にパイプオルガンのある大ホールに並ぶオーケストラの画像に、〈国立音楽大学　第三十五回　クリスマス・コンサート〉という文字が躍っていた。

「五年前に行われたコンサートのパンフレットです。奈緒美さんは、この演奏会に参加していますね」

「ええ」

奈緒美の通っていた音大は、毎年クリスマスに、ベートーベンの「交響曲第九番」を演奏する。第三十五回は、奈緒美が四年生の時だ。

松崎は、パンフレットのページをめくる。

そこには、演奏に参加した学生の名前が、楽器ごとに記載されている。合唱のパートを加えると、総勢百人になる。

松崎が、名簿の中のある一点を指差した。

そこに、探していた名前があった。

——恩田匠《おんだたくみ》。

確かに、探していたのと同じ名前だ。

「彼は、音大の演奏科でチェロを専攻していました」

「チェロですか……」

「はい」

「本当に、この人なんでしょうか」

「逆に質問します。奈緒美さんは、恩田匠さんの顔を覚えていますか？」

奈緒美は、松崎の不意打ちのような質問に驚きながらも、記憶の糸を手繰る。だが、その糸は深い闇の中につながっていて、何も思い出せなかった。

「オーケストラのメンバーは、百人以上いましたし、全員は覚えていません」

「実は、この演奏会のときの編成を調べたんです」

松崎は、封筒の中から、さらに一枚の紙を取り出し、テーブルの上に置いた。

手書きの古い紙だったが、それには演奏会のときの各パートの編成と、座席表が記されていた。

「よく、探しましたね」

奈緒美は、感嘆の声を上げる。

「演奏会の資料は、全部ひとまとめに保管されていました。それより、座席表を見てください」

「あ、はい……」

座席表を見た瞬間、奈緒美はビルの屋上から突き落とされたような気がした。

フルートとチェロの座席は隣りあっていた。奈緒美は、フルートパートの一番左端で、左隣の席には、恩田匠の名前があった。

「隣に座っていた人を忘れますか？　彼を思い出せないことこそが、写真の人物と、この恩田匠が同一人物であるという証拠なんです」

松崎は、穏やかな口調だったが、奈緒美には、耳許でシンバルを打ち鳴らされているような衝撃となって伝わった。

　まさに、松崎の言う通りだ。

「彼が……忘れていた人……」

　奈緒美は、助けを求めるように松崎の目を見た。

「ほぼ、間違いないでしょう」

　松崎の言葉を聞き、昨日の電話を思い出した。

　――彼は、自殺したそうです。

「あの、この人は……」

　皆まで言わずとも、松崎には、何を言わんとしているのか伝わったらしく、封筒の中からA4サイズの用紙を取り出し、テーブルの上に置いた。

　新聞の記事の一つを拡大コピーしたものだった。

〈音大生、回送電車に轢死《れきし》。自殺か?!〉

　太字の見出しを見たとき、背筋がぞくっとした。

　事件が起きたのは、一月三十日の午前四時頃。西武《せいぶ》拝島《はいじま》線玉川上水駅近くの線路に、音大に通う恩田匠さんがフェンスを乗り越え侵入。下りの回送電車に撥《は》ねられ死亡した。

　遺書は見つかっていないが、友人などの話では、恩田さんは恋愛で悩んでいたという。

　警察は、失恋によるショックからの発作的な自殺とみて捜査している――。

　――失恋のショックから自殺。

その一文が、奈緒美の網膜に焼き付いて離れない。

「私は、彼の恋人だったんでしょうか？」

「そうと決めてしまうのは、よくないことです」

松崎は、首を振った。

だが、もし自分が恩田匠の恋人で、彼が失恋のショックから自殺したのだとしたら、今までの不可解なことに説明がつく。

秋穂は、このことを知っていたから、彼の話題を避けた。

自分で彼を死に追いやったという負い目から、彼に関する記憶を封印してしまった。

夢に出てくる男は、恩田匠だ。

――私は、罪の意識から、繰り返し同じ夢を見る。

鏡に書かれた〈思い出せ〉という文字も、男の人を怖いと思うことも――。

全てのことに説明がつく。

――私が、彼を殺した。

3

秋穂が目を覚ましたときには、結城の姿はなかった。

ただ、部屋の中には、彼の残り香だけが残像のように漂っていた。

秋穂はベッドから身体を起こし、髪をかきあげ、壁にかけたアナログ時計に目を向ける。すでに十一時を回っていた。

ずいぶん長い間眠っていたようだ。

目蓋《まぶた》が重い。目を開けても、ピントのぼけたカメラのように、視界がぼんやりとしていた。稽古《けいこ》の時間までは、あと二時間ある。急いで準備する必要もない。

もう一度、ベッドに横になり、掌《てのひら》でシーツを撫《な》でる。かすかに温《ぬく》もりがあった。

昨夜の出来事が蘇《よみがえ》り、下腹部がじわっと熱くなった。

結城の指が這《は》った感触が、まだ肌に残っている。

指先で、唇に触れてみる。

彼の湿った唇の感触が残っているような気がした。

秋穂は、自らの身体を抱き、目を閉じた。

生暖かい水に浸《つ》かり、ゆらゆらと揺れているような感覚だった。母に抱かれる胎児は、こんな感じなのかもしれない。

結城は、昔と変わらず優しかった。

独り善《よ》がりに行為には及ばない。女を服従させようというエゴもない。

じっくり時間をかけ、お互いの気持ちが昂《たか》ぶるのを待つだけの余裕がある。

——玉木とは違う。

そう思った瞬間、秋穂の胸の奥が、ざわざわっと揺れた。

闇夜に落ちる稲光のように、玉木の顔が瞬間的に脳裏を過《よ》ぎり、飛び跳ねるように身体を起こした。

――私は、何をしてしまったの？

秋穂は陶酔を振り払い、我に返った。

さっきまで心地いいと感じていたその感触が、突如としておぞましいものに変貌《へんぼう》し、全身に鳥肌が立った。

指先が震え、吐き気に襲われ、全裸のままふらふらとした足取りで洗面所に向かい、何度も嗚咽《おえつ》した。

五年前に気付いたはずだ。結城の優しさは幻想だと。

彼は、畏《い》怖《ふ》の対象だったはずだ。それなのに、どうして。

――裏切ったな。お前は、やっぱり結城と。

耳許で、玉木の声が聞こえた。

「違う。違うわ」

秋穂は、髪を振り乱し、首を大きく左右に振る。

――何が違う？

「あなたがいけないのよ。怖い思いをして、私は一人でいたくなかったの。それなのに、あなたは、彼を意識して、私を避けたから――」

秋穂は、悲鳴にも似た声で、早口にまくしたてた。

——私は怖かったの。誰でもいいから、そばにいて欲しかっただけなのに。

秋穂は、床の上にぺたんと座り込んだ。

本当に、誰でも良かったのか？

私は、結城をまだ愛しているのか？

それとも、玉木に対して当て付けがしたかっただけなのか？

答えが出ぬまま、秋穂は震える手で顔を覆った。

4

石倉は、鬱積《うっせき》した思いを抱えて助手席のシートに背中を預けていた。

多摩川《たまがわ》沿いの道を十分ほど走ったところで、カーナビが目的地周辺に到着したことを告げる。

「この辺りですね」

運転席の新垣が呟《つぶや》きながら、ハンドルを捌《さば》いて車を路肩に停車させた。

石倉は、車から降り、晴天に向かって大きく伸びをする。

この後のことを考えると、晴れ晴れとした気持ちというわけにはいかない。だからといって、躊躇《ためら》っていても始まらない。

「行くぞ」

モタモタしている新垣に声をかけてから、歩き始めた。

最初の角を曲がってすぐのところに、被害者、雨宮礼司の母親である、浅子《あさこ》の住む家がある。

五年前に一度来たことがあるだけだったが、しっかりと記憶に刻み込まれていた。

3DKほどの広さがある白壁の平屋の建物に、狭いながらも庭がある。昭和の、古き良き日本の中流家庭を再現したような造りの家だ。

様相は変わっていないのに、何かが違うと感じた。

具体的に違うところなど何もない。ただ、暗く、陰湿な空気が、その家の周囲から立ち上っていた。母親の情念が、渦巻いているようだった。

「ここですか？」

「ああ」

石倉は、後から追いかけて来た新垣の問いに短く応《こた》え、芝生の庭に足を踏み入れ、引き戸の玄関脇にあるインターホンを押した。

歪《ゆが》んだ呼び出し音が鳴り響く。

しばらくして、ガラガラッと引き戸が開き、雨宮浅子が顔を覗《のぞ》かせた。

石倉には、一瞬それが誰なのか分からなかった。

ボサボサの白髪頭に、深い皺《しわ》が刻まれ、眼窩《がんか》は落ち窪《くぼ》み、白く濁った目がギロリと睨《にら》んで来る。

浅子は、まだ六十前のはずだ。五年前に見たときは、年相応に見えた。だが、今目の前にいる浅子は、萎《しお》れ、枯れ、八十を超えた老婆にしか見えない。たった五年でここまで老け込むものか——。

「雨宮浅子さんですね」

新垣が、ニコニコと笑いかけながら声をかけた。

「知ってるよ。あんた、石倉とかいう刑事だろ」

浅子は、皺だらけの指で石倉を指差した後、引き戸を開けたまま玄関のすぐ左にある部屋の中に消えた。

「入れってことですかね？」

「たぶんな」

首を傾げる新垣にそう応じると、石倉は靴を脱いで玄関を上がり、浅子の消えた部屋に入った。

六畳ほどの和室で、仏壇が置かれ、そこにはすでに雨宮礼司の写真が飾られていた。

黴《かび》と線香が入り混じった臭いが、鼻を突く。

湿気も多く、息苦しさを感じた。

その部屋の中央にあるちゃぶ台で、浅子は足を崩して座っていた。

まず、礼司に線香を上げるべきなのだろうか考えた石倉だったが、遺体は病院に安置されたままになっている。納骨が終わった後でいいだろうという結論に至った。

石倉は新垣と並んで浅子の向かいに正座した。

浅子は、石倉とは目を合わせようとせず、すりガラスの向こうに視線を送っている。

お茶を出そうという気はないようだ。

こちらとしても、長居をするつもりはないから、都合がいい。

「今日は、息子さんの件で来ました」

石倉は、単刀直入に話を切り出す。

それでも、浅子は身じろぎ一つしなかった。

五年前「息子を捜してくれ！」と毎日のように警察に顔を出していたにもかかわらず、今はこの反応。

もはや、全てを諦《あきら》め、抜け殻になったのか――。

同情はするが、だからといって、どうなるものでもない。石倉は、構わず事務的に話を続ける。

「先日、アパートで白骨遺体が発見された。調査の結果、その遺体は、歯の治療痕《こん》などから、息子さんの遺体である可能性が高いことが判明しました」

それでも、なお浅子は何も応えない。

「聞こえてるんですかね？」

新垣が、怪訝《けげん》な表情を浮かべながら耳打ちしてきた。石倉は、それを「黙ってろ」と制し、話を再開する。

「失踪《しっそう》の状況について、もう一度話を……」

「話した」

浅子がカラクリ人形のように、首だけ動かし、石倉に視線を向けた。

──気味が悪い。

「分かっています。ですが、今は状況が違う」

「何度も、何度も話した。聞いてなかったのか?」

とりつく島もないとは、まさにこのことだ。

「前のときは、行方不明でしたけど、今回は、殺人事件になりますので、捜査しなくちゃいけないんですよ」

新垣が、いかにも迷惑そうに言った。

──バカが！　刺激してどうする。

思ったときには手遅れだった。その瞬間、力を失っていた浅子の顔が、みるみる怒りに満ちていく。

目が吊《つ》りあがり、頬を震わせ、ぎりぎりと不愉快な音を立てながら歯を食い縛っている。

まさに鬼の形相だ。

「だから言ったんだ。息子をちゃんと捜せって。それを、無視してきたのは、あんたら警察だろ」

「あ、いや、しかし、あのときは……」

新垣が迫力に圧《お》されてしどろもどろになる。

「あのときはなんだい？　言ってみな！」

「あの段階では、事件性はなかったんです」

新垣は、なだめようと言った言葉なのだろうが、それは火に油を注ぐのと同じだ。

「事件性が無いと決めつけたのは、あんたら警察だろ！　私は、息子は家出なんかじゃないって言い続けたんだ！　それなのに、ちゃんと話を聞こうともしなかった！　それを今さらなんだ！　骨になるまで放っておいたのは、どこのどいつだ！」

浅子は、口の端に泡を吹きながらまくしたてると、今までの生気の無さが嘘のような敏《びん》捷《しょう》さで立ち上がり、仏壇に置いてある線香台の灰をむんずと摑《つか》み、それを投げつけてきた。

「呪ってやる！　呪ってやる！　呪ってやる！」

叫びながら、繰り返し灰をそこらじゅうにばら蒔《ま》く。

もはや、何を言っても無駄だ。

「行くぞ」

石倉は、ただ呆然《ぼうぜん》と浅子を眺めている新垣の腕を摑み、「失礼します」と一礼だけして、部屋を出た。

――冗談じゃない。完全にいかれてやがる。

家を出た後も、石倉の耳には、浅子の声が耳から離れなかった。

――呪ってやる。

石倉は、頭を左右に振って気持ちを改めると、覆面車輌《しゃりょう》には戻らず川沿いの道を歩き始めた。

「石倉警部。どちらに？」

背中に新垣の声が届いた。

「聞き込みだ」

「お供します」

石倉は、新垣の申し出を無視して歩き続けた。

脳無しの新垣と一緒にいても、動きが遅くなるだけだ。

それに、石倉は、誰よりも早く、今回の事件の犯人を捕まえなければならない。

もう、目星は付いている。

5

――恩田匠。

奈緒美は、松崎に聞かされた名前を、頭の中で何度も反芻《はんすう》した。

長年記憶の底に沈めていた人。そして、何らかの理由で、自らの命を絶った人。

――彼の自殺の原因は、私にある。

松崎は、奈緒美のその考えを早計過ぎると否定した。だが、それしか思いつかなかった。

奈緒美は、集中力を欠いたまま、稽古場《けいこば》である劇場に足を運び、控え室で楽器の準備をして、奈落《ならく》にあるオーケストラピットの席に座った。

目の奥が、じんじんと脈打っている。

普段は、まったく気にならないのに、他の楽器のチューニングの音が、必要以上に鼓膜を震わせ、苛立《いらだ》ちを増長させていく。

こんな状態では、演奏どころではない。気持ちを切り替えなければ――。

奈緒美は目を閉じ、意識を集中させてからフルートを構え、スケール練習を始めたが、どうしても音が安定しない。

まるで自分の精神状態を反映しているように、ふらふらと揺れている。

「おはよう」

声を上げながら、結城がオーケストラピットに入って来た。

チューニングの音が収まり、息苦しい空間が、静寂に包まれていく。指揮台に上り、ゆっくりと全体を見渡した結城は、ふうっとため息を吐き出した。

「ヴァイオリンがいない」

言われるまで気付かなかった。確かに、オーケストラピットの中に、秋穂の姿が見当たらない。奈緒美が振り返ると、驚いたような表情をしている玉木の顔が見えた。

あの様子だと、彼も秋穂の所在を知らないようだ。

「まあいい」

結城が言うのと同時にドアが開き、秋穂が駆け込んで来た。

「すみません」

秋穂は、今にも消え入りそうな声で言うと、投げかけられる玉木の視線から逃げるように自分の席に着いた。

結城は、遅刻してきた秋穂を叱責《しっせき》することはなかった。ただ、黙って頷《うなず》いた。まるで、何かのサインを送っているかのように。

「今日は、役者との合わせを通してやる」

一つ咳払《せきばら》いをした後、結城は何事もなかったかのように言った。

「まずは、感覚を摑むために、演奏無しで役者の演技を全員で鑑賞する。その後、通しという流れになる。楽器を置いて、客席に移動してくれ。十五分後に開始する」

結城の指示に従い、楽団員たちがぞろぞろと移動を始めた。

玉木が、人の流れに逆行して秋穂に歩み寄り、何やら声をかけている。しかし、当の秋穂は、それがまったく聞こえていないかのように虚《うつ》ろな表情で、無言のままオーケストラピットを出て行った。

「ねえ。何かあったの？」

奈緒美は、秋穂のあとを追おうとする玉木を呼び止めた。

「こっちが訊《き》きたいよ」

玉木は、充血した目を見開いた。恐怖を感じるほどに鬼気迫る表情だった。

「秋穂とちゃんと話した？」

「そうしようとしたさ。だけど、いくら電話しても出なかった」

昨日の、階段の踊り場での出来事が尾を引いているのかもしれない。

「早く謝っちゃいなよ」

「謝る？　何を？　おれは何もしていない」

玉木は、興奮したように鼻をぴくぴくと震わせた。

「早く移動しろ」

手を叩《たた》きながら声をかけてきたのは結城だった。気が付くと、オーケストラピットに残っているのは、奈緒美と玉木の二人だけだった。

「私からも秋穂に訊いてみる」

奈緒美は玉木にそう告げ、オーケストラピットを出た。

玉木と秋穂のことは気になる。だが、恩田匠のことも訊いてみたいという思いもあった。

——私のせいで、彼が自殺したかもしれない。

その疑問をぶつけてみよう。その答えが、否定でも肯定でも構わない。疑惑だけが渦巻く今のような状態では、とても演奏などできない。

奈緒美は階段を上り、通路を回り込むかたちで客席に入り、注意深く見渡し、秋穂の姿を捜した。

中央通路の前、一番下手の列に一人座っている秋穂の姿を見つけた。

奈緒美は、彼女の許に駆け寄り、隣の席に座ると、すぐにでも疑問をぶつけようとしたが、彼女の真っ青な顔色を見て、考えが変わった。

「秋穂。大丈夫？」

「気にしないで。ちょっと具合が悪いだけだから」

「本当に？」

体調が悪いと言われればそうなのかもしれないが、それだけではない気がする。

「ねえ。玉木と何があったの？」

「お願いだから、今は、そっとしておいて」

秋穂は、ディミヌエンドのように声を減退させ、無言になることで会話の打ち切りを宣言した。

その目には、涙が浮かんでいるように見えた。

奈緒美がさらに質問をするべきか迷っている間に、照明が落とされ、リハーサルがスタートした。

一人の男が、ゆっくりとステージに歩いてくる。

辺りを見回しながら、誰かを捜している様子だ。

そこに、痩《や》せた男が現れ、二人の台詞《せりふ》のやりとりが始まった。

今回のミュージカルは「ハムレット」をモチーフにしている。

デンマーク王国の王子であるハムレットが、父を殺害し、母を奪い、王位を奪った叔父《おじ》に復讐を遂げるという物語はそのまま。舞台を現代の日本に移し、国を会社に見立てた作りになっている。

一観客として観て、なかなか面白いと思った。

オーケストラの演奏がなくても、充分見応《みごた》えのある芝居になっていた。

主人公が父の霊に会い、叔父に殺害されたことを知り、復讐を誓う第一幕が終わり、物語は第二幕に入った。

主人公が一計を案じ、父の殺害の現場を、役者に演じさせ、叔父に見せつけるというシーンが始まった。

「ハムレット」の中では王は毒殺された。最初に見たシナリオでも、それを踏襲して毒殺ということになっていた。

だが、その内容は大幅に変更されたものだった。

王を暗い倉庫のような場所に連れ出し、その後頭部をいきなり後ろから鉄パイプのようなもので殴りつける。

頭を押さえて崩れ落ちる。だが、王は死なない。苦しんで叫び声を上げる。

パニック状態に陥ったもう一人の人物が、王の腹にナイフを突きたてた。

しかし、それでも王は死なない。

腹を押さえ、ステージの上をのたうちまわる。

――お前らを許さない。

苦しみながらも、呪いの言葉を吐きつづける。

もう一度、金属の棒で殴る。慌てているから、急所には当たらない。

もがき苦しむ王。

陰湿で、混沌《こんとん》とした殺人の現場が続く。

演技だと分かってはいるものの、その光景は凄惨《せいさん》を極めるものだった。

――お願い！　もうやめて！

奈緒美は、思わず目を背けた。波の荒い海の中にいるように、身体が大きく揺さぶられているような気がした。

目を向けていなくても、その声は容赦なく耳に飛び込んでくる。

「早く殺せ！」

「分かってる！　そっちを押さえろ」

「がぁぁぁ！」

悲鳴と怒声が飛び交う。

これではまるでホラー映画だ――。

奈緒美は、耐えきれずに耳を塞《ふさ》いで、うずくまるように頭を下げた。

――私は、この光景を見たことがある。

根拠があるわけではないが、奈緒美はそう感じた。

隣に視線を向けると、いつの間にか秋穂の姿が見えなくなっていた。

――捜しに行かなきゃ。

奈緒美がそう思ったところで、ヒステリックな甲高い声が劇場に響き渡った。

「最初のシナリオと違う！」

中央の列の、一番前の座席に座っていた男が立ち上がった。結城だった。

隣に座る演出家の柏井も、それに釣られて立ち上がる。

「リハーサル中に、なんのつもりだ」

「とぼけるな。シナリオが全然違う。これでは、曲の長さが合わない」

結城の意見は、オーケストラピットの指揮者として当然の言い分だ。本番一週間前に迫った今の段階で、大幅なシナリオの修正をされたのでは、演奏に大きな支障をきたす。

観劇していた楽団のメンバーたちからも、結城に同意するように不満の声が上がる。

「同じ場所を何度か繰り返せば、最終的に合うだろ」

柏井は、ステージに上がり、結城というより、劇場内にいる楽団全員に対して言い放った。

「どんな曲でもいいというわけではないでしょ。これは演劇ではなく、ミュージカルなんです。スタンドプレーは止めて頂きたい」

結城が怒りを孕《はら》んだ口調でぴしゃりと言う。

「何がスタンドプレーだ。メインは役者だ。オケなんて所詮《しょせん》BGMなんだよ」

柏井の言った一言は、オーケストラのメンバー全員を敵に回した。

「だったら、ラジカセでも使って芝居をすればいい」

結城は捨て台詞を吐くと、劇場から出て行ってしまった。

大人気ない態度なのかもしれないが、生のオーケストラでミュージカルをやるからには、そうでなければならない意味があると信じて演奏している。

それをBGMだと言われて我慢できる演奏者などいない。

「おい！　戻って来い！」

ステージの柏井が大声で怒鳴ったが、結城は戻っては来なかった。

6

——秋穂は、どこに行った？

玉木は、立ち上がり、客席を見回した。

結城が退席したことにより、今日の稽古《けいこ》は中止されることになった。

このタイミングでのシナリオの大幅変更は、演奏者側からしてみると大きな問題ではある。だが、今までそういうことが全くなかったわけではない。仕事放棄ともいえる結城の行動は、信頼関係の喪失ともいえる。

楽団の中にも、大きな波紋を呼び、ちょっとした騒ぎになっていた。

だが、玉木からすれば、そんなことより秋穂の方が気がかりだった。

彼女は、あきらかに様子がおかしかった。顔色は真っ青で、玉木を避けているようだった。それに、何かに怯《おび》えたようなあの目――。

玉木は、その場で話し合いを行っている楽団員の輪には加わらず、劇場の外に出た。秋穂を捜して、廊下を走り、女性用の控え室の前まで来たところで、奈緒美の姿を見つけた。

「秋穂はどうした？」

勢いのままに、奈緒美に詰め寄る。

「気が付いたらいなくなってたの。控え室にもいないし……」

奈緒美の視線は、左右にゆらゆらと揺れていた。

「何か言ってなかったか？」

「体調が悪いって……」

「そうか」

変な言い方かもしれないが、本当にただの体調不良であって欲しい。玉木は、そう願っていた。

「ねえ。何があったの？」

奈緒美が、困ったように眉《まゆ》を歪《ゆが》めた。

それは、玉木の方が訊《き》きたいくらいだ。ここ数日は、色々あって、ゆっくり話をする時間も作れなかったが、それだけのことだ。

「何もないよ」

「でも秋穂、泣いてたみたいだったよ」

「いつだ？」

秋穂がなぜ泣く必要がある？

「さっき、客席で……」

「なぜだ？　なぜ彼女が泣く必要がある？」

「私にも、分からない」

奈緒美が首を左右に振った。彼女は、嘘がつけるほど器用ではない。本当に何も知らないのだろう。

「そうか……」

「結城君も様子がおかしいし。どうしたの？」

奈緒美がため息交じりに言った言葉が、玉木の心臓をぎゅっと鷲掴《わしづか》みにした。

確かに柏井の物言いは、オーケストラを軽視した腹の立つ発言だった。しかし、いつもの結城なら、あれくらいのことでは動じないし、逆に痛烈な皮肉で、言いくるめるくらいのことはしたはずだ。

それなのに——。

「何度も言うようだけど、会って話さないとダメだよ」

「分かってる」

玉木は奈緒美に背中を向け、男性用の控え室に向かって歩き出した。

荷物を片付けたら、今から彼女のマンションに行ってみよう。部屋にいないかもしれない。だが、それでもいい。帰ってくるまでエントランスで待っていればいい。

——しばらくは、彼女には近付かない方がいいでしょう。

野島はそう言ったが、これ以上関係が悪化して、二人の関係にヒビが入るようなことがあっては、それこそ本末転倒だ。

玉木は、男性用の控え室に入り、ロッカーからカバンを取り出す。控え室にはモニターがあって、そこには正面からの劇場の様子が映し出されている。

演出家の柏井と、楽団のメンバーがステージの周りに集まり、何やら話しているのが見えた。

その中に、やっぱり結城の姿は見えない。

もしかして——。

不意に浮かんだ疑念。

玉木は、それを確かめるために控え室を出て、指揮者の楽屋がある二階のフロアに上がり、ドアをノックした。

返事は無かった。

いないのか？　ドアノブに手をかける。鍵《かぎ》は、開いていた。

電気は消されていて、部屋の中は薄暗かった。

結城はいなかった。もしかして、秋穂と――。

そう思うのと同時に、スラックスの尻《しり》のポケットに入れた携帯電話が着信した。慌てて手に取る。電話の相手は、期待した秋穂ではなく野島だった。

「なんの用だ」

苛立《いらだ》ちを隠すことなく電話に出た。

〈実は、お話ししたいことがありまして……〉

媚《こ》び諂《へつら》う感じのその声が、不快に耳に届いた。

「話?」

〈ええ。結城さんに関する、新しい情報を摑みましてね〉

玉木は、野島の意味深長な喋《しゃべ》り方に惹《ひ》きつけられ、ソファーに座った。

――おれは何をやっているんだ。

玉木は自問する。もとはといえば、野島のいう情報に振り回され、彼女との関係を疎《おろそ》かにしたことが、今の状況を生み出しているのではないか。

自らを窘《たしな》める声が聞こえたが、それはすぐに雑音となって消えた。

結城さえ目の前から消えてくれれば、全ては解決することだ。

「新しい情報?」

〈ええ〉

電話の向こうで、野島が薄ら笑いを浮かべている姿が想像できた。

嫌な胸騒ぎがして、左手の甲がむずむずする。

「なんだ？」

〈おそれていたことが起こってしまった。とだけ伝えておきましょう〉

野島は、肝心な部分を隠すことで、巧みにこちらの興味を惹いている。

薄汚いハイエナ野郎め。心の中で罵《のの》りながらも、野島の提示した情報を知りたいという願望を抑えることができなかった。

「なんだ。早く言え」

焦りから声が掠《かす》れた。

〈パソコンに添付データをメールしておいたので、それを見て下さい〉

この場で言えばいいものを、わざわざメールにするとは——。

左手が痒《かゆ》い。いらいらする。

「何のデータかだけでも説明しろ」

〈私が、口で言っても、どうせ玉木さんは信じてくれないでしょう〉

「信じない？　おれが？」

玉木は、左手の甲に爪を立てる。

昨日、引っ掻《か》いた傷口が、また開いた。それでも、痒みが止まらない。

〈ええ。あなたは、きっと信じない。嘘だと私を責め立てるでしょう。ですから、証拠のデータをメールで送りました〉

「どういう意味だ？」

〈とにかく、ご自分の目で確かめてください〉

野島は、一方的に告げると電話を切ってしまった。

左手の甲から、赤黒い血が滴《したた》り落ちた。

「クソ！　なんなんだ！」

玉木は、踊らされていると自覚しながらも、自分の中にある衝動を抑えきれなかった。左手の傷もそのままに、カバンを開け、中からラップトップのパソコンを取り出し、電源を入れた。

ミュージカルでは、電子ピアノを使用する。必要な音源データなどを取り込む必要があるので、パソコンは常に持ち歩いている。

画面が表示されるまでの時間が、長く感じられた。

まるで、虫が這《は》いずり回っているかのように、手の甲の痒みが増していく。

――落ち着け。

玉木は、左手の甲に爪を立てながら、自分に言い聞かせる。

鈍い音をさせながら、パソコンの画面が立ち上がった。モデムを使ってネットに接続して、メールの送受信を開始する。

かなり重いデータのようだ。受信状況を示すバーが、なかなか進まない。

「早くしろ」

二分ほどかけて、ようやくメールの受信が完了した。

タイトルは〈先ほどの件です〉となっていた。メールを開くと、短い文章が付いていた。

〈ショックを受けると思いますが、くれぐれも早まった行動はしないようお願い致します〉

――早まった行動？

冗談じゃない。今から、おれには秋穂との幸せで穏やかな生活が待っているんだ。

玉木は、添付ファイルをダブルクリックする。

ハードディスクが回転する音とともに、画像閲覧のソフトが立ち上がり、十七インチの液晶モニターいっぱいに一枚の画像が表示された。

夜、暗視用の赤外線カメラで撮影したと思われるもので、画像全体が緑がかっていた。

そこに写し出されていたのは、マンションのドアの前に立っている結城らしき男の後ろ姿。

いや、これは間違いなく結城だ。

そして、彼の前にあるドアが半開きになっていて、一人の女が部屋の中から顔を覗《のぞ》かせていた。

少し、ピントがぼけてはいるが、それでも、それが誰なのかはっきりと分かった。

「秋穂……」

頭の中が、真っ白になった――。

「嘘だ！　嘘だ！　嘘だ！」

玉木は、叫びながらパソコンを壁に向かって投げつけた。

ガシャンとシンバルを叩《たた》いたときのような音とともに、モニターが割れ、粉々に砕けた部品が絨毯《じゅうたん》の上を転がる。

これは、何かの間違いだ。

玉木は、神に祈りを捧《ささ》げるように、跪《ひざまず》き頭《こうべ》を垂れた。

そうだ、これは、五年前の写真だ。二人が、まだ恋人同士だった頃に撮影された写真に違いない。

そうであれば、夜に結城が秋穂のマンションの前にいても、何ら不思議ではない。

——違う。

思い込もうとしたが、頭の中でそれを拒絶する声が聞こえた。

それは、おそらくは自らの心の声。

そうだ。違う。これは、大学時代の二人ではない。

ごく最近のものだ。

今日の秋穂の様子を思い出す。いつもと違っていた。そして、結城も——。

——おれは、裏切られた。

恋人にも、そして友人にも——。

友人？　おれは、本当に結城の友人だったのか？

大学のときから、ずっと心の底にある思いを抱えてきた。才能に溢《あふ》れ、金を持ち、魅惑的な女と歩く。

羨望《せんぼう》——。

——おれは、本当に秋穂が欲しかったのか？　それとも、結城の隣にいる秋穂が欲しかったのか？

おれは、結城に嫉妬《しっと》していただけなんじゃないのか？

目を閉じ、うな垂れた。

違う——。

また、心の声が聞こえた。左手の甲が、熱を持つ。

そうだ。違う。こんなのは間違っている。

間違ったものは、修整しなければならない。

玉木の胸の奥に、黒い炎が宿った。

7

秋穂は、楽器とバッグを手に、逃げるように劇場を後にした。

自宅マンションへと向かう坂道を歩いている間も、さっきの光景が頭から離れることはなかった。

——あれは、いったい何なの？

ステージ上で行われた芝居が、圧倒的な迫力を持って網膜に焼きついた。

鮮血が飛び散り、肉がぶつかり合い、骨が折れる。

耳鳴りがした。

音叉《おんさ》を耳に近づけたときのような、キーンというハイピッチの音。

——そう。私は全てを知っている。

あの日、ホールの奈落《ならく》になど行かなければ良かったと思う。

指輪など、見つけなければ、何が起きたのかを知らずに済んだのに——。

「真矢秋穂さん」

秋穂がエントランスのオートロックを開けようとしたところで、背後から声を掛けられた。

驚きで飛び跳ねるようにして振り返った。

「刑事さん……」

秋穂の目の前に立っていたのは、刑事の石倉だった。

まるで狙いすましたようなタイミング。

「覚えていらっしゃいましたね」

口調は丁寧だが、バカにしているとしか思えない。

石倉は、顎《あご》を撫《な》でまわしながら、口許に薄ら笑いを浮かべている。

「まだ、何か？」

「実は、被害者の身許が判明しましてね。それをお伝えしようと思いまして……」

なんで、そんなことをわざわざ私に伝えに来るの？

「私には関係ありません」

秋穂は、ロックを開けてエントランスの中に逃げ込もうとしたが、石倉に手首を摑《つか》まれた。

「まあ、そう言わないで」

「放してください」

「逃げないで話を聞いてくれるなら、放してもいいですよ」

「分かりました。ですから、手を放してください」

秋穂は、叫び出したい気持ちを堪《こら》えるのがやっとだった。

石倉は、あっさりと秋穂の申し出を受け入れ、手を放した。すぐに逃げ出したかった。

だが、舐《な》めるような視線に搦《から》め捕られ、そうすることができなかった。

「被害者の写真を確認してもらうだけでいいんですよ」

「知りません」

「まだ、見せていませんよ」

「私が、被害者の顔なんて知ってるわけないじゃないですか」

「どうして、そう言いきれるんですか？　被害者は、あなたが写っている写真を持っていたんです。あなたのことを知っていたから持っていた。そういうことだと私は思います」

石倉は、歯を見せて笑った。なぜ、このタイミングで笑うの？　この刑事は、いったいどこまで知っているの？　まるで、死肉を骨まで食らうハイエナのようだ。

「……そんなの、私に関係ありません」

「まあ、そう言わずに、見るだけでいいんです」

石倉は、ジャケットの内ポケットから、一枚の写真を取り出し、秋穂の眼前に突きつけた。

小太りの男の顔だった。大きな団子鼻で、目が糸のように細い。頬はニキビの跡で凹凸が出来ている。脂ぎった長い髪が、暑苦しさを増していた。

——こんな奴。

秋穂は、写真を直視することができずに、足許に視線を落とした。

「知りません」

震える声でそう答えるのがやっとだった。

「本当ですか？　もっとよく見てください」

石倉が執拗《しつよう》に詰め寄る。

「知らないって言ってるじゃないですか！」

秋穂は怒鳴りながら、石倉の腕を撥《は》ね除《の》けた。

写真が、石倉の手から滑り落ち、ひらひらと揺れながらタイルの上に音もなく落ちた。

石倉は、口許に笑みを浮かべながらじっと秋穂を見返してから、老人のように緩慢な動きで写真を拾い上げ、元の場所にしまった。

「嘘はやめましょう。あなたは、彼を知っているはずです」

「嘘なんて……」

「彼、あなたと同じ音楽大学の学生だったんです。しかも、同期だ。知らないはずはない」

「同期っていっても、何百人もいます。知らないことだって……」

秋穂は、額に浮かんだ汗を拭《ぬぐ》いながら、必死の弁明を試みた。だが、観客のいないオーケストラホールで演奏しているかのように、胸に虚《むな》しく響いた。

石倉の鋭い視線に耐えきれず、言葉を途中で止め、視線を逸《そ》らした。

「いいんですか、そんなこと言ってしまって。嘘をつけば、それだけ取り調べのときに不利になりますよ」

秋穂は、口を開けたまま、何も言えずにいた。

貧血を起こしたときのように、頭がくらくらする。下腹部が、ナイフを刺されたように痛んだ。

秋穂は、自分の足で立っていることができず、マンションの壁に手を突いた。

「分かりました。今日のところは引き上げます。しかし、もし気が変わって話をしたいと思ったなら、ここに電話してください」

石倉が、名刺を差し出してきた。

「話すことなんて……」

「ここに電話して、私を呼び出し、全てを話す。そう言ってください。くれぐれも、他の人に話さないでください」

「え？」

「あなたの存在に気付いているのは、まだ私だけです。今なら、まだ手はあります。あなただけなら助けられるかもしれない。言っている意味は、分かりますか？」

石倉は、半ば強引に秋穂のバッグに名刺を突っ込むと、犬歯を覗《のぞ》かせながら、ニヤリと薄気味悪い笑みを浮かべた。

「私は……」

「そうじゃないと、あなた口封じされますよ」

「何の話をしているんですか？」

秋穂は、下唇を噛《か》んだ。

「ただの忠告です」

石倉が、耳許で囁《ささや》いた。生暖かく、柿の腐ったような臭いのする彼の息が顔にかかった。

背筋がぞっとする。

「口封じってなんのことです？」

「分かるでしょ。殺されるんですよ。秘密を守るために」

「秘密なんて、ありません」

「あるでしょ」

「知りません」

石倉は、否定の言葉を無視して話を続ける。

「そうなったとき、あなたは、その秘密を隠蔽《いんぺい》するための、生《い》け贄《にえ》にされるってことです」

「バカげてるわ」

「早く言ってしまった方がいい。あなたが喋《しゃべ》ってくれれば、私たちはあなたを守ることができる。だが、黙っているなら……」

石倉は、目を細め、指で首を水平に切る真似をした。

「連絡待ってます」

石倉は、そう言い残すと、背中を向けてゆっくりと歩き去っていった。

膝《ひざ》が震えた。

なんで、私がこんな目に遭わなきゃいけないの？

私が何をしたっていうの？

8

劇場を出た奈緒美は、玉川上水の駅で降りた。

結城の発言に端を発したトラブルにより、今日の練習は中止になった。

予定外に空いた時間を利用して、奈緒美は再び母校に顔を出すことにしたのだ。

秋穂と玉木のことは気になる。だが、それ以上に今朝、松崎から聞かされた自分の失われた記憶のことが引っ掛かった。

駅の階段を降り、最初の角を左に曲がり、線路沿いの道を真っ直ぐに進む。

「恩田匠」

その名を呟《つぶや》いてみる。

彼と過ごしたであろう母校に来れば、何か思い出すかもしれない。

漠然とした期待と不安が、胸の中で入り混じり、ハウリングを起こしたように、不快な響きとなって脳を震わせる。

茶色いレンガ造りの門をくぐり、構内に足を踏み入れた。

あちこちから、あらゆる楽器の音が発せられ、それらが反響して、無秩序な音楽を作り出している。

大学の四年間は、この音の洪水の中で過ごした。

あの頃は、それが当たり前のことだった。この無秩序さの中に、安息を見つけることができた。フルートの練習場所は、二号館で、十畳ほどの研究室の中には、所狭しと譜面が並び、足の踏み場もないほどだった。

――朽木は、もっと自信を持って演奏しろ。

奈緒美は、講師に毎回同じことを言われていた。

高音域を安定させるために、必死に腹筋をやった。線路を挟んだ向こう側に、白い建物が見えた。あれは、音大の学生寮。上京した最初の一年目は、あの場所で過ごした。

今まで、忘れていたことが、次々と蘇《よみがえ》ってくる。

松崎が言っていた言葉が頭を過《よ》ぎる。

記憶を消去してしまっているわけではない。ただ、思い出さないようにしまいこんでいるんですよ――。

他のことは思い出せるのに、どうしても彼のことだけが頭に浮かばない。

奈緒美は、苛立《いらだ》ちを押し殺して、校舎の裏手にある大ホールに足を運んだ。

緑のアーチ形の天井を持つ、赤レンガ造りのホール。その正面玄関に、あの写真にも写っていたカリヨンがあった。

奈緒美は、ここで恩田匠と思われる人物と手をつなぎ、微笑んでいた。

黒く塗り潰《つぶ》されていて分からないけど、写真の中の匠は、どんな表情をしていたのだろう。

がやがやと雑音が耳に届いた。

視線を向けると、ホールの正面玄関から、ぞろぞろと学生たちが出て来るところだった。

ホールの入り口に、ポスターが貼ってあるのが見えた。発表会があったらしい。

夢で見た光景が、奈緒美の網膜にフラッシュバックする。

ホールのステージに立ち、髑髏《どくろ》を持つ男。

もしかして――。

奈緒美は、その思いに突き動かされて、人ゴミを掻《か》き分けてホールの正面玄関に向かった。

つららのようなシャンデリアがぶら下がるエントランスを抜け、バックステージへと通じる鉄製のドアを開けた。

真っ直ぐ長い廊下が続いている。

何人かの学生たちが、楽器を持ったまま廊下で談笑していた。

奈緒美にも経験がある。演奏会の緊張と興奮を語り合っているのだろう。

懐かしさを覚えながら、学生たちの前を通り過ぎる。何人かの学生が「お疲れ様です」と頭を下げて来た。

OBのスタッフと勘違いしてくれているようだ。

奈緒美は、軽く会釈をしてその前を通り過ぎると、舞台袖《そで》から、大ホールのステージに出た。

照明は落とされ、薄暗くなっている。

まだ、何人かの学生が椅子などの片付けをしていた。

学生時代から、誰もいないステージに立つのが怖かった。それは、ステージ上に設置されたパイプオルガンのせいだ。

十メートルある天井まで伸びる無数のパイプが、圧倒的な存在感を放ち、まるで地獄へと通じる門のように、不気味な佇《たたず》まいで、そこに鎮座している。

立っているだけで、裁きを待つ罪人のような気分になってくる。

何かの警報のように、目の奥が、ちりちりと焼け付くように痛んだ。

夢の光景を思い出す。私は、どこかに閉じ込められていた。真っ暗な箱のような場所。そこから抜け出した先が、このホールだった。

あれは、単なる夢だったのだろうか――。

もしかしたら、現実に見た光景だったのかもしれない。忘れている記憶の断片が、夢となって現れた。

そうだとしたら、私はこのホールのどこかに閉じ込められていた。

「どこ？　私はどこにいたの？」

奈緒美は呟きながら、ステージの上を横断するようにゆっくりと歩く。

何も思い出せない。苛立ちだけが、降り積もる雪のように重くのしかかった。

コツコツ、と鳴るヒールの音のピッチが変わった。

奈緒美は、それを敏感に感じ取り、足を止めた。

そこは、ステージの奈落《ならく》へと通じる蓋《ふた》の上だった。

ミュージカルなどの舞台効果で使われるもので、普段はステージとして使用するのだが、三メートル四方のこの一角だけ、エレベーターのようになっていて、ボタン一つで上げ下げができ、この下は奈落へと通じている。

今、この下に降りてみたいけど、制御盤を操作しなければ動かすことができない。

奈緒美は、ステージを戻り、舞台袖から地下へと通じる階段を降りた。

その先にある、鉄製の重い扉を開けると、薄暗い奈落に出た。

華やかなステージ上とは、明らかに違う。剝《む》き出しのコンクリートに、雑然と荷物が置かれた空間。

黴《かび》臭い臭いが鼻をついた。

それをきっかけに、奈緒美の脳裏に、ある記憶が呼び起こされる。

いつだったかは分からない。だが、奈緒美は誰かを捜してこの場所を歩きまわっていた。

目の前が、一瞬真っ白になる。

やがて、過去の記憶が、映像となって網膜に浮かび上がってきた。

——私は、ホールの外で、誰かを待っていた。

だが、いつまで待っても、その人は現れなかった。だから、捜しに行った。

客席にも、ステージにもいない。それで、この奈落に足を踏み入れた。そのまま、奥へと進んだ。

そのとき、いきなり誰かが目の前に立った。

知らない人だった。逃げようとしたところで、今度は、後ろから羽交い締めにされた。

怖くて、必死に暴れた――。

下腹部が、締め付けられたように痛んだ。

身体中を舐《な》め回されているような不快感。全身に鳥肌が立った。

――お願い！　やめて！

奈緒美は、両手で顔を覆うようにして、左右に首を振った。

――あのとき、私は誰かに襲われた。

中年の男だった。

目を輝かせ、口許には薄ら笑いを浮かべていた。彼は、奈緒美を床に引き摺《ず》り倒し、何度も顔を殴った。

「いやぁ！」

奈緒美の叫びは、コンクリートの壁に反響し、まるで他人のもののように聞こえた。

男が私の上に覆い被《かぶ》さってきた。

ぬめぬめとした舌が、身体を這《は》いずりまわる。

煙草と汗の入り混じった不快な臭いが、いつまでも鼻にまとわりついている気がした。

胸がむかつき、吐き気に襲われる。

「いや……来ないで……」

奈緒美は、必死に暴れた。

だが、そこで記憶は途切れた――。

気が付いたときには奈落の奥にある、制御室の中にいた。

奈緒美は、記憶を頼りに、奈落の一番奥にある、制御盤が置かれている小部屋に辿り着いた。

小窓から、光が漏れているのが見えた。覗《のぞ》いてみるが、そこには誰もいなかった。人が、一人やっと入れるだけの狭いスペース。

奈緒美は、恐る恐る制御室の中に足を踏み入れた。

機械の熱で熱気が充満している。

気密性の高い部屋だ。

アームが縮み、自然にドアが閉まった。外部からの音が、完全に遮断される。

——息が苦しい。

額から流れ落ちた汗が、目に入った。

掌《てのひら》で目を擦《こす》り、制御盤に目を向けた。小型のモニターが並んでいた。

舞台裏や、客席、照明室、楽屋などホールのあらゆる場所のリアルタイムの映像が映し出されている。

モニターに指を触れた瞬間、奈緒美は身体に電気が流れるような衝撃が走った。

カメラのフラッシュを焚《た》かれたように、目の前が真っ白になる。

倉庫を映したモニターに目を向けた瞬間、ドクンと心臓が大きく跳ねた。

あのときも、このモニターで何かを見た——。

記憶が、錯乱する。

突然、今日の稽古《けいこ》で行われた役者たちの芝居が思い起こされた。

王の殺害シーン。

毒殺であったはずの内容が、大幅に改稿され、鉄パイプで何度も頭を殴り、ナイフを身体に突き立てるという、凄惨《せいさん》な殺人のシーンになっていた。

腹にナイフを突き立てられ、もがき、苦しむ。

生きようと、必死に手を前に突き出し、床を這う。

奈緒美の視界に、ノイズが走る。

やっぱり私は、あのシーンを見たことがある。

芝居ではなく、この部屋で、このモニターで——。

——お願い！　やめて！

私は、ここで何度も叫んだ。

だが、その声は届かなかった。

やがて、男は血だまりの中で動かなくなった。

彼の命の灯が消えた。

そして、私の中で何かが壊れた——。

手の震えが止まらない。膝《ひざ》に力が入らず、崩れ落ちそうになる。制御盤にしがみつき、堪《こら》えようとしたがダメだった。

――怖い。

身体の震えが止まらない。

――誰か。

奈緒美が、意識を失いかけたとき、制御室のドアが開いた。

「なにやってんすか?」

学生らしき男が、ドアロのところに立っていた。

新鮮な空気が、一気に肺に流れ込んで来た。

奈緒美は、逃げるようにして制御室から飛び出した。

「……ごめんなさい。ちょっと迷っちゃって」

震える気持ちを堪え、なんとかそれだけ答えると、奈緒美は壁に背中を付け、それを支えに立ち上がった。

「顔色悪いけど」

「……平気です。大丈夫ですから」

奈緒美は、額を押さえ、俯《うつむ》き加減に逃げるように制御室を出た。

誰かに追いかけられているような気がして、次第に歩調が速くなり、奈落を出たときには、走り出していた。

五年前、私はここで見てはいけないものを見た。

そして、それを忘れようとした――。

9

結城は、グラスに入ったウィスキーを揺らしながら、ソファーに身を沈めていた。

ステレオからは、ベートーベンの「交響曲第九番」の四楽章が、大音量で流れている。

アルコールとともに、雄大な調べに耳を傾ける。いつもなら、それだけで精神が落ち着いていくのだが、今日は、どうしてもダメだった。

ステージで繰り広げられた三文芝居が、頭から離れない。

本物の芸術家であれば、あんな凄惨な殺人現場でさえ美しく見せることができる。だが、あれは違った。

陰惨で、血なまぐさい。

剝き出しの人間の感情――。

まるで、ドキュメンタリーの映像を見ているかのようだった。

今、まさにそこで起きているようにすら錯覚した。

――自然に、あんな表現が浮かんでくるものだろうか？

結城は、考えを巡らせながら煙草に火を点《つ》けた。舌にビリビリと痺《しび》れるような感覚があった。

いや、あり得ない。細部のディテールまで忠実に再現されていた。実際に見ていない限り、あそこまでリアルに再現することは不可能だ。

少なくとも、柏井にはそんな発想力があるとは思えない。そもそも、柏井などという演出家の名前は聞いたことがない。

相葉は、その筋では有名だと言っていたが、それは本当なのか？　ミュージカルの演出家であれば、オーケストラをＢＧＭなどと言い切るはずがない。だいたい、あの傍若無人な態度はなんだ？

考えれば、考えるほど不自然さが目につく。

調べてみる必要があるかもしれない。

そう思い立った結城は、グラスをテーブルに置いて、リビングを出てすぐ右手にある書斎に入った。

フローリングの八畳の広さの部屋で、壁際の書棚には、総譜がずらりと並べられている。窓際にガラス製のデスクが置かれ、電源が入れっぱなしのデスクトップパソコンが置いてある。

結城は、そこに座りマウスに触れ、パスワードを入力して、スクリーンセイバーを解除して、インターネットの検索サイトを立ち上げる。

キーボードの横に、古いＩＣレコーダーが置きっぱなしになっていた。結城は、それをデスクの抽斗《ひきだし》に仕舞い、モニターに向き直る。

柏井武雄の名前で検索をかけた。

三千件あまりがヒットした。

これは、少ない。普通、商業ミュージカルの演出家なら、一万件前後のヒットはあるはずだ。

結城の中で、嫌な胸騒ぎがした。

表示された項目を順を追って眺めてみる。

大学の講師であったり、個人のブログであったり、何かの名簿だったり、どれもおおよそ演出とは程遠いものばかりだ。

検索条件を柏井武雄と演出家の二つに増やしてみる。

ヒットはゼロだった。

「そんなバカな……」

相葉からもらった資料には、過去の経歴として、幾つかの作品の名前が書かれていた。

それなりに、大きな興行も手がけていた。

――そうだ作品名だ。

結城は、相葉の資料にあった、柏井が演出したというミュージカルの作品名で検索をかけた。

作品自体は存在していたが、演出家の欄にあったのは、柏井の名前ではなかった。

「あいつは、演出家ではない……」

リビングに戻った結城は、相葉に確認の電話を入れようとしたが、思い留《とど》まった。

仮に、柏井という演出家が存在しなかったとして、相葉がそれを知らなかったなんてことはあり得ない。

実は、柏井が今回初めてミュージカルを演出することになったが、周囲に不安を与えないために黙っていた――。

「それは、不自然だ」

結城は、自分の考えを口に出して否定した。

――さあ、どうする？

迷っている結城の目に、サイドボードの上に置かれた名刺が映った。昨日から、ずっと置きっ放しにしてあったものだ。

結城は、その名刺を手に取り、書かれている携帯番号に電話を入れた。

しばらくのコール音の後、相手が電話に出た。

「私だ」

〈おれとは、もう話したくないんじゃなかったのか？〉

名前は言わなかったが、男はすぐに気付いたようで、絡みつくような粘着質な声で言った。

「少しばかり状況が変わった」

〈どう変わったんだ？〉

結城は、気持ちを落ち着かせるようにソファーに座り、氷が解けて薄くなったウィスキーを口に流し込んでから話を始める。

「調べて欲しい男がいる」

〈おれを、探偵か何かと勘違いしてるんじゃないのか？〉

男は、バカにしたような笑い声を上げてから言った。

――薄汚いネズミの分際で。

喉《のど》まで出た言葉を、息を止めて呑《の》み込んだ。

「もちろん、相応の報酬は用意するつもりだ」

〈いくらだ？〉

男の声色が変わった。

金で、ほいほい考えを変える。信念を持たない下衆《げす》な男だ。

「一本でどうだ？」

〈景気がいいじゃないか〉

「至急で頼みたいんだ」

〈いつまでだ？〉

「明日」

しばらくの沈黙があった。

イエスの返事をすることは分かっている。もったいつけて、少しでも自分の価値を吊《つ》り上げようとする。愚かな男だ。

——お前の価値など、どんなにあがこうとゴキブリ以下だ。

〈いいだろう。相手の名前は？〉

「柏井武雄という男だ」

〈写真はあるか？〉

写真——確か、相葉からもらった彼の経歴書に写真が貼ってあった。スキャニングして送ればいい。

「後でメールする」

〈他に分かっている情報は？〉

「今回、私が参加しているミュージカルの演出家だ」

〈なるほど〉

「それと、ステージ・アプルという制作会社も頼む」

〈分かった〉

電話を切りかけた結城だったが、不意に昨夜のことを思い出した。

「あ、それから——」

〈なんだ？〉

「彼女に、これ以上近付くな。怯《おび》えている」

〈何の話だ？〉

「とぼけるなよ。いいか、彼女はもう限界だ。これ以上余計なことをすると、自分の足を掬《すく》われるぞ」

結城は、強い口調で言ってから電話を切った。

いちいち説明して、議論するほどのことじゃない。あの男だって、バカじゃないだろうから分かっているはずだ。

結城は、グラスのウィスキーを一気に呑み干した。

六日目

1

「お願い！　やめて！」

奈緒美は、叫び声とともに目を覚ました。

ぬるぬるとした汗が、全身を包み込んでいる。

心臓が、胸を内側から激しく叩《たた》いている。上体を起こし、胸を押さえながら深呼吸を繰り返した。

——夢を見た。

いつもの夢とは違うものだった。残酷で、酷《ひど》く恐ろしいものだという感覚はあるのに、その内容を思い出すことはできない。

——なぜ、思い出せないんだろう？

もうこんなことはうんざりだ。何もかも壊してしまいたい。記憶が戻らないのなら、いっそ全てを忘れて楽になりたい。

奈緒美は、震える両手で顔を覆った。

ブーンと、テーブルの上の携帯電話が着信の振動を繰り返している。今は、誰かと話す気分になれない。

奈緒美は、携帯電話の着信が止むのをじっと待った。だが、一向に着信の振動が止むことはない。

「もしもし」

奈緒美は、留守電にしておかなかったことを、後悔しつつベッドの上から手を伸ばし、電話に出た。

〈朝早くからすみません。朽木奈緒美さんでいらっしゃいますか？〉

電話から聞こえてきたのは、やけにかしこまった口調の声だった。

何か、妙な胸騒ぎがする。

「はい。そうですが——」

〈私、国立警察署の新垣と申します〉

——また、あの刑事だ。

奈緒美の中に、不快感が広がっていく。この前のように、何かを質問されても、返答のしようがない。

「私は、何も……」

〈そうではないんです〉

新垣は、奈緒美の言葉を遮るように早口で言った。慌てているような調子だ。

「え？」

〈真矢秋穂さんという女性をご存じですね〉

刑事に、自分の友人の名前を出されるというのは、あまり気分のいいものではない。まして、この刑事はアパートで起きた殺人事件の捜査をしている。

「彼女が何か？」

〈実は、今朝、彼女と思われる女性の遺体が発見されまして……〉

「はい？」

奈緒美は、ワンテンポ遅れたタイミングで訊《き》き返した。

あまりに唐突過ぎて、新垣の言葉の中に、死という現実があることを理解するのに、時間がかかった。

〈ですから、真矢秋穂さんと思われる女性の遺体が、彼女の住むマンションの前で発見されたんです〉

爪先から、じわじわと実感が這《は》い上がってくる。

心臓がぎゅっと縮み、呼吸が止まった。いきなり冷たい水に投げ入れられたようだ。

「なんで？」

〈自宅マンションのベランダから転落したものと思われます〉

「転落？」

〈偶発的な事故なのか、自殺なのか、それとも何者かによって突き落とされたのか、そのあたりは、まだ捜査中です〉

「嘘よ！」

奈緒美は、新垣の声にかぶせるように叫んだ。

〈はい？〉

「秋穂が死んだなんて、嘘に決まってます！」

理不尽だと分かっていながら、苛立《いらだ》ちを新垣にぶつけた。

〈いや、ですから、遺体が真矢秋穂さんかどうか、確認して頂きたいんです〉

「私が？」

〈ええ。ご両親にも連絡をとったんですが、お住まいが鳥取だということで、到着までに時間がかかりそうなんです。私どもとしては、できるだけ早く身許の確認をしたいと思いまして、彼女の携帯の発信履歴を確認したら、あなたのお名前があったというわけです〉

新垣の申し出に応じるつもりではある。だが――。

「玉木君には連絡をとったんですか？」

〈ええ。最初に連絡をさせて頂いたんですが、捕まらないんです。もう一人、結城さんという方も、電話に出てもらえなくて……〉

新垣は、参ったという風にため息をついた。

「こんなときに……」

クレッシェンドをかけるように、玉木に対する怒りが湧き上がってきた。やがてその怒りの矛先は、自分自身にも向けられた。

新垣は、自殺の可能性もあるといっていた。

昨日、秋穂の様子は明らかにおかしかった。無理をしてでも、彼女のあとを追いかけていれば、こんなことにはならなかったかもしれない。

〈あの、身元確認をお願いできますよね〉

新垣が、催促するように言った。

ここで、あれこれ考えていても仕方ない。まだ、人違いの可能性もある。足を運べばいろいろと分かることもあるだろう。

「分かりました。どちらに行けば？」

〈国立総合病院です。受付で、待っていますので〉

国立の駅の近くだから、急いで支度をして出れば、三十分足らずで到着できるはずだ。

奈緒美は電話を切り、ベッドから立ち上がろうとしたが、膝《ひざ》に力が入らず、床の上にしゃがみ込んでしまった。

不意に、網膜に血塗《ちまみ》れの秋穂の姿が浮かんだ。

仰向けに倒れ、大きな目を剝《む》き出し、半開きの口から、血が滴《したた》り落ちている。

まるで、目の前で見ているかのように鮮明な映像だった——。

それが、幻覚なのか、実際に自分が目にした光景だったのか、奈緒美には分からなかった。

2

石倉は、遺体発見現場のマンションの前にいた。

吹きつける生暖かい風が、頬を撫《な》でる。眠気を誘う陽気だ。欠伸《あくび》を噛《か》み殺してから、現場確保のために張られた黄色いロープを潜《くぐ》った。

玉川上水にある、独身者用のワンルームマンションだった。

植え込みの脇のアスファルトの上に、白いチョークで、人のかたちが描かれている。

その頭の部分には、生々しく流れ出した血の染みが、生乾きのまま残されていた。視線を上げると、七階のベランダで作業をしている鑑識の姿が見えた。

二十メートル以上の高さがある。あそこから落下したのだから、ほぼ即死だ。

遺書らしきものは残されていない。部屋のドアも、鍵《かぎ》が開いたままになっていた。

窓ガラスが割れ、テーブルの上の物が、幾つか床に落ちていたが、ヒステリーを起こした彼女自身がやったという見方もある。

誤って転落したか、発作的な自殺といったところでカタを付ける。

「いやあ、やっと一人捕まりました」

新垣が、ほっとしたように表情をゆるめながら歩いて来た。

「何がだ？」

「あれですよ。身許確認してもらわなきゃいけないじゃないですか」

説明不足だったことに気付いた新垣が、慌てて言葉をつなげた。

「急いで確認する必要があるのか？」

身元はほぼ確定しているはずだ。部屋に残されていた運転免許証の写真との照合は終わっている。彼女は、真矢秋穂で間違いない。

「万が一があるじゃないですか」

「万が一？」

「ええ。この前読んだ推理小説では、実は、死んだのは違う人物だったんです。これには、私もビックリしました」

現実と小説の区別もつかなくなっている。どこまで能天気で愚かな男なんだ。

「それは、小説の話だ」

「いや、無下に否定はできませんよ」

「つまらん妄想だ」

「でも死んだ女って、例の遺体が持っていた写真に写っていた中の一人ですよね。しかも彼女の名前が……」

「決めつけるな」

石倉は、苛立ちを露《あら》わにした。

こいつと話しているだけで、脂身だらけの肉を食ったみたいに、胸焼けしてくる。

「何かあると思いませんか？　ただの事故にしては、出来すぎている。もしかしたら、同じ犯人が、彼女を自殺に見せかけて殺害したって可能性もあります」

「なんのために？」

くだらない。そう思いながらも、石倉は新垣に質問を投げかけた。

「復讐《ふくしゅう》ですよ」

「誰の？」

「そこは、調べてみないと分かりませんね」

やはり、こいつに訊いたのがバカだった。

テストができるだけのボンボンに、事件の真相を看破できるはずもない。

「現実的じゃねぇよ」

「じゃあ、こんなのはどうです」

話を打ち切ろうとした石倉を無視して、新垣が興奮気味にさらなる推理を展開しようとする。

「実は、雨宮を殺したのがこの女で――」

「それで、罪の意識から自殺したってわけか」

新垣の言葉を引き継いで言った。「そうです。そうです」と新垣は手を叩《たた》いて喜ぶ。バカバカしい。こいつの理論は、穴だらけだ。

実際に、犯罪の現場を見たことのない人間の言う、机上の空論に過ぎない。

「罪悪感から自殺するような女が、五年も経ってから、わざわざ遺体を掘り起こして、雨宮の遺体をアパートに放置した理由はなんだ？」

「それは……」

新垣が、視線を宙に漂わせながら口ごもる。

「くだらない」

石倉が言うのと同時に、新垣が犬みたいに鼻をひくひくさせる。

「警部も匂いついちゃったんですね」

石倉は、腕を鼻に近づけてみる。

鼻腔《びこう》にツンと突き刺さる柑橘《かんきつ》系の匂いが染み付いていた。

真矢秋穂の部屋には、蓋《ふた》の開いた香水の瓶が転がっていた。本人がうっかりこぼしてしまったのか？　それとも、誰かともみ合った拍子にこぼれたのか？

考えるまでもなく、石倉はその答えを知っている。

「お前は、こんなところでお喋《しゃべ》りをしていていいのか？　身許確認で病院に行くんだろ」

「あ、そうでした」

石倉の言葉に、新垣は慌てた様子で黄色いロープを潜り、ヤジ馬を掻《か》き分けて歩き去った。

現実は、推理小説のようにはいかない。

かかわった人間それぞれの思惑が複雑に絡み合い、思わぬ化学反応を起こし、事態を導いていく。

どこに到達するかなど、神にすら分からない。

胸に、痰《たん》がつかえる。空咳《からせき》をして、それを吐き捨てた。アスファルトに張りついたのは、真っ赤な血の塊だった。

――今さら、後戻りは出来ない。なるようになるさ。

石倉は、胸の内で呟《つぶや》いてから、煙草に火を点《つ》けた。

3

玉木は、真っ赤に充血した目を見開き、じっとピアノの鍵盤《けんばん》を睨《にら》みつけていた。

身体は疲弊しているのに、沸き上がる怒りと失望により、脳が覚醒《かくせい》していた。

少しでも気持ちを落ち着けようと、ピアノの前に座った玉木だったが、指はまったく動かなかった。

どの音階も、神経を逆撫《さかな》でする雑音にしか聞こえなかった。

目を閉じると、いつも網膜に同じ男の顔が浮かぶ。結城康文――。

玉木は、学生時代から、ずっと結城の影を追いかけてきた。

天は二物を与えずという言葉は、嘘っぱちだ。結城は、玉木の持っていないものを、なんでも持っていた。

左手の甲が、熱を持つ。皮膚の下を、虫が這《は》いずり回っているような不快感――。

そもそも、結城と秋穂の別れは、玉木が仕組んだものだった。汚い手を使い、二人を遠ざけた。そうでもしなければ、秋穂を手に入れることはできなかった。

秋穂は、玉木に結城の影を重ねていたのだろうか？　もしそうなら、影が本物に敵《かな》うわけがない。

結城が戻って来た瞬間に、全ては終わっていた――。

――おれは、どうすれば良かったんだ。

インターホンが鳴った。

聞こえてはいたが、玉木は応答する気にはなれなかった。今は、誰にも会いたくない。

ドンドンとドアを叩く音がした。

――しつこい奴だ。おれは、誰にも会いたくないんだ。

ドンドン。

――やめろ。苛々《いらいら》する。

ドンドン。

クソ。黙らせてやる。

玉木は、ふらふらと立ち上がり、玄関に向かいドアを開けた。

「やっぱり、いらっしゃったんですね」

そこに立っていたのは、野島だった。

前に会ったときと同じジャケットに、薄汚れたジーンズを合わせていた。

その濁った目で、おれを見るな。

おれは、秋穂と幸せになりたかった。

だから、この男の口車に乗り、スパイまがいのこともした。だが、それも全て無に帰した。今さら、この男に話すことなど何もない。

「帰ってくれ」

突き放すように言い、ドアを閉めようとした。しかし、野島はドアの間に身体を滑り込ませ、それを阻止した。

どこまでも図々《ずうずう》しい男だ。

「帰るのは構いませんが、その前に、あなたに伝えなければならないことがあります」

――伝えなければならないこと？

どうでもいい。今さらこの男の話を聞いても、何も変わらない。思わせぶりな台詞《せりふ》にも、玉木はまったく興味が湧かなかった。

秋穂が戻ってこないなら、ドイツで結城が何をしようと関係ない話だ。

「うるさい。さっさと消えろ」

「玉木さん。あなた知らないんですか？　真矢秋穂さんが、今朝死にました」

野島は、神妙な顔で言った。

——死んだ？

「秋穂が？」

「ええ。マンションの前に倒れているのが発見されました」

秋穂が死んだ——死ぬってどういう意味だ？

息をしていない物理的な状態のことを言っているのか？　それとも、人の思い出から消え去り、存在が消えたという意味か？

——分からない。

「玉木さん。これはドイツの事件と同じです」

ドイツの事件——。

野島の言葉により、玉木の脳裏に急速にある映像が呼び覚まされた。

アスファルトに投げ出され、四肢をだらしなく開き、頭から血を流している女の姿。

半開きの口からは、血が滴《したた》り落ちている。

カッと見開かれた目は、真っ赤に充血していた。

その顔が、秋穂の顔と重なる。

「ドイツの……」

「そうです」

「秋穂は、死んだのか？」

「そうです」

野島が、頷《うなず》いた。

――死んだ。

もう二度と、彼女の微笑みを見ることができない。

玉木は、ようやく現実を受け止めた。

鈍器で殴られたみたいに、頭が揺れた。秋穂の死という実感が、まるで毒がまわるかのように、ゆっくりと身体を痺《しび》れさせていく。左手の甲が痒《かゆ》い。

爪を立て、ガリガリとかきむしる。

傷口が開き、血が滴り落ちたが、それでも構わず掻く。

爪で、肉を抉《えぐ》るように、何度も、何度も――。

それでも、痒い。

「いいですか。よく聞いてください。今のところ、自殺の線が濃厚だと思われていますが、すぐに警察は殺人事件だと気付くでしょう」

――殺人事件？　秋穂は殺されたのか？

「誰が？　なんのために？」

「秘密を守るため……そう言えば分かるでしょ」

「もしかして……」

野島の言葉で、玉木は全てに合点がいった。

そうか。そういうことだったのか。秋穂を殺したのは、あいつだ——。

「玉木さんの推察の通りです。ですが、警察はそう思っていない」

「なんだと？」

「第一容疑者は、あなただ」

——おれが、容疑者？

「なんで、おれが？」

「そうなるように、仕向けられたんですよ。彼によって」

——おれは、嵌《は》められた。

「すぐに警察がここにやって来ます。あなたには、警察に捕まる前に、やらなければならないことがあるんじゃないんですか？」

野島の言葉が、考えることを拒絶していた脳を、覚醒させていく。

胃が、急速に収縮し、嘔吐《おうと》した。

頭が、割れるように痛い。キーンという高周波の耳鳴りがする。

そうだ。おれには、やるべきことがある。

——秋穂。

4

「お待ちしていました」

奈緒美が、病院のエントランスに到着すると、新垣が声をかけてきた。

簡単な挨拶《あいさつ》を済ませ、新垣に案内されるかたちで、地下へと通じる階段を降り、霊安室に足を踏み入れた。

コンクリートに囲まれた十畳ほどの部屋は、薄暗く、遺体の腐敗を防ぐため、冷蔵庫のようにひんやりしている。

消毒液の臭いが、つんと鼻をついた。

部屋の中央には、ストレッチャーが置かれていて、その上に白い布をかけられた遺体が横たわっていた。

そこに生命の息吹はなく、まるで物のような佇《たたず》まいだった。

――本当に、秋穂なの？

信じられない思いで、奈緒美はストレッチャーに歩み寄った。靴音が、コンクリートの壁に反響し、何重にも聞こえた。

ストレッチャーの前まで来たところで、新垣が顔にかかった布を外した。

頭に包帯が巻かれ、頬にはガーゼが貼り付けてある。

唇は、あじさいのような青紫色に変色し、顔は血色がなく、真っ白で、全体的に浮腫《むく》んでいた。

昨日までとは、別人のように変わり果てていたが、それが誰なのかは確認できた。

口にするのと同時に、涙が溢れてきた。

一緒にご飯を食べたことや、喫茶店でお茶したこと。演奏会の後、ホールでいつまでもお喋《しゃべ》りに興じていたこと――。

彼女との楽しかった思い出だけが、走馬灯のように頭の中を駆け巡る。

――玉木と結婚することにした。

秋穂から、その報告を受けた時、奈緒美はまるで自分のことのように幸せな気分になった。

いろいろなことを乗り越え、やっと辿《たど》り着いた小さな幸せ。

「どうしてこんな――」

身体の力が抜け、倒れてしまいそうになるのを、新垣に支えられて、辛うじて堪《こら》えることができた。

「大丈夫ですか?」

「はい」

奈緒美は、掠《かす》れた声で返事をして、深呼吸を繰り返す。しっかりしなければ。自分に言い聞かせ、新垣の支え無しに、もう一度秋穂の前に立った。

「彼女は、真矢秋穂さんで間違いないですか?」

「はい。秋穂に間違いないです」

「秋穂――」

言葉とは裏腹に、信じられない思いでいっぱいだった。

奈緒美は、溢《あふ》れてくる悲しみを、歯を食い縛ることで堪え、正面に立つ新垣を真っ直ぐに見据えた。

「なんで、彼女はこんなことになったんですか？」

「まだ、捜査中としかお話しできませんが、自殺の可能性が高いと思われます」

新垣は、眉《まゆ》を下げ、困ったような表情をしながらも、淡々とした口調で言った。

「嘘です。彼女が自殺するはずがありません。だって、三ヶ月後には、結婚する予定だったんです。それなのに……」

鼻がつんとなり、再び涙が流れ出した。

「実は、そのことで、ちょっとお訊《き》きしたいことが、あるんですが……」

新垣が、奈緒美の肩に手を置き、外に出ようという風に促した。

さっき、捜査状況としては自殺の可能性を示唆していたが、新垣個人としては、別の見解を持っているようだ。

奈緒美は、同意して霊安室から出て、廊下に置いてあるベンチに新垣と並んで座った。

「こんなこと言っていいのかな……」

新垣は、何かを躊躇《ためら》っているように、ブツブツと呟《つぶや》く。

「なんですか？」

奈緒美は、指先で涙を払い、新垣の横顔に目を向けた。

「実は、ちょっと気になることがありましてね」

「気になること？」

「ええ。ちょっと、これを見てください」

そう言って、新垣はジャケットの内ポケットから写真を取り出し、奈緒美に手渡した。

その写真を目にするなり、奈緒美は驚きで言葉を失った。

ホールの正面にあるカリヨンの前で撮影された写真だった。

画像が粗く、自分の隣にいる人物の顔は判然としないが、自分を含めた他の四人ははっきりと確認できる。

「これは？」

――なぜ、警察がこの写真を持っているの？

奈緒美は喘《あえ》ぐように新垣を見返した。

「この前、あなたに失礼なことをしました。そうなったのは、この写真が原因なんです」

新垣は、照れ臭そうに耳の後ろをかいた。

「写真の……」

「その写真、アパートで発見された白骨遺体が握っていたんです」

「なぜ？」

私たちの写真を、白骨遺体が持っていたのだろう――。

「分かりません。現在捜査中です。写真に写っている人物と、あなたが似ていたものですから、少し反応を見ようと思って……」

それで揺さぶりをかけた。

新垣は「すみません」と、ぺこりと頭を下げた。

「別にいいです。それより……」

「あ、はい。で、まだ発表はしていませんが、昨日になって、白骨遺体の身許が判明しました。雨宮礼司という男です。知っていますか？」

「え？」

奈緒美は、その名前に聞き覚えがあった。

「もしかして、音大生だった人ですか」

「はい」

やっぱりそうだ。雨宮礼司は、音大のクリスマス・コンサートで、首席者が務める指揮を振った人物だ。

結城とは真逆で、過剰なほど感情豊かに指揮を振る。

誰もが認める実力の持ち主で、将来を嘱望されていたが、いつの間にか大学に姿を見せなくなった。

詳しいことは知らないが、大学の首席者が卒業間際に行方不明になったと、ちょっとした騒ぎになっていたのを記憶している。

「そんな……」

「どう考えても不自然なんです。五日前に音大生の白骨遺体が発見され、今日になり同期生の真矢秋穂さんが転落死した。これは、まったくの偶然でしょうか？」

新垣が、手をこすり合わせるようにして、目を細めた。

「どういう意味ですか？」

「これは、あくまで私見ですが、もし犯人が、この写真に写っている人物を次々と殺害しているとしたら？」


次に殺されるのは、結城か玉木か、さもなくば——。

「私も、殺されるかもしれない」

奈緒美は、固唾《かたず》を呑《の》みながら、震える声で言った。

「あくまで、私の推理です」

「でも、なぜ？」

「分かりません。何か思い当たることは？」

「いいえ」

首を左右に振って答えた。

「くれぐれも、気を付けてください。何かあれば、すぐ私に連絡をください」

新垣は、名刺をベンチの上に置きながら立ち上がり、そのまま廊下を歩き去っていった。

混乱で、頭が破裂しそうだった。

今、起こっていることは、奈緒美の理解の範疇《はんちゅう》を超えていた。

5

結城は、自宅マンションのソファーで総譜に目を通していた。

指揮に集中したいのに、予定外のことが次々と起きて、思うように進められない。極めつけは昨日の事件だ。

シナリオ変更などという話は聞かされていない。全てを放棄してやろうかとも思ったが、それはできない。今回のミュージカルの出資者は、誰あろう自分自身だからだ。一週間前の降板ということになれば、公演が頓挫《とんざ》するのは確実だ。

何より、柏井に対する疑念はまだ払拭《ふっしょく》されていない。

苛立《いらだ》ちが再燃したところで、インターホンの音が鳴り響いた。モニターに映ったのは、あの男だった。

「こんなときに……」

結城は、玄関のドアを開けて彼を出迎えた。

男は、口許に薄ら笑いを浮かべながら、リビングに入り、脚を組んでソファーに座った。両手を羽のように広げ、我が物顔だ。

——厚顔無恥なゴキブリめ。

「なぜ、ここに来た？」

結城はソファーに座り直し、煙草に火を点《つ》け、男に向かって煙を吹き付けた。

「まるで、会いたくなかったみたいに聞こえるな」

「よく分かってるじゃないか」

「頼みごとをしておいて、ずい分と偉そうだな」

男は、喉《のど》を鳴らしてから、煙草に火を点けた。

「何か分かったのか?」

「ああ」

「それで?」

男は、手を振ってはやる結城を制すると、ぐいっと身体を乗り出す。

「その前に、することがあるだろ」

煙草臭い息が、鼻にまとわりつく。

今すぐにでも殴り倒してやりたい。拳《こぶし》を固くして、沸きあがる怒りを静めた。

ソファーの脇に置いたカバンから財布を取り出し、中に入っていた万札を全部取り出し、テーブルの上に置いた。

男は、エサに食いつくように、素早い動きでその万札を手に取ると、指を舌で湿らせて勘定を始める。

「一、二、三、四……。十枚」

「充分だろ」

「ふざけてるのか？　桁《けた》が一つ違う」

男は、充血した目を瞬《しばた》かせながら食ってかかってきた。

結城は、煙草をガラス製の灰皿に押しつけて消してから、財布の中のカードを一枚取り出し、テーブルの上に放り投げる。クルクルと回転しながら滑るカードを、男が指先で止めた。

「クレジットカードだ。百万円までキャッシングできる。暗証番号は4236」

男は、満足そうに笑うと、現金とカードをポケットの中に押し込み、代わりに折り畳まれた一枚の紙を取り出し、テーブルの上に広げた。

白黒でコピーされた履歴書のようなものだった。

小太りの男の、正面と真横から撮影した写真が貼りついている。

「柏井というのは、この男で間違いないか？」

「ああ。こいつだ」

結城は、答えながら紙を手に取った。その紙から、ほんのり柑橘《かんきつ》系の香水の香りがした。

この男が、日常的に香水を身に付けるとは考え難い。

どこかで嗅《か》いだことのある香りだった。

男が、灰皿で煙草の火を消しながら説明を始める。

「男の名前は、米村純一《よねむらじゅんいち》」

「偽名？」

「そうだ。ついでに言うと、演出家だなんて、真っ赤な嘘だ」

「何をやっている？」

「こいつは、詐欺の常習犯だよ」

「確かなのか？」

「何年か前に、新宿でバーを経営する男と共謀して詐欺を働いたことがあってな、そのとき、おれはこいつに会っている」

「なんてことだ……」

洗えば何か出て来ると思っていた。だが、予想外の素性に結城は言葉を失った。

よりにもよって詐欺とは――。

「詐欺には色々と種類がある。結婚詐欺や振り込め詐欺。それぞれの得意分野を持っている」

「こいつは？」

「取り込み詐欺と融資詐欺が専門だ」

「それは、なんだ？」

「簡単に言えば、企業を対象にして、新規事業や融資の話を持ち出して、金銭を騙《だま》し取るんだよ」

「まさか――」

相葉も、この米村という男に騙されていたのか――だとしたら、私の金はどうなる？

「それと、米村は近々逮捕される予定だ」

「逮捕……だと？」

結城は、冷静さを保とうとすればするほど、指先が震えた。

「ああ。この男、ステージ・アプルという制作会社で三年前から働いてる」

「冗談だろ。詐欺師が一般企業に潜り込めるわけないだろ」

それに、ステージ・アプルで働いているのは相葉のはずだ。

「一般じゃねぇよ。こういう業界は、元がヤクザみたいなもんだから、いい加減なんだよ。制作費を持ち逃げした奴が、ほとぼりが冷めてから戻ってくるなんてのはざらだ」

「だが、経験もないのに雇ったりはしないだろ」

「いや、米村には舞台制作の経験があるんだよ。業界の仕事をしながら、スキを見ては、詐欺を働く。そういう奴だ」

男が、鼻で笑いながら言った。

結城も、業界には疎いが、納得してしまう部分がある。

芸能人などはいい例だ。麻薬密売に始まり、恐喝や窃盗と罪を犯した人間が、数年後に素知らぬ顔でテレビに出ているなんてことは当たり前だ。

つい先日も、覚醒剤《かくせいざい》で逮捕されたミュージシャンが、復帰のコンサートを終えたばかりだ。

一般の企業では、こんなことはあり得ない。犯罪者になった瞬間、どこも雇ってはくれない。業界全体のモラルが欠落しているのだ。

「企画自体嘘だったのか？」

「いや、ミュージカルの企画自体はあったらしいが、制作上のトラブルから、演出家と指揮者を降板させた」

男の言葉に、結城は違和感を持った。

「ちょっと待ってくれ。私は演出家が体調不良で降板し、指揮者が行方不明になったと聞いている」

「そんなもんは嘘に決まってるだろ。米村は、今回の公演の制作を任されていたんだ。おそらく、詐欺を仕掛けるために、裏から手を回して降板させたんだろう」

「私を詐欺のカモにするためにか？」

「そういうことだ。演出家と指揮者の降板で、ステージ・アプルは一週間前に公演の中止を決めている」

「冗談じゃない」

「まあ、座れよ」

男に言われて、結城は初めて自分が立ち上がっていることに気付いた。

結城は、ソファーに座り直し、大きく息を吐き出しながら、白い天井を仰いだ。

「米村は、ミュージカルの公演を中止にしながらも、そのことを公にしなかった。自分が演出家になりすまし、お前という指揮者を引っ張り込み、稽古《けいこ》を続けた」

「なんのために？」

「投資家に見せるために決まってるだろ。融資詐欺はな、千万ときには億単位の金が動く。金を払わせるためには、それっぽく演じなきゃならん」

男の言葉はもっともだ。

現に、結城自身が、稽古が行われていることと、劇場が押さえられていることで、これが詐欺だなんて微塵《みじん》も疑わなかった。

相葉が言っていたことを思い出す。

ミュージカルの費用は、ほとんどが後払い。ミュージカルの稽古を続けたところで、損失はゼロに等しい。

「いつ、それが分かった？」

「何日か前に、タレ込みがあったそうだ。それで、警察が内偵を進めている。しっぽを摑《つか》んだって喜んでたぜ」

「なんてことだ……」

結城は、思わず笑ってしまった。そうしなければ、ズタズタに引き裂かれたプライドが修復できなくなりそうだ。

——三千万円だぞ。

何が、元金は保証されるだ。何が利益の四十パーセントだ。投資の戻りどころか、今回の指揮に対するギャラすら支払われないことになる。

——完全に破産だ。

「まんまとやられたな」

男の言葉が、頭の中で反響する。まさにその通りだ。

結城は、震える手で煙草に火を点《つ》けた。ずしりと煙が肺に流れ込む。

「もう一つ、サービスだ。調べている刑事の話では、今回の詐欺は、米村の発案ではなく、何者かから依頼を受けたと言ってるらしい」

「依頼？」

「米村名義の携帯電話の通話記録だ」

男はスーツの内ポケットから一枚の紙を取り出し、テーブルの上に広げた。

結城は、怒りを抑えながら、その紙を手に取った。

「どこの誰かは知らんが、お前を陥れようとした奴がいるってことなんじゃないのか？」

男は、意味深長に言うと膝《ひざ》に手を当てながら、ゆっくりと立ち上がった。

——身内に気をつけろ。

前に男が言っていた言葉が脳裏を過《よ》ぎる。

抑えようとすればするほど、身体の芯《しん》に、熱い怒りが蓄積されていく。昨日、役者たちが演じた芝居が思い起こされた。

あの凄惨《せいさん》な殺人の現場。あれは、見た者でなければ、決して再現できない光景だ。

結城はカバンの中から、楽団員の連絡先が書かれた名簿を取り出し、通話記録の一覧と照合してみる。

予感は的中した。

――玉木。お前なのか？

結城は、呪いの言葉のように心の内で呟《つぶや》いた。

「それで、お前は幾ら投資した？」

男は、げっぷをしながら言った。

「三千万」

「それで、闇金から借りたのか」

「なんだって？」

結城は、眉《まゆ》をひそめて訊《き》き返した。

男の言葉が聞き取れなかったわけではない。意味を、かみ砕くことができなかったからだ。

「覚えがないのか？」

「知らない」

男は破顔し、子どものように腹を抱えて笑い転げた。

「やられたな。お前は、闇金に三千万の借金をしていることになっているぞ」

「なっ」

結城は言葉を失った。冗談じゃない。私は、自分の口座から三千万を支払ったんだ。闇金に金まで借りて投資するバカがどこにいる。

——私が印鑑を取りにうかがいます。

相葉の言葉が呼び覚まされた。

そういうことだったか。何が書類の不備だ。何が時間の短縮だ。なぜ、私はこうも簡単に騙《だま》された。

——焦っていたのか？　何に？

「早いとこ返さないと、大変なことになるぞ」

言いながら、男は立ち上がった。

男の言葉通り、このままにしておけば、借金はすぐに億を超えるだろう。支払いが滞れば、それに見合った代価を払わされる。

——もう、何もかもが終わりだ。

結城は、放心して白い光を放つ天井のランプを見上げた。

「そうだ。もう一つ」

男はリビングのドアに手をかけたところで立ち止まり、再び口を開いた。

「お前の恋人だった女。名前はなんだったかな……」

「秋穂だ」

「そう。そうだった」

「彼女がどうした？」

「死んだよ」

「なっ……」

結城は、それ以上、言葉が出なかった。

「自宅マンションのベランダから飛び降りた。たぶん、自殺ってことになるだろうな」

男は、独り言のように言った。

──なぜだ？　なぜ、秋穂が死んだ？

腹の中で、何かが這《は》いずりまわっている。蛇のように黒くて、ぬるぬるした不快な感触。

今にも、喉《のど》から吐き出されそうだ。

「お前も、余計なことを喋《しゃべ》ると寿命を縮めるぞ──」

男が、言った。

お前も──だと？

それに、この香水の香り。

「お前がやったのか？」

結城は、喘《あえ》ぐように言った。

「お互いのためだ」

男が振り返り、苦笑いを浮かべた。

ぶつっと頭の奥で、ヴァイオリンの弦が切れるような音がして、結城の中で張り詰めていた何かが解き放たれた──。

「石倉！」

結城は、叫び声を上げながら、テーブルの上にあったガラス製の灰皿を手に立ち上がり、振り返りざまの石倉の頭頂部めがけて振り下ろした。

ゴツンと鈍い音がして、石倉はフローリングの床に転がった。

6

「先生……」

奈緒美は、すがるような思いで、松崎の診療所を訪れた。

病院を出たあと、奈緒美にはある考えが浮かんでいた。それは、心のずっと奥に、常につきまとっていた。

それを認めるのが恐ろしかった。だから、考えないようにしていた。

だが、秋穂が死んだ今、それを認めなくてはならない――。

アポイント無しで足を運んだのだが、松崎は、まるで来ることを知っていたみたいに「どうぞ」と椅子に座るよう促した。

「何かあったんですね」

「友だちが……死にました……。あの、写真に写っていた女性です」

「そうですか」

松崎は、それすらも予期していたことであったかのように、目を伏せ小さく頷《うなず》いた。

「私、どうしたらいいか分からなくて……」

ユニットバスの鏡に書かれた文字、大学のホールで、断片的に思い出した記憶、目の前のアパートで発見された白骨遺体。

そして、秋穂の死――。

それら全ては、カリヨン広場で撮影した、あの写真につながっている。

黒く塗り潰《つぶ》された写真の男、恩田匠に辿り着く。

「奈緒美さんの記憶と、その女性の死が、関係あると思ってるんですね」

松崎は、ワイヤーフレームのメガネを外し、目頭を押さえるようにしながら言った。

「きっとそうだわ……」

「大丈夫です。焦らないでください」

「先生も知っていたんでしょ」

「何をですか」

「私の中に、別の私がいる。だから、思い出せない記憶がある」

――多重人格。

認めたくないけど、そうとしか考えられない。

「バカなことは言わないでください」

松崎の言葉をきっかけに、奈緒美の心の中で何かが弾《はじ》けた。

「バカなことじゃないわ！　私は、何を忘れてるの？　なぜ、忘れたの？　秋穂は、なぜ死んだの？　お願い！　誰か教えて！」

今まで、ギリギリのところで均衡を保っていた奈緒美の感情が、爆発した。苛立《いらだ》ちが抑えきれなくなり、両手でめちゃくちゃに髪をかきむしった。

──もう嫌だ！　こんなの耐えられない！

私の心が、音をたてて壊れていく。

「落ち着いてください」

松崎が、耳許で囁《ささや》きながら、奈緒美の肩に掌《てのひら》を乗せた。

「私は……」

「一つずつ整理しながら考えていきましょう」

「私の中にいるのは誰？」

「考え過ぎです」

「だって、おかしいじゃない。私は何も覚えてないのに、おかしなことばかり起きて……」

アパートの白骨遺体も、墓地に埋められていた頭蓋骨《ずがいこつ》も、そして秋穂を殺したのも、全部私だ。

鏡に書かれたメッセージは、無意識のうちに自分に与えた警告。

こうなる前に、気付けと訴えていた。

それが、奈緒美の辿り着いた結論だった──。

「もしかしたら、五年前に自殺した匠という人も、本当は私が殺したのかもしれない」

全部、私が――。

もう嫌だ。だから、お願い――。

「先生。私を殺して」

奈緒美は、目を閉じ、身体を硬くして訴えた。

勢いで出た言葉ではなかった。本気で、そう願った。

もう誰も傷つけたくない。そして、何より奈緒美自身がこの苦しみから解放されたいと願った。

松崎なら、その願いを聞き入れてくれる。そう思った。

しばらくの沈黙の後、震える奈緒美の身体を何か温かいものが包み込んだ。

震えが止まった。奈緒美の強張《こわば》った身体から、力が抜けていく。目を開けなくても分かる。私は、松崎の腕に抱かれている。

男性の腕の中にあるのに、不快感はなかった。ただ、心地よくて温かかった。

「大丈夫です。私がついています」

耳許で松崎が囁くように言った。

「私は……」

「あなたは、目が覚めたときに、恐ろしい真実を知ることになるでしょう。しかし、決して自分を責めないでください」

恐ろしい真実――。

松崎は、まるで、奈緒美の失われた記憶をすでに知っているかのように言った。

目の奥が痛む。

「どういうことですか？」

「いいですか。決して自分を責めてはいけません。過去に戻ることができたとしても、どうにもならないことだったのです」

松崎は、有無を言わさぬ口調で言いながら、奈緒美を抱きしめる腕の力を強めた。

もう二度と、この人とは会えない――。

奈緒美の中に、漠然とした不安が広がっていく。

「先生。私……」

「少し、痛みます」

松崎が、そう言うのと同時に、奈緒美は、首筋にチクリと針で刺したような痛みがあった。

驚き、松崎から離れようとしたが、強く抱きしめられた腕に阻まれ、奈緒美は身動きが取れなかった。

――先生、何を。

身体の力が、だんだんと抜けていく。

目蓋《まぶた》が重い――。

意識が遠のき、真っ暗な世界が広がっていく——。

「さよう……な……ら」

耳許で松崎が囁いた。

その言葉の意味を理解する前に、奈緒美の意識は深い闇の中に落ちていった——。

7

石倉は、頭頂部に走る鈍痛で目を覚ました。

何度か目を瞬《しばた》かせると、ぼやけていた視界が次第にはっきりしていく。

月が見えた——。

夜空に、青白い光を放ちながらぽっかりと浮かぶ月。

ここはどこだ？

石倉は、すぐに起き上がって確認しようとしたが、できなかった。両手が後ろに回り何かで縛られている。足首も同じだった。

状況だけでも確認しようと、周囲に視線を走らせる。土に囲まれていた。

ここは、地面に掘られた穴の中——。

身体の大きさに合わせ、作られた墓穴の中にすっぽりとおさまっている。

クソ！　なんなんだ！

「誰か！　ここから出してくれ！」

石倉は、声を張り上げた。

それに反応するかのように、男が顔を覗《のぞ》かせた。

「目を覚ましたか」

結城康文だった。

その顔を見て、石倉は自分に何があったのか、ようやく思い出した。結城の家から帰ろうとして、後ろからいきなり殴られた。

「貴様！　なんのつもりだ！」

石倉は、唾《つば》をまき散らし、凄《すご》みをきかせて叫んだ。だが、こんな状態では強がりにしかならない。

「それは、こっちの台詞《せりふ》だ」

結城は動じた様子もなく、淡々とした口調だった。

「なんだと？」

「なぜ、秋穂を殺した？」

背筋がゾクリとした。結城が、こんな暴挙に出た理由はそれか。

「おれじゃない」

「あんたから、香水の匂いがした。秋穂がつけていたのと同じやつだ」

石倉の額に、ぶわっと玉のような汗が浮かぶ。

不覚だった。彼女をベランダから突き落とそうと、揉《も》み合いになったとき、うっかり香水の瓶を倒してしまった。

匂いくらい、どうということはないと思っていた。

「今、付き合ってるキャバクラの女が……」

「嘘をつくな！」

結城の甲高い声が響き渡る。

「おれは、刑事だ。現場に行ったんだから匂いくらいつくさ」

「なぜ、理由を変えた？」

結城は、冷静さを失ってはいない。

それに反して、石倉はまさに墓穴を掘った。混乱して、言い訳の順番を間違えた。

「おれの責任じゃない。あの女は、五年前の事件を警察に話すって言ってきたんだ。そうなれば、おれも、お前も終わりなんだよ。分かるだろ」

石倉は早口で弁解する。

昨日の夜遅く、石倉の携帯電話に秋穂から電話があった。

――五年前の事件について、私の知っている全てを話します。だから、助けて。

そう言ってきた。

「秋穂は、五年前の事件については、何も知らない」

結城が、凍り付きそうなほど冷たい目をした。

「そう思っているのは、お前だけだ」

「彼女は何も知らない。そういう契約だったんだ」

結城がどんなに否定しようと、彼女は五年前の事件を知っていた。そうでなければ、わざわざ〈五年前の事件について……〉と電話などかけてくるはずがない。

それに、彼女は今回の一連の事件に、何らかのかたちで関与していた可能性が高い。白骨遺体が握り締めた写真にも彼女は写っていたし、不動産会社のオーダーシートにも名前があった。それに、新垣が彼女を怪しんでいた。

「彼女は、おれたちを陥れようとしてたんだ」

石倉は、身体を捩《ひね》りながら叫んだ。

彼女の精神状態は、非常に不安定なものだった。

自分で、呼びつけておいて、石倉の顔を見るなり「あなたは誰？」と喚《わめ》きたてた。事情を聞けるような状態ではなかった。

――この女は、もうダメだ。

石倉の耳許で囁《ささや》く声が聞こえた。

だから――。

「お前が、彼女を追い込んだんだ」

結城が、冷ややかに言った。

――追い込む？　おれが？

「何の話だ？」

「惚《とぼ》けるな。お前は、雨宮の遺体が発見されてから、秋穂に執拗《しつよう》につきまとった」

「おれが？」

「そうだ。石倉という刑事につきまとわれていると、彼女は怯《おび》えていた」

石倉には、結城の言葉の意味が分からなかった。

昨日まで彼女に会っていなかった。五年前も、捜査の段階で、名前と顔を知っていた程度だ。

——何かがおかしい。

考えられることは一つ。誰かが石倉を演じ、秋穂につきまとった。

それは、雨宮の遺体を掘り起こし、アパートに放置したのと同一人物。五年前に、おれたちがやったことを知っている誰か。

穴の縁にしゃがみ込んでいた結城が立ち上がり、地面に突き刺さっていたスコップを手に取り、土を掬《すく》い上げると、穴の中に放り込んで来た。

湿気を含んだ土が、石倉の腹の上にドサッと載った。

——こいつは、本気だ。冗談じゃない！

「おい！　ちょっと待て！　おれの話を聞け！」

石倉は、必死の形相で訴える。

だが、結城の耳には届かない。血走った目で、ただひたすらに土を掬っては、穴の中に落とすという単調な作業を繰り返している。

「よせ！　おれじゃないんだ！　誰か、別の奴が、おれたちを陥れるために……」

顔に土がかかった。

石倉は首を振り、口の中の土を唾と一緒に吐き出した。

全身の毛穴が開き、そこから滝のように汗が噴き出す。

「頼む！　止めてくれ！」

声が震えた。

容赦なく、土が身体に載せられていく。

身体を振って、それを落としても、また土が落ちてくる。

狭い穴の中では、すぐに土を振り落とす場所もなくなった。

「証拠隠滅を依頼したのは、お前らだろ！　おれは、それに応じてやったんだ！　その恩を忘れたのか！」

雨宮礼司という男は、将来を嘱望された指揮者だった。

音大からの推薦を受け、ドイツの大学に留学することが決まっていた。

そんな彼が、突然の失踪《しっそう》――。

捜査を開始してすぐに、雨宮の親友である、恩田匠という男から話を聞くことができた。

雨宮は失踪した日、真矢秋穂という女に呼び出され、夜の教室で待ち合わせをしていたのだという。だが、その日、秋穂という女は、別の友だちと食事をしていた。

学校内の聞き込みで、雨宮と実際に一緒にいたのが、結城であったことはすぐに見当がついた。

状況証拠が揃った段階で上に報告し、本格的に捜査するのが普通だ。だが、石倉はそうしなかった。

捜査の段階で、結城が貿易会社の社長の息子であることを知ったからだ。

妻との離婚で、慰謝料に窮している時期だった。

――大変なことをしてくれたじゃないか。

上司に報告する代わりに、石倉はそう言って結城に近付いた。

最初は、結城も頑《かたく》なに容疑を否認していた。だが、石倉が逮捕を目的に近付いたのでないと気付くと、まるで自分のやったことを誇るように、雄弁に語り始めた。

雨宮を殺害したのは、自分だと――。

理由は、酷《ひど》く子どもじみたものだった。

結城は、自分の才能を信じて疑わなかった。我こそは、天才だと本気でそう思っていた。

音楽に疎い石倉には、結城の言葉の真偽を測ることはできない。

だが、少なくとも大学側の評価は違った。結城はあくまでナンバー2。ナンバー1は雨宮だった。

それが証拠に、首席が務めるクリスマス・コンサートの指揮は雨宮が振った。

しかも、雨宮は結城のように裕福ではない。学費もバイトをしながら捻出《ねんしゅつ》し、努力を重ねてきた人物だった。

それが、余計に結城の神経を逆撫《さかな》でした。

結城は、コンダクターとは、選ばれた人間のみがその責務を果たすことができるのだと信じていた。ナチスの選民思想のようなものだ。

結城は、絶対に雨宮の能力を認めようとはせず、彼が評価されるのは、彼が大学の教授と男同士でありながら、愛人関係にあるからだと疑い始めた。

真相は分からないが、おそらくは、自分の才能を疑うことを知らなかった結城の被害妄想だったろう——。

一枠だけ用意されていた、ドイツへの推薦留学者が雨宮に内定し、二人の差は決定的になった。

このままでは、自らの未来が閉ざされる。そう考えた結城は、終《つい》に行動を起こした。

雨宮が想いを寄せていた自分の恋人を利用し、彼を深夜の教室に呼び出した。

そこで結城は、ドイツの推薦留学を辞退するよう説得するが、雨宮はそれに応じなかった。そればかりか、結城に助言をした。

プライドの高い結城にとって、この上ない屈辱だった。

我慢の限界を超えた結城は、雨宮を教室の窓から突き落とした。

遺体の損傷が、身体の左半分に偏っていたのは、落下した際、左側面が地面に衝突したことが原因だ。

その後結城は、遺体を大学の裏手にあった空き地の桜の樹の下に埋葬した。

解体するのでもなく、焼却するのでもなく、埋葬という方法をとったのは、結城の中に、多少なりとも雨宮に対する懺悔《ざんげ》の気持ちがあったからなのかもしれない。

石倉は、聞き込みした情報を握り潰《つぶ》し、口を閉ざした。その見返りとして結城から金を受け取った。

警察官として、人として道を踏み外す行為だということは分かっていた。

父親と同じ警察官の道を歩み始めたものの、徹底したキャリア主義の警察組織の中では、いくらあがこうともそこに明るい未来はなかった。

年下の上司にこき使われ、規則に縛られ、悪党から逆恨みを買い、被害者遺族に罵《ののし》られ、マスコミに追い回される。

官舎に戻れば、妻に家庭を顧みないと責め立てられ、安月給のわずかな小遣いで細々と暮らす。

歪《ゆが》んでいる。腹の底に渦巻く澱《よど》みをいくら吐き出しても、すぐに溜《た》まっていく。

クソみたいな警察人生。

そんな石倉の、唯一の支えが息子の彰だった。

彰のためだと思えば、クソみたいな生活に耐えることもできた。

もし、離婚の慰謝料や養育費の支払いが滞れば、息子の彰に会う権利すら奪われてしまう。

そんなことは、絶対に起こってはならない。

息子に会うためなら、なんだってする。殺したのは、自分じゃない。おれは、口を閉ざすだけのこと。そう割り切った。

顔に載せられた土のせいで、目を開けていることもできなくなった。

口の中にも土が入り込んで来る。

なぜ、おれがこんな目に遭わなきゃならない。

意識が、段々と遠のいていく。

雨宮のように、人知れず白骨化していくのか？

もう、彰とは会えないのか？

冗談じゃない。石倉は、最後の力を振り絞って身体を起こそうとしたがダメだった。

——呪ってやる。

雨宮の母親である浅子が言った言葉が、鼓膜の奥で響いた。

これが、呪いなのか——。

石倉の意識は、土の中に消えていった。

七日目

1

奈緒美の意識は、まどろみの中にあった。

目の前に、ぼんやりと光が見える。

靄《もや》のかかっていた視界が、次第に焦点を結んでいき、ダウンライトを浴びたステージが浮かび上がっていく。

広いステージの中央には、雄大な存在感を放ちながら聳《そび》え立つパイプオルガンが見えた。

照明の明かりを受け、長いパイプがキラキラと光を放っている。

――知っている場所だ。

一昨日《おととい》も足を運んだし、何度も夢で見た。ここは、母校である音大の大ホール。

奈緒美は、客席のほぼ中央に座っていた。

松崎の診療室で、彼と話していたところまでは覚えている。それが、なぜここに？

——さようなら。

診療室で松崎が耳許で囁《ささや》いた言葉が、奈緒美の脳裏に蘇《よみがえ》った。

「先生」

奈緒美は、はっと息を吞《の》み、松崎を捜して視線を走らせたが、彼の姿を見つけることはできなかった。

「私は……」

奈緒美は、呟《つぶや》きながら立ち上がった。足の裏に絨毯《じゅうたん》の感触が直《じか》に伝わり、素足であることに気付いた。

——そうか、これは夢だ。

記憶と願望が混ざり合い、無意識に作り出された無秩序な世界。

じりっと目の奥が熱を持つ。

ザザッと視界にノイズが走る。

奈緒美は、頭を振ってから、傾斜のある通路を真っ直ぐステージに向かって歩き始めた。

もし、これがいつもの夢の続きなら、ステージの上に黒いパーカーを着た男が立っているはずだ。顔が見えず、髑髏《どくろ》を持った男——。

奈緒美は、高鳴る鼓動を抑えるように胸の前で拳《こぶし》を固くして、客席から続く階段を上った。

ステージの上には、誰もいなかった。

がらんとした無機質な空間が広がっている。

——これは、本当に夢なの？

「朽木か？」

声をかけられ、奈緒美は期待とともに振り返った。

しかし、そこにいたのは求めた人物ではなかった。上手の舞台袖《そで》から、結城がゆっくりと姿を現した。

いつもと同じ黒のスーツだったが、まるで野宿でもしてきたかのようにシャツが汗で張りつき、スーツの袖と裾《すそ》に泥のような汚れが付着していた。

無精髭《ぶしょうひげ》を生やしたその面持ちは、自信をなくし、憔悴《しょうすい》しきっているようだった。

「結城君……どうしてここに？」

奈緒美は、首を捻《ひね》りながら訊《たず》ねる。

「プロデューサーの相葉に呼び出されたんだ。こっちも、彼に話したいことがあってね」

結城は、甲高い声で言いながら前髪をかきあげた。

口許に浮かべた笑みは、自嘲《じちょう》しているようでもあった。

「ここは大学の大ホールよ」

奈緒美は、疑問をそのままぶつけた。話し合いをするのに適さない場所だ。

「見せたいものがある。そう言ってた」

結城は、自分にも分からないという風に肩をすくめた。

「見せたいもの？」

それが、何なのか奈緒美には分からなかった。

「朽木こそ、こんなところで何をやってるんだ？」

「私は……」

奈緒美は、言いかけて口を閉じた。質問の答えを持っていなかったからだ。

「朽木、お前は……」

結城の言葉を遮るように、どこからともなくチェロの調べが聞こえてきた。

曲は、「無伴奏チェロ組曲第一番ト長調」──。

身体の芯《しん》まで染み渡るように優しく、それでいて力強い低音域の響き。

すごく懐かしい感じがした。

分散和音が美しく移り変わっていく節で、ほんの少しだけテンポがゆっくりになった。

間違えたのではない。敢《あ》えてテンポを落としたという感じだ。

──私は、この弾き方をする人物を知っている。

奈緒美は、刺激臭を嗅《か》いだときのように、つんと鼻に突き抜けるような感覚があった。

目頭が熱くなる。

「これは匠の……」

結城が目を細め、喘《あえ》ぐように言った。

──匠。

そうだ、思い出した。

これは、匠が好んで演奏していた曲だ。

――そこ、テンポ違うわよ。

そう指摘する奈緒美に、テンポを落とした方が、弾いていて楽しいんだ――と匠は笑って答えた。

一人で弾くときくらい、自由に弾いても構わないだろ。それが、匠の言い分だった。

私は、匠の音色が好きだった。

頑《かたく》なに真っ直ぐで、優しくて、温かい。

そんな彼の人柄が、そのまま、振動する弦に乗せられて、鼓膜を震わせる。

奈緒美は、そっと目蓋《まぶた》を閉じた。

暗闇の中に、一人の男の顔が浮かんだ。

色白で線の細い輪郭。目が細く、少し垂れている。それでいて眉《まゆ》が太く、大きな鼻をしていた。

アンバランスだけど、奈緒美はそこが好きだった。

意志の強さと、優しさをそのまま表現したような顔――。

「匠……」

奈緒美は、無意識に呟いていた。

そうだ。匠の顔だ。

写真では、真っ黒に塗り潰《つぶ》され、記憶の奥に閉じ込められていた。だが、今ははっきりと奈緒美の頭の中で像を結んでいた。

はにかんだように笑った表情が好きだった。

ときどき見せる、哀しげな表情が好きだった。

彼の腕に抱かれ、胸に顔を埋め、猫のように丸くなって眠るのが好きだった。

私と彼の心臓の鼓動を重ね合わせるだけで、どんな音楽より心地よく耳に響いた。

——私が、初めて愛した人。

でも、今はもういない。

「なんで、私を置いて死んでしまったの……」

奈緒美は目を開き、下唇を嚙《か》んだ。

「朽木。お前だったのか？」

結城の甲高い声がホールに響いた。

その目は吊《つ》り上がり、涙の膜を張っていた。頰の筋肉を小刻みに痙攣《けいれん》させ、息が切れたように肩で呼吸を繰り返している。

「え？」

「お前が、私や玉木を陥れたのか？」

——陥れる？

「何のこと？」

「惚《とぼ》けるな！　そうか、分かったぞ！　復讐《ふくしゅう》だな！　これは、お前の復讐なんだな！」

　結城が、鬼の形相で詰め寄って来る。

　奈緒美は、突き飛ばされたようによろよろと後退《あとずさ》りした。

「復讐って何？」

「これ以上、私の人生を邪魔しないでくれ」

　結城の目には、もはや理性の欠片《かけら》もなかった。ただ、食欲を満たすために、餌に襲いかからんとする猛獣のように血走った目をしていた。

　――私は、前にも結城のこんな姿を見たことがある。

　目の奥に走る痛みに、奈緒美は目蓋を閉じた。

　ノイズが走り、真っ暗な闇の中から、断片的だった記憶が、急速に蘇ってくる。

　あの制御室に閉じ込められたとき――。

　私は、モニター越しに、凄惨《せいさん》な殺人の現場を目の当たりにしていた。

　それは、役者たちが芝居として演じたのとまったく同じ光景。

　違うのは、実際にそこで人が死んだということ。

　結城は、あのとき、殺害する側として現場にいた。今みたいに血走った目で、ナイフを振りかざしていた。

　そして、殺されたのは――。

　――匠だ。

私は、彼を助けようと、必死に制御室から抜け出そうとした。

だが、何度ドアを押しても、開かなかった。

モニターの中で、血を流し、痛みに身体を捩《ねじ》る匠を見て、叫び声を上げることしかできなかった。

死の間際、匠の口が動いた。聞こえたわけではない。でも、口の動きから、奈緒美には
その言葉が理解できた。

――奈緒美。ごめんな。

匠は、それきり動かなくなった。

友人であるはずの結城と玉木の暴挙は、理解の範疇《はんちゅう》を超えていた。

何より匠の死を、認めたくなかった。

私は、ずっとそこで叫び続けた。

何かに憑かれたように、ただ、ひたすらに叫び続けた。

そうすることで、目の前にある歪んだ世界が壊れるような気がした。

そして、実際に壊れた。

私は、見たもの全てを記憶の底に沈めてしまった――。

「あなたたちが、匠を殺したのね」

奈緒美の言葉を聞き、結城は目を見開き、驚愕《きょうがく》の表情を浮かべた。

「……知ってたのか？」

甲高い結城の声が、裏返った。

「全部見てたの。何もかもが信じられなくて、記憶の底に沈めていた。でも、たった今思い出したわ。あなたたちが、何をしたのか……」

奈緒美は、力を込めて結城を睨《にら》みつけた。

だが、結城はそれに怯《ひる》むどころか、肩を震わせながら笑った。

「そうか。見てたのか……」

「何がおかしいの？」

「コンダクターになることは、私の夢ではない」

「え？」

「義務だ」

結城は、真っ赤な舌で唇を舐《な》めた。

「何を言ってるの？」

「私は、もっと先にいかなきゃいけないんだ。脚光を浴びるべき人間なんだ」

結城は、自らに陶酔し、両手を広げ、天を仰いだ。

早く逃げなきゃ。その衝動に駆られ、奈緒美は踵《きびす》を返し、ステージを蹴《け》って駆け出した。

しかし、すぐに結城に髪の毛を摑《つか》まれ、その場に引き摺《ず》り倒された。

結城が、のしかかるようにして迫って来る。

――殺される。

そう思った瞬間、ぱちぱちと拍手をする音が聞こえた。

結城は、動きを止め、驚いたように客席に目を向ける。つられて、奈緒美も視線を向けた。

いつの間にか、真ん中の列の一番前の席に、男が座っていた。それは、奈緒美も知っている人物だった。

「相葉、いつからそこに……」

結城が、呟《つぶや》いた。

相葉って誰？　違う、あの人は——。

「松崎先生」

奈緒美は、声を上げる。

松崎は、客席に深く腰かけ、リラックスしたように脚を組み、微笑んでいるようにも見えた。

「なぜ、私を嵌《は》めた？」

結城は、客席に向かって声を張る。だが、松崎は何も答えない。

「相葉！　答えろ！」

結城の甲高い声が、ホールに響く。

奈緒美には分からなかった。

——なぜ、結城が松崎のことを相葉と呼ぶのか？

松崎が、何かに気付いたように舞台袖《そで》に視線を向け、白い歯を見せて楽しそうに笑った。

何か来る。そう思った矢先、結城の身体が大きく仰《の》け反った。

「があ！」

背中を押さえたまま、結城は横向きに倒れた。

奈緒美の視界に、血塗《ちまみ》れのナイフを持った男の姿が飛び込んできた。

黒いフードを被《かぶ》り、口許に薄い笑いを浮かべていた。

——あなたは。

2

結城は、背中に強烈な痛みを感じ、身体を仰け反らせた。

——熱い。

身体の中を、炎で焼かれているような痛みが、じわじわと広がっていく。

背中に手を当てると、水をかけられたみたいに、びしょびしょに濡《ぬ》れていた。

掌《てのひら》が、真っ赤に染まっている。

血だ。これは、私の血なのか——。

私は、刺されたのか？

誰に？

なんのために？

身体の力が抜け、結城は横向きに倒れた。傾く視界の中に、唇を震わせながら、怯《おび》えている奈緒美の姿が見えた。

――朽木。お前がやったのか？

いや、違う。彼女ではない。刺されたのは背後からだ。

力を込めて頭を上げると、そこに仁王立ちする男の姿が見えた。

右手には、血に染まったナイフを握っている。

黒いパーカーを着ていて、頭にすっぽりとフードを被っていた。冷たい微笑みに歪《ゆが》んだ口許が見えた。

「誰だ？」

結城は、絞り出すように言った。

ドクンと、声に合わせて背中から血が溢《あふ》れ出た。

「いい様だな」

そう言いながら、男はゆっくりとフードを外した。

――玉木か。

獣のように歯を剥《む》き出し、血走った両目をギラギラと光らせながら、玉木が笑っていた。

「なぜ……」

結城は、額から脂汗を流しながら言った。

「秋穂の仇討《あだう》ちだ。お前が秋穂を殺したんだ」

「違う……」

私じゃない。秋穂を殺したのは石倉だ――。

「嘘をつくな。お前は、おれから秋穂を奪ったんだ」

玉木は、そう言って一枚の写真を結城の眼前に突きつけた。

写真には、秋穂のマンションに入って行く結城の姿が映し出されていた。三日前の夜だ。

まさか、こんな写真を撮られていようとは――。

「玉木……信じてくれ……」

結城は、必死に声を絞り出す。

私は、秋穂とよりを戻すつもりはなかった。ただ、彼女を慰めたくて――。

――本当にそうなのか？

ふと疑問が湧きあがった。

なら、どうして彼女を抱く必要があった？

なぜ、あれほどまでに秋穂を殺した石倉に憎しみを持った？

五年前、玉木と交わした契約。それは、自分の輝かしい未来を守るためのものだった。

秋穂を失うことで得たチャンス。だが、私はそれを活《い》かせなかった。結果的に、日本に逃げ帰った。

そうか――。

私は、秋穂を取り戻したかったんだ。

そうすれば、五年前に時間を巻き戻せるような気がした。

自分の気持ちに気付いていなかったばかりに、運命に翻弄《ほんろう》された。

「信じられるか！　お前は、彼女の命を奪った男だ！」

——違う。

結城は、もう声を出すことができなくなっていた。

ダメだ。指先が痺《しび》れて、感覚がなくなって来た。

「秋穂！　お前の敵は討ったぞ！」

玉木が、ナイフを天に向かって突き上げ叫んだ。

首に力が入らず、結城は頭を床に付けた。

客席で微笑んでいる相葉の顔が見えた。

相葉は、掌の上にリンゴを載せ、目を細めて楽しそうに笑っている。

「相葉……」

言うのと同時に、結城はむせ返り、血を吐いた。

柏井、いや米村と共謀して、結城を詐欺のカモにして、この場所に呼び出した男。

なぜ、相葉はこの期に及んで笑っていられる？

まるで、芝居を楽しんでいるかのような表情だ。こうなることを、知っていたとでもいうのか？

客席に座る相葉の顔が、なぜか匠と重なった。それは、次第に変化して、雨宮の顔になった。

――あの男さえいなければ。

結城が、ヴァイオリンを始めたのは、三歳のときだった。母の勧めだった。さして苦労することもなく、コンクールで入賞するようになった。高校のときに、チェコ・フィルハーモニー管弦楽団の演奏を聴き、自在にオーケストラを操るコンダクターになりたいと思った。

いや、自分はコンダクターになるべき人間だと直感した。

音大に入り、ヴァイオリン科での成績はトップだった。だが、三年になり、専門課程の指揮科に入ってからは様相が一変した。

一番の評価を得るのは、いつも雨宮礼司だった。

彼は、指揮者としての洗練された美しさがなかった。小太りで、ずぼらで、醜い。外見だけでなく、指揮も酷《ひど》かった。本来のリズムとは、異なるテンポでタクトを振ったり、譜面に書かれた記号を、消してしまったりと、作曲家の意向を踏みにじるような行為に及んでいた。

周囲からは、独創的な指揮だと評価が上がっていたが、忠実に再現しないのなら、オリジナルの曲をやればいい。

ルールを無視して、評価される道理などない。

――なぜ、あいつが一番で、私が二番なのか？

その理由は、すぐに分かった。雨宮は、いつも金村《かねむら》という指揮科の教授と一緒にいた。学校内だけでなく、ときおり自宅にも招かれていた。

証拠はなかったが、二人が同性愛者なのだと理解した。雨宮は、自分の身体を差し出す代償として、ナンバー1の称号を手に入れていたのだ。

――それが、疎ましかった。私は、犠牲者だ。

憎しみと怒りが募る中、ドイツのベルリン芸術大学への留学が、雨宮に内定したという噂を聞いた。

毎年、たった一人だけ大学側の推薦を受けて、本場の音楽大学への留学が許される。

――なぜ、私ではないんだ？

冗談ではない。このままでは、あいつらのせいで、私が得るべき席を奪われてしまう。コンダクターの資格があるのは、雨宮ではなく私だ。強い想いに突き動かされ、行動に出た。

まずは秋穂に依頼し、深夜、雨宮を大学の校舎の四階にある練習室に呼び出した。

自分で呼び出さなかったのは、雨宮が結城と二人だけで会うことを、拒否する可能性があったのと、周囲に自分が呼び出したことを勘ぐられたくなかったからだ。それに、雨宮が想いを寄せている秋穂の申し出なら素直に応じると思った。

練習室に、秋穂ではなく結城が現れたことに、雨宮は驚くことなく「やっぱりか」と諦《あきら》めたように言った。

結城は、そこで雨宮にドイツ行きを辞退するよう促した。

それに対する雨宮の答えは「君の音楽は、猿真似に過ぎない」だった――。

自分の音楽を否定されることは、人間性そのものを否定されることと同義だ。結城の中で、張り詰めていた何かが切れた。

雨宮を、窓から突き落とした。

自殺に見せかけることができるという思いがあった。だが、手違いが起きた。

雨宮と、もみ合っているときに腕をかじられた。爪の間に、皮膚と血痕《けっこん》が付着してしまった。これでは、誤魔化すことができない。

目立たず死体を移動させるのは、困難だった。そこで、大学の裏手にあった空き地の桜の樹の下に埋めた。

もちろん、秋穂は私が雨宮を殺害したとは知らなかった。

雨宮は、休学扱いになり、指揮科の首席者は私になった。ドイツ行きの切符も、私が手に入れた。

ねじ曲がった世界が、戻された。そう思っていた。

最初の誤算は、石倉の存在だった。

あの男は、執拗《しつよう》に事件を嗅《か》ぎ回っていた。

そんなある日、自宅マンションに帰ると、部屋の前に石倉がいた。彼は、遠回しに事件の真相を知っているのだと、揺さぶりをかけてきた。

知らぬ存ぜぬで通していたが、石倉は「金額次第では、私の知っていることを、忘れることもできる」そう切り出した。

石倉の目的は、逮捕することではなかった。

私は、迷わず石倉を買収した。金額は一千万。しつこく金をせびられぬよう、取引の会話を録音し、お互いに弱みを握った状態を作り上げた。

そのまま終わってくれれば良かった。だが、それに気付いてしまった人間が、他にも二人いた。

一人は、玉木だった。

彼は、学校での犯行の一部始終を見ていたのだという。

玉木は、石倉のように金を要求するかと思いきや、秋穂と別れて欲しいと申し出てきた。

そうすれば、永遠に口を閉ざすと――。

彼が、秋穂に惚《ほ》れていたことは、ずっと知っていた。

どうせ、国外留学すれば、秋穂とは別れることになる。それが少し早まっただけ。そう思えばいい――。

だが、契約を交わしたところで、いつ裏切られるか分からない。頭を悩ませているところに、もう一つ厄介な問題が起きた。

それが恩田匠だった。

彼は、偶然にも、私と玉木の会話を聞いてしまった。

元々、雨宮と仲の良かった匠は、彼の失踪《しっそう》に疑問を抱き、探偵気取りで事件を調べていた。

――自首をして欲しい。

匠は、私の買収に応じることなく、そう言った。

彼は、潔癖なまでに真っ直ぐな男だった。どんなことをしても、考えを曲げないことが分かった。放っておけば、警察に駆け込むだろう。

悩んだ挙げ句、石倉に相談を持ちかけた。

石倉からしても、匠が警察に駆け込めば、自分が犯罪を隠匿したことが表に出る。

そこで、匠を殺害することを計画した。

その計画には、玉木も関与させた。共犯者に仕立て上げることで、裏切りの防止を図ったのだ。

私は、自首する前に聞いて欲しいことがあると、匠をホールに呼び出した。

予定外だったのは、あいつが朽木と一緒に来たことだ。

身の危険を感じたのかもしれない。匠は、ホールの外で彼女に待つよう指示し、戻らなければ、これを持って警察に行くようにと彼女に封筒を託した。

その一部始終を覗《のぞ》き見て、朽木は何も知らないのだと理解した。

——あの封筒さえ手に入れればいい。

私が、匠と話している間に、石倉と玉木が共謀して、彼女を襲った。封筒だけ奪ったのでは、それが目的だと知れてしまう。

だから、玉木が押さえつけるかたちで、石倉が彼女を暴行した。

そして、制御室の中に閉じ込めておいた。

封筒を確保した後、三人で共謀して匠を殺した——。

損傷の激しい遺体を、石倉の指示で線路に置き去りにし、回送電車に轢《ひ》かせ、自殺ということにした。

玉木が、匠の手紙を、石倉が匠を刺したナイフを、私が殺害計画を録音したICレコーダーを持った。お互いに証拠を保有することで裏切りを防止し、このことを二度と口外しないことを誓った。

その後、奈緒美は、都合のいいことに、暴行されたことも、匠のことも一切語ろうとはしなかった。

まるで、全てを忘れてしまったかのように——。

ショックから、そうなったのだろうと思っていた。下手に訊《き》いて、勘ぐられることを怖れ、誰もそのことに触れなくなった。

このまま、闇に葬られるはずだった。それなのに——。

ダメだ。目蓋《まぶた》が重い。

私は、こんなところで終わる人間じゃない。

もっと上にいくべき人間なんだ。

オーケストラを意のままに操り、名声と金を手に入れる。羨望《せんぼう》と喝采《かっさい》の中こそ、私にふさわしい場所だ。

誰にも、邪魔はさせない。

這《は》ってでも、この場所から逃げきってやる。

私は、まだ終わらない。

客席から、拍手の音が聞こえた。それは、次第に大きくなり、やがては歓声の入り交じったスタンディングオベーションになる。

その中心でスポットライトを浴びている。

私は――。

幻想の中で、結城の意識は消えていった――。

3

血塗《ちまみ》れで倒れている結城を見ても、玉木の中に充足感はなかった。

ただ、疲労が身体を包んでいた。

「秋穂！　お前の敵は討ったぞ！」

玉木は、降り注ぐライトの光を見上げて声を上げた。

その声は、空《むな》しくホールに反響した。

こんなことをしても、秋穂は戻って来ない。そんな当たり前のことを、今になってようやく実感した。

「なぜ？　なぜ玉木が結城君を？」

奈緒美の姿が目に入った。

真っ直ぐに玉木に向けた視線は、何かに怯《おび》えたようにゆらゆらと揺れていた。

なぜって？　決まってるだろ——。

「結城は、秋穂を殺したんだ。許せないだろ。そんなの」

「それだけ？」

——他に何か理由が必要なのか？

「それだけだ」

そんなことより、後始末をしなきゃならない。

玉木は、動かなくなった結城を移動させようと、両手を引っ張る。だが、想像以上に重く、思うようにいかない。

——クソ！　一人で運ぶのは無理だ。

「奈緒美。手伝ってくれないか？」

玉木は、できるだけ柔らかい口調を意識しながら言った。

「どうするつもり？」

「決まってるだろ。線路に放り投げるんだよ。バラバラになるから、刺されて死んだって証拠がなくなる。そうなれば、自殺ってことで警察も処理してくれるさ」

「そうやって、匠も殺したのね」

奈緒美が、鋭く言い放った言葉に、時間が止まった。

——もしかして。

「知ってたのか？」

玉木の問いかけに、奈緒美は、ただ、黙って潤んだ瞳《ひとみ》を向けていた。

何も語らずとも、それだけで充分だった。奈緒美は、全てを知っている。左手の甲が疼《うず》いた。

——結城が、雨宮を殺害したかもしれない。

玉木が、秋穂からその相談を受けたのは、雨宮が学校に来なくなってから一週間経ってからだった。

雨宮の失踪以来様子のおかしかった秋穂を心配して、玉木が相談に乗ったかたちだった。最初は、固く口を閉ざしていた秋穂だったが、次第に重い口を開いた。

秋穂は、結城に頼まれて、深夜に大学の練習室に雨宮を呼び出した。そのあと、彼女は奈緒美と食事をしていた。

その帰り道、大学の近くで、泥だらけになって歩いている結城を見たのだという。

秋穂は、確証はないが、結城が雨宮を殺害したのではないかと疑っていた。

玉木は、警察に行くことを勧めたが、秋穂は決して首を縦に振らなかった。結城が殺人を犯したかもしれないと疑いながらも、彼に対する恋愛感情は失っていなかった。

――悔しかった。

玉木は、警察に秋穂から聞いた話を密告することを考えた。

だが、結局それは実行に移さなかった。

秋穂は、たとえ結城が刑務所に入っても、彼を待っているだろう。それに、密告すれば、玉木が秋穂を裏切ったことになる。

――秋穂の心を手に入れたい。

その願望に突き動かされた玉木は、二人の仲を引き裂く妙案を思いついた。

――犯行現場を見たんだよ。

玉木は、そう言って結城に近づいた。

案の定、結城は金で買収しようとしてきた。おれは、金の代わりに、結城にある要求を提示した。

――秋穂と別れて欲しい。

結城さえいなくなれば、秋穂は自分のものになる。そうする自信があった。

最初は渋っていた結城だったが、匠にまで真相を知られることになり、考えが変わった。

彼の殺害を手伝うという条件で、結城との間に契約が結ばれた。

結城は、捜査担当であった石倉という刑事を、すでに買収して丸め込んでいた。それに玉木を加えた三人で匠を殺害した。

石倉の口利きもあり、自殺として処理された。

完璧《かんぺき》な計画の遂行。唯一の不安材料は奈緒美だった――。

――左手の甲が熱い。

玉木の左手の傷は、奈緒美につけられたものだ。

あのとき、ステージの奈落《ならく》に匠を捜しに来た奈緒美を、石倉と一緒に襲った。顔を見られないよう、ミュージカルの小道具で使われた、白い面を着け、パーカーのフードを頭にすっぽり被《かぶ》った。

石倉が、彼女の前に立ち塞《ふさ》がり、玉木が背後から奈緒美を羽交い締めにした。女だと思って油断していた。奈緒美は、ポケットからペンを取り出し、左手の甲にそれを突き立てた。

痛みで力が緩んだ拍子に、奈緒美が暴れた。慌てて、彼女を押さえようとしたが、うまくいかず、二人そろって床に倒れ込んだ。

左手の甲に、強烈な痛みが走った。

倒れた拍子に、刺さったペンが、真っ直ぐ肉を削り、大きな傷ができていた。血が滴《したた》り落ちた。

奈緒美は、気を失ったらしく、倒れたまま動かなかった。

石倉は、奈緒美のポケットから封筒と財布を抜き盗《と》ると、気絶したままの彼女にのしかかり、薄気味悪い笑いを浮かべたまま、彼女を犯した。

薄暗い奈落の中に、石倉の興奮した息遣いだけが響いていた。

途中、奈緒美が意識を取り戻し、叫び声を上げた。石倉が、容赦なく顔を殴りつけると、また彼女は動かなくなった。

玉木は、左手の傷を押さえながら、ただその光景を眺めていた。

ことが済んだあと、奈緒美を奈落の奥にある制御室に閉じ込め、結城と合流し、匠を殺した。

あの日から、ビクビクしながら奈緒美と接してきた。

――気付かれてはいないか？　妙なことを勘ぐりはしないか？

だが、奈緒美は奈落でのことも、匠のことも、一切口にしなかった。

暴行に恋人の自殺――表向きは、それらのことを、おれたちは知らないことになっている。

墓穴を掘ることになるので、訊《き》くこともできず、友人のふりをして、彼女の様子を見守り続けてきた。

だが――。

玉木は、結城の身体から手を離し、床に置いておいたナイフを再び手にした。

「私も、殺すの？」

奈緒美が、震える声で言った。

答える気にはなれなかった。できれば、これ以上、人を殺したくはない。だが——。

「玉木は、本当に秋穂の復讐《ふくしゅう》がしたかったの？」

「なんだと？」

時間稼ぎだと思いながらも、玉木は反応してしまった。

「秋穂の仇《あだ》を討ちたかっただけなら、なぜ警察に自首しないの？　本当は、自分がかわいいんでしょ。秋穂の復讐なんて口実。あなたは、結城君が目障りだっただけ。しばらくすれば、秋穂のことを忘れて、他の女と寝るんでしょ」

「なに？」

左手の甲が、じんじんと熱を持つ。

そもそも、奈緒美が暴れなければ、おれは手に怪我を負うことはなかった。

彼女のせいで、輝かしい未来が奪われた。

「あなたは、秋穂を愛してなんかいなかったのよ。結城君が愛した女を、奪いたかっただけなんだわ！」

奈緒美の叫びに共鳴して、玉木の中で何かが弾《はじ》けた。

「死ね」

玉木がナイフを振り上げるのと同時に、ぱちぱちと拍手の音が聞こえた。

視線を向けると、客席に野島が座っていた。

彼の情報で、おれは結城を追ってこの場所に来たのだから、覗《のぞ》き見ていたとしても、不思議ではない。

おれは、そんな単純なことも判別できなくなっていたのか——。

彼は、黒のスーツ姿で、優雅に真ん中の最前列から舞台を見上げている。

「いつからそこに？」

玉木は、ようやくそれだけ口にすることができた。

「ずっと見ていました。とても素晴らしい芝居でした。やはり、生の演技は素晴らしい」

「ふざけるな」

「ふざけてなどいません」

野島は、ゆっくりと立ち上がり、ステージへと続く階段を上り始めた。

玉木の注意が、奈緒美から逸《そ》れた。彼女は、その隙を逃さず、這《は》うようにして玉木から距離を取る。

逃げられてはまずい。すぐに追いかけようとした玉木だったが、目の前に野島が立ちはだかった。

手にはリンゴを持ち、うっすらと笑っていた。

「松崎先生」

奈緒美が、すがるような目で野島を見上げながら言った。

彼女も野島のことを知っているのか？　だが、彼女は松崎と呼んだ。名前が違う。どういうことだ？

「あなたに言い忘れたことがあったんです」

混乱する玉木を余所《よそ》に、野島が語り始めた。

「言い忘れたこと？」

——左手が、痺《しび》れて動かない。

「まず、一つ目。私の名前は、野島ではありません」

——野島じゃない？

「なら お前は誰だ？」

「二つ目。秋穂さんを殺害したのは、結城さんではありません」

男は、玉木の質問を遮るように言った。

「な、なんだと！　じゃあ……」

——誰が秋穂を殺した？　おれは、なんのために結城を殺した？

「三つ目。結城さんがドイツから帰国した理由は、父上がお亡くなりになったからです。指揮者の道に挫折《ざせつ》しかけていた彼は、あわよくば後目につこうという思惑があったんです」

男は、氷のように冷たい目で、混乱する玉木をじっと見すえた。

玉木は、それを正視することができずに後退《あとずさ》る。

「嘘だ！　結城は、ドイツで恋人を殺害したと言ったじゃないか……」

「四つ目。秋穂さんの携帯電話には、ある細工がしてありました」

男が、玉木の言葉を遮るように言った。

「細工？」

「登録してあるあなたの番号を変更したんです。つまり、彼女が、あなたにあててかけた電話は、全て私の携帯電話に着信していたんです」

「なんのために……」

「秋穂さんとあなたの間に、歪《ゆが》みができるようにです」

――なぜ、そんなことをした？　この男は何を考えている？

玉木は、一歩、また一歩と後退る。

「あなたには、二つの選択肢がある。一つ目。もうすぐ、ここに警察がやって来ます。おとなしく逮捕される」

嫌だ。なぜ、おれが刑務所に入らなければならない？

おれは――。

男が、さらに詰め寄って来る。

目に見えない圧力に押されて、舞台袖《そで》の近くにいたのが、いつの間にかステージのほぼ中央まで追い詰められた。

「もう一つは、今、ここで死ぬ」

男が言った――。

冗談じゃない。おれは、死にたくない。

絶対に嫌だ。

玉木は、もう一歩後ろに下がった。

「あ！」

気が付いたときには遅かった。

ステージの中央には、奈落《ならく》へと通じる三メートル四方の穴が空いている。普段は、塞《ふさ》がっているはずのその穴が、ぱっくりと口を開けて玉木を待ち受けていた。

内臓が浮き上がるような感覚の後、全身に激しい衝撃が走った。

バラバラに引きちぎられるような痛みが走る。

咳《せき》とともに、口から血が噴出した。

真っ暗な空間に、四角い穴が見えた。天国へと通じる入り口のようだった。だが、今おれがいるのは、奈落の——地獄の底——。

おれは、秋穂を愛していたのか？

それとも——。

答えが出る前に、玉木の思考は停止した。

4

「松崎先生……」

奈緒美は、目の前で背中を向け、美しく佇《たたず》む黒いスーツ姿の男を見て呟《つぶや》いた。

彼は、間違いなく松崎だ。結城も、玉木も、彼を知っている風だった。だが、それは松崎としてではなかった。

結城は相葉と呼び、玉木は野島と呼んだ。

三人が認識している彼の名前は、全部異なるものだった。

「あなたは、何者なんですか？」

奈緒美は、松崎の背中に向かって呼びかけた。

だが、彼は振り返ることすらしなかった。彼の背中は、深い哀しみに震えているように見えた。

チェロが、物悲しくも、優しい旋律を繰り返し奏でている。

奈緒美の頭の中には、あの日の記憶が、はっきりと蘇《よみがえ》っていた。

あの日、奈落でいきなり襲われ、制御室の中で目を覚ました。そして、モニター越しに、自分の恋人が殺される姿を目にした。

どうすることもできずに、ただ匠の命の灯が消えていくのを見ていた。

奈緒美は、自分の心を守るために、その記憶を閉じ込め、改ざんした。

匠の存在そのものを消してしまった。

温かくて、優しくて、大切な思い出だったのに、それを忘れ、秋穂や玉木、結城との偽りの人間関係の中にいた。

身体に染み付いた得体の知れない恐怖が、頭の中で肥大化して、悪夢にかたちを変え、訴えかけていた。

そして、今、秋穂が死に、玉木が結城を刺し、その玉木も奈落に転落した。

奈緒美は、胸の前で、ぎゅっと拳《こぶし》を握り締める。

「これは、あなたが仕組んだことなの？」

その背中に、違う質問をぶつけた。

「私は、何もしていない。彼らは、望んでこうなった」

しばらくの沈黙のあと、彼はぽつりと言った。

――われわれは何であるかを知るも、その先どうなるかを知らず。

彼の言葉を聞き、ハムレットの一節を思いだした。

人の心は、儚《はかな》く脆《もろ》い。彼らが望んだのは幸せ。ただ、それによって起こした行動で、どこに行き着くかを理解していなかった。だが――。

「なぜ、こんなことをしたの？」

「彼らは、そうなるべき罪を犯した。罪を犯した人間には、原罪が与えられる。死の定め――」

そう言いながら、彼はリンゴから手を離した。

重力に引かれ、リンゴが落下した。

「あなたは、それを裁いたの？」

「私に、人を裁く権利はない」

彼は、ゆっくりと振り返った。哀しげな目だった。

「ねえ。教えて。あなたは……」

彼は、奈緒美の言葉に応《こた》えることなく、ゆっくりと歩き出した。

「待って！」

奈緒美は、彼の背中を追おうとしたが、下半身に力が入らず、立ち上がることができなかった。

彼に迷いはなく、まっすぐに歩いて行く。

私は——。

やがて、彼の姿は舞台袖の奥に消えていった。

「待って……」

もう、声は届かない。

穏やかなチェロの響きに交じって、パトカーのサイレンが聞こえた。

ステージの上には、赤いリンゴが残されていた——。

エピローグ

新垣は、川沿いの道を車で走っていた。

大学で二人の青年が死亡した事件から、一週間が経っていた――。

事件発覚当初、謎に包まれた事件に、捜査本部は混乱を極めた。

目撃者である朽木奈緒美という女性の証言に、現場に残された様々な証拠をつなぎ合わせるかたちで、ようやく事件の概要が朧気《おぼろげ》ながら見えてきた。

事件の発端は五年前――。

当時音大生だった結城康文は、同じ大学に通う天才的な指揮者、雨宮礼司に嫉妬《しっと》し、恋人の真矢秋穂を使い、彼を呼び出し殺害した。

雨宮の失踪《しっそう》事件を捜査していた石倉毅は、聞き込み調査などから、結城の犯行を突き止めるが、彼の父親が貿易会社の社長だと知り、考えを変えた。

結城から金を受け取り、口を閉ざした。

しかし、事件はそれでは終わらなかった。

他にも、彼の犯行内容を知った人間が二人いた。一人は、玉木和夫。彼は、口を閉ざす代わりに、結城にある要求を突きつける。

それは、恋人である真矢秋穂という女性と別れろというものだった。

そして、もう一人は雨宮の友人である、恩田匠という青年。彼は、石倉の捜査を不審に思い、独自に捜査を進め、結城の犯行内容を知ってしまった。

彼は、正義感のある真っ直ぐな人間だった。それが災いした。

匠は、結城に自首を促すが、結城はそれに応じず、玉木と石倉と共謀して匠を殺害することを計画し、話を聞いて欲しいと、匠を大学のホールに呼び出した。

匠は万が一のために、恋人である奈緒美に、彼らの犯行内容を記した手紙を持たせていた。

そこで、玉木と石倉が奈緒美から手紙を奪うことになった。

ただ、奪っただけでは、その手紙が重要なものだと知れてしまう。そこで、彼女をホールの奈落で暴行し、そのどさくさで紛失したという状況を作りあげた。

そして、意識を失っている奈緒美を、奈落の制御室に閉じ込め放置した。

その後、匠を殺害した。損傷の激しい遺体を電車の線路に放置し、回送電車に轢《ひ》かせ、自殺だということで処理した。

幾つか不自然な点があり、まともに調べれば、粗もあっただろう。

だが、石倉がそれを揉《も》み消した。

ここまでが、五年前に起きた事件——。

そのまま何も起きなければ、事件は時効を迎えていたのは間違いない。

自分勝手な悪党が、大手を振って街を出歩く、そんな世の中だ。

目的地に到着した新垣は車を降り、視線を上げた。

立ち並ぶ桜の樹が、満開の花を咲かせているのが見えた。その美しい光景に、一瞬目を奪われ足を止めた。

ゆるやかに流れる風も心地いい。

二週間前、アパートで首無し遺体が発見されたことで、事件は再び動き始める。

アパートの遺体は、五年前に殺害され、埋葬されていた雨宮礼司のものだった。

時を同じくして、ミュージカルのオーケストラとして、事件に関与したメンバーが集められた。

――偶然ではない。

これは、四日前に逮捕された米村純二の自供によって明らかになった。

融資詐欺を目論《もくろ》んだ米村は、まず演出家と指揮者に難癖をつけて降板させた。ただし、対外的には、降板の理由は、演出家は体調不良。指揮者は失踪ということになっていた。

そのことにより、ミュージカルの企画は頓挫《とんざ》し、会社は公演の中止を決定した。

米村はそのことを公にせず、柏井という偽名を使い、架空の演出家になりすまし、結城を新しい指揮者として招き、キャストやオーケストラに稽古《けいこ》の再開を連絡した。

そうやって、上演されないミュージカルの土台を作り上げ、融資詐欺の準備を進めた。

米村は、取り調べの際、今回の詐欺の発案者は、相葉陽一郎という男だと証言している――。

相葉を名乗った男は、言葉巧みに結城に近付き、ミュージカルに融資させただけでなく、闇金の借金まで背負わせ、彼を破産に追い込んだ。

そして、玉木の許に現れた野島啓祐と名乗る週刊誌のライター。

彼は、玉木に近付き、結城が留学先のドイツで、殺人を犯したと耳打ちし、彼の動向を探るよう依頼した。

恋人を奪われるかもしれないという疑心暗鬼に囚《とら》われた玉木は、野島の口車に乗った。

新垣は、相葉も野島も、全て一人の男によって演じられているということを知っていた。

彼は、言葉巧みに二人に近づき、その感情を操った。

そして、悲劇は起こった――。

「刑事課の新垣です」

新垣は、雨宮浅子の家の玄関に立ち、声を上げた。

しばらくして、穏やかな表情をした浅子が顔を出し、そのまま前に来た時と同じ、仏壇のある和室に通された。

仏壇の前に正座し、線香を供えて合掌する。

五年かかって、ようやく戻って来た雨宮礼司の遺骨が、骨壺《こつつぼ》に入ってそこに置かれていた。

「終わったのかい」

浅子が目を細めながら言った。

「ええ。終わりました」

新垣は、正座したまま浅子に向き直り微笑んだ。

「そうかい。ありがとうね」

そう呟《つぶや》くと、浅子の皺《しわ》だらけの頬を涙が流れ落ちた。

「礼を言われることなどなにも……」

新垣は、首を左右に振った。

本心からそう思っていた。自分のやったことなど、大したことではない。

「一つ訊《き》いていいかい」

浅子が、指先で涙を拭《ぬぐ》いながら言った。

「なんです？」

「あんたらは、なぜこんなことをしてるんだい？」

「なぜでしょうね」

新垣は、はぐらかすように言って席を立ち、浅子の家をあとにした。

秋穂という女性には、石倉と名乗る刑事がつきまとっていた。だが、あれは石倉ではない。

誰あろう新垣自身だった。

石倉を名乗り、執拗《しつよう》に秋穂にプレッシャーをかけ、全てを自供するように促し、本物の石倉に連絡させた。

電話を受けた本物の石倉は、事件が露見することを怖《おそ》れ、マンションのベランダから彼女を突き落として殺害した。

石倉の疑念が、秋穂に向くよう細工することも忘れなかった。

不動産会社に真矢秋穂の名前が書かれたオーダーシートを残し、石倉のデスクに犯人からの手紙を置き、写真の秋穂を指差し、この女が怪しいと口にする。

石倉は、彼女が今回の事件を仕組んだのだと錯覚を起こした。

浅子の家を出て、車に戻る途中、桜の樹を見上げている男の背中を見つけた。

「今回も、見事な仕掛けだったな」

新垣は、彼の隣に立った。

端整な横顔は、相変わらず何を考えているのか分からない。

前に石倉に話したことがあった。決して証拠を残さない殺し屋がいる。彼はそれを信じなかった。だから、ああなった。

なぜ証拠が残らないか、それは、自ら手を下さないからだ。

相手の心を翻弄《ほんろう》し、破滅へと導くコンダクター。

——それが彼だ。

「私は、何もしていない」

「そうだな」

「事件はどうなる？」

「予定通りだ」

新垣は、短く答えた。

今回、アパートに遺体を放置するという演出を加えた。

その罪は、石倉に被《かぶ》ってもらうことになる。彼が、昔の事件で、結城を強請《ゆす》ろうとして、圧力をかけたというシナリオになる。

新垣は、事前に石倉の財布を拝借し、彼の名義で、レンタカー店で幌《ほろ》付きの軽トラックをレンタルし、財布の中には、文具店でカッティングシートを買った領収書を入れ、事件当日に財布がデスクの上に置きっぱなしになっていたと返却した。

遺体を運び込んだ宅配便を追っていけば、やがて石倉に行き着くだろう。

彼らは、裏切り防止のために、お互いの犯罪の証拠を保有し続けていた。

結城が持っていたのは、匠の殺害計画を収録したICレコーダー。玉木が持っていたのは、匠の手紙。そして、石倉が持っていたのは、指紋と血痕《けっこん》付きのナイフ。

これらの物的証拠を回収できたことで、それぞれの思惑が交錯し、お互いを殺し合った事件として、思ったより早くカタが付きそうだ。

松崎、相葉、野島の存在に関しては、幾つかの点で問題視される怖れもあるが、それをうまくやりくりするのが、新垣の役目でもある。

「次は？」

男が、目を細めながら言った。

「両親を殺害して、自殺した男がいる。真犯人は、政治家の息子だ。だが、証拠はない。もう十年も前に解決している。で、その政治家の息子が、のうのうと選挙に立候補した」

新垣は、そう言って一枚の写真を彼に手渡した。

「分かった」

男は短く答えると、ポケットの中からダイヤの嵌《は》まった指輪を取りだし、それを差し出してきた。

「これは？」

「恩田匠の忘れ物だ」

新垣は、その指輪を受け取った。

「真矢秋穂が持っていたものか」

男が頷《うなず》いた。

恩田匠が殺された翌日、真矢秋穂は結城の様子がおかしいことを察し、ホールに足を運んだ。

すでに、犯行が終わったあとだったが、恩田匠の殺害現場であった倉庫で、血に塗《まみ》れたこの指輪を見つけた。

——奈緒美へ　愛している。

そう彫られた指輪を見て、それが誰の持ち物であったかを理解した。

自殺したはずの匠が、恋人にエンゲージリングを用意する。そんな不自然なことはない。

彼女は、この指輪を持ち帰り、そのまま隠蔽《いんぺい》した。

結城は、秋穂が何も知らないと思っていた。だが、実際は違った。全てを知っていた。

自らの幸せを守るために、彼女は真実を黙殺した。

彼らは、お互い真実を口にせず、ギリギリのバランスの中で生活していた。偽りの世界――。


それが本来あるべきかたちに戻っただけのこと。

男は、秋穂が転落死したあと、部屋に侵入してこの指輪を盗んだ。

彼が、発見される危険を冒してまで手に入れた指輪を新垣に渡したのは、証拠品として返却するためではないだろう。

「彼女に、返せばいいのか？」

男は黙って頷いた。

彼女――朽木奈緒美も、今回の計画の重要な駒だった。

事情聴取の中で、奈緒美は、一週間前に松崎の診療所を訪れたと言っていた。だが、実際はそれが初対面ではない。

彼女は、事件の一ヶ月ほど前に、すでに男に会っていた。

男は、彼女に催眠療法を用い、無意識のうちに封印していた過去の記憶を呼び起こさせた。

そのうえで、後催眠暗示により、自分と会ったことを忘れさせた。

奈緒美は、男と会ったことも、封印された過去を話したことも忘れてしまったが、呼び起こされた記憶の断片が、脳の表層に残り、悪夢を見るようになった。

鏡にメッセージを書いたのも、彼女のそうした精神状態が招いたものだ。

だが、彼女がそうなることも、男の計算の中だった。

そして、本人は二度目だと気付かぬまま、男の診療所を訪れることになった。

奈緒美は、男に導かれるままに、過去の記憶を取り戻そうと奔走した。その行動は、結城、玉木、秋穂に大きなプレッシャーをかけることになった。

だが、新垣には一つ気になっていることがあった。

——それは、男にとって、彼女は本当にただの駒だったのか？

男は、彼女に自分の過去を語って聞かせた。

「なあ。彼女のことはいいのか？」

新垣の問いかけに、彼は答えなかった。

表情から、その心の底を測ろうとしたが無駄だった。

彼は、無表情のままゆっくりと川沿いの道を歩き去っていった——。

＊　＊　＊

奈緒美は、音楽大学のホール前にあるカリヨンの前にいた。

中庭に植えられた桜の樹が、満開の花をつけている。

まるで、自らの存在を誇示するかのように——。

事件の後、眠っていた記憶の断片が、少しずつではあるが蘇《よみがえ》ってきていた。

匠と過ごした、大切な日々——。

その記憶の中に、この桜の樹の存在もあった。

奈緒美が、初めて匠に会った場所だ。

入学してすぐのことだった。奈緒美はこの桜の美しさに目を奪われ、この場所で、ただじっと見上げていた。

すると、どこからともなくチェロの調べが聞こえてきた。

この桜のように、柔らかくて温かい音色だった。

視線を向けると、中庭のベンチに座り、チェロを奏でている匠と目が合った。

——なんで、こんなところで弾いてるの？

——外で弾くのって気持ちいいだろ。

匠の笑顔に、すぐ心を奪われた。

事件のあと、失われていた思い出を少しでも呼び戻そうと、暇さえあれば、大学の構内を歩き回っている。

中庭の小道、校舎の廊下、食堂、ホール。あらゆるところに匠との想い出が溢れている。

だが、それが蘇る度に、奈緒美は胸が押し潰《つぶ》されそうなほどに辛《つら》くなる。

それが、楽しい想い出であるほどに哀しくなる。

彼は、もうこの世にいない。

決して変わらない現実。

それでも、私は思い出さなければいけない。私の記憶は、匠という人間が、存在したという証《あかし》なのだから——。

「いやぁ、お待たせしました」

新垣が、申し訳なさそうに頭をかきながら駆け寄ってきた。

「今来たところですから」

「すみません。お呼びたてしてしまって……」

「いえ」

奈緒美は、首を左右に振った。

今朝、新垣から電話があった。また、事情聴取かと思っていたが、返却したい物があるので、会えないかという申し出だった。

何を返却するのか訊《き》いてみたが〈お渡しすれば分かります〉と、はぐらかされてしまった。

「桜。きれいですね」

新垣が、今になって気付いたらしく、感嘆の声を上げた。

「本当に、きれい」

しばらく、新垣と桜の樹を見上げていた。

事件の事情聴取で、奈緒美は知っていることの全てを話した。

新垣からいろいろ話を聞かされたが、結局、奈緒美が松崎だったと思っていた人が、本当は誰なのか、分からないままだ。

——松崎とは、いったい何者だったのか？

奈緒美は、何度もその疑問の答えを探した。

だが、今はそれを考えるのを止めた。

——さようなら。

最後に診療所を訪れたとき、松崎はそう言った。

奈緒美の心が壊れそうになったとき、彼は優しく抱き留めてくれた。そのとき、覚えた安らぎは本物だった。

奈緒美にとって、彼は松崎という心理カウンセラーだった。それだけでいい。

彼が何者であろうと、匠と同じように、記憶の中に留《とど》めよう。そう思っている。

なぜなら、あの人は私の——。

「あ、そうだ。忘れちゃいけませんね」

新垣が、慌てたように言うと、ポケットの中から何かを取りだし、それを奈緒美の手に握らせた。

ゆっくりと手を開いてみる。

そこには、四角いダイヤの嵌《は》まった指輪が載っていた。

光を浴びて、キラキラと輝いている。

指輪の内側に、文字が刻まれていた。

――奈緒美へ　愛している。

「これは？」

「事件のあった日、匠さんは、これをあなたに渡そうと思っていたようです」

あの日は、皮肉にも奈緒美の誕生日だった。結城たちへの説得が終わったら、プロポーズしよう。そう思ってくれていたのだろう。

私は、本当に大切な人のことを忘れてしまっていた。

大切な想い出――。

カリヨンの鐘が、鳴った。

連続した音が、中庭に響きわたる。

それに呼応するかのように、春の風が吹き上げた。

桜の花びらが、はらはらと舞い落ちる。

私は、きっと彼らのことを忘れない。
奈緒美の頰を、ただ、涙がとめどなく溢《あふ》れてきた——。

了

あとがきにかえて

私がその女性と出会ったのは、今から八年ほど前のことだった——。

当時、オーケストラを舞台にした物語を書きたいと思っていた私は、ある楽団に取材を申し込んだ。

そこで彼女と出会った。ここでは、名前をNさんとしておく。

Nさんは、窓口として私の取材に対応してくれた。童顔で実年齢より幼く見える女性だった。人懐こい笑顔で、私の無理難題を快く引き受けてくれた。

結局、予定時間を大幅にオーバーし、楽団員が全員帰ったあとも、あちこちNさんを連れ回すことになってしまった。

取材が終わり、控え室でNさんにお礼を言い、そのまま帰るはずだった。

だが、思わぬ事態が起きた。既に帰宅していた楽団員の一人から、忘れ物をしたので、楽屋に取りに戻りたい。できれば、それまでカギを開けておいて欲しいという連絡が入った。

「私が待ってますから、どうぞお先に」

Nさんに言われたものの、一人で残るのも寂しかろうと、私は彼女に付き合って、控え室で楽団員を待つことにした。

だが、口ベタな私は、時間潰《つぶ》しの話し相手になることもできず、Nさんと無言のまま控え室で向かい合うことになった。

――何か話題はないか？

必死に頭をめぐらせた私は、Nさんのネックレスに目を留めた。銀色の細いチェーンに、ダイヤの嵌った指輪が付けられていた。おそらくは、婚約指輪だろう。楽器を傷付けないためにネックレスにしているのかもしれない。

「ご結婚されるんですね」

私の言葉に、Nさんの表情に影がさした。

大きな瞳《ひとみ》が、あてもなくゆらゆらと揺れたあと、大きく息を吸い込むのと同時に、真っ直ぐに私を見据えた。

わずかな時間の中で、Nさんにどういう心境の変化があったのか分からない。

だが、何かを覚悟したような表情だった。

「ある人からもらったんです。でも、その人は、もういません……」

――しまった。

思いはしたが後の祭り。

「す、すみません。変なこと訊《き》いて」

冷や汗を拭《ぬぐ》う私に、Nさんは微笑みを返してくれた。

「いいんです。私は、決めたんです。彼らのことを忘れないって……」

「彼ら？」

余計な質問だと自覚しながらも、私は沸き上がる好奇心を抑えられなかった。

しばらく迷っていた様子だったが、私がしつこく食い下がると、Nさんは呆《あき》れたという風に重い口を開いた。

それは長い話だった——。

Nさんが体験した悪夢のような七日間——だが、その先にNさんが見たのは、絶望ではなく、忘れていた大切な思い出だった。

気がつくと、私は泣いていた。

なぜ、涙が出たのか、自分でも分からない。だが、Nさんの語る物語は、そうさせるだけの力があった。

Nさんと別れたあと、私は元々計画していた物語のプロットを全て破棄した。

そして、Nさんから聞いた不思議な話を書こうと決めた。

作品が完成したあと、私は迷った末に、Nさんにできあがった本を贈った。その数日後にNさんから電話があった。

叱責《しっせき》されることを覚悟していたのだが、Nさんから出た言葉は、まったくの想定外のものだった。

「あの物語には、始まりがあるんです。そして、続きも……」

Nさんは、静かにそう言った。

私は、強い好奇心に突き動かされ、電話を強く握った。

私は、今また彼の物語を書いている。それは、彼の始まりの物語だ——。

平成二十二年　春

神永　学

〈参考文献〉

「図解雑学　警察のしくみ」北芝健・監修（ナツメ社）
「独仏伊英による音楽用語辞典　改訂版　速度　発想　奏法」遠藤三郎・編（シンコーミュージック）
「脳と記憶——その心理学と生理学」二木宏明・著（共立出版）
「解離性障害」西村良二・編著／樋口輝彦・監修（新興医学出版社）
「指揮のテクニック」クルト・レーデル・著／杁山直樹・編訳（音楽之友社）
「新装版　楽典　理論と実習」石桁真礼生／末吉保雄／丸田昭三／飯田隆／金光威和雄／飯沼信義・共著（音楽之友社）
「図解雑学　催眠」武藤安隆・著（ナツメ社）
「カウンセリング心理学入門」國分康孝・著（PHP新書）

本作を執筆するにあたり、お忙しいなか快く取材に協力してくださった、ヴァイオリニスト・三葛牧子様（Pure.）、ピアニスト・三葛朋子様（Pure.）に、この場を借りて心よりお礼申し上げます。

※本作はフィクションであり、実在の人物、団体等とは一切関係ありません。

本書は、二〇〇八年九月に小社より刊行された単行本を加筆・修正し、文庫化したものです。

コンダクター

神《かみ》永《なが》 学《まなぶ》

角川文庫 16295

平成二十二年六月二十五日　初版発行

発行者—井上伸一郎

発行所—株式会社角川書店
東京都千代田区富士見二—十三—三
電話・編集　(〇三)三二三八—八五五五
〒一〇二—八〇七八

発売元—株式会社角川グループパブリッシング
東京都千代田区富士見二—十三—三
電話・営業　(〇三)三二三八—八五二一
〒一〇二—八一七七
http://www.kadokawa.co.jp

印刷所—旭印刷　製本所—BBC

装幀者—杉浦康平

か 51-40　ISBN978-4-04-388708-8　C0193

角川文庫発刊に際して

角　川　源　義

第二次世界大戦の敗北は、軍事力の敗北であった以上に、私たちの若い文化力の敗退であった。私たちの文化が戦争に対して如何に無力であり、単なるあだ花に過ぎなかったかを、私たちは身を以て体験し痛感した。西洋近代文化の摂取にとって、明治以後八十年の歳月は決して短かすぎたとは言えない。にもかかわらず、近代文化の伝統を確立し、自由な批判と柔軟な良識に富む文化層として自らを形成することに私たちは失敗して来た。そしてこれは、各層への文化の普及滲透を任務とする出版人の責任でもあった。

一九四五年以来、私たちは再び振出しに戻り、第一歩から踏み出すことを余儀なくされた。これは大きな不幸ではあるが、反面、これまでの混沌・未熟・歪曲の中にあった我が国の文化に秩序と確たる基礎を齎らすためには絶好の機会でもある。角川書店は、このような祖国の文化的危機にあたり、微力をも顧みず再建の礎石たるべき抱負と決意とをもって出発したが、ここに創立以来の念願を果すべく角川文庫を発刊する。これまで刊行されたあらゆる全集叢書文庫類の長所と短所とを検討し、古今東西の不朽の典籍を、良心的編集のもとに、廉価に、そして書架にふさわしい美本として、多くのひとびとに提供しようとする。しかし私たちは徒らに百科全書的な知識のジレッタントを作ることを目的とせず、あくまで祖国の文化に秩序と再建への道を示し、この文庫を角川書店の栄ある事業として、今後永久に継続発展せしめ、学芸と教養との殿堂として大成せんことを期したい。多くの読書子の愛情ある忠言と支持とによって、この希望と抱負とを完遂せしめられんことを願う。

一九四九年五月三日

角川文庫ベストセラー

バッテリー　あさのあつこ

天才ピッチャーとして絶大な自信を持つ巧に、バッテリーを組もうと申し出る豪。大人も子どもも夢中にさせた、あの名作がついに文庫化！

バッテリーⅡ　あさのあつこ

中学生になり野球部に入った巧と豪。二人を待っていたのは、流れ作業のように部活をこなす先輩達だった。大人気シリーズ第二弾！

バッテリーⅢ　あさのあつこ

三年部員が引き起こした事件で活動停止になった野球部。部への不信感を拭うため、考えられた策とは……。大人気シリーズ第三弾！

バッテリーⅣ　あさのあつこ

「自分の限界の先を見てみたい——」強豪横手との練習試合で完敗し、巧の球を受けきれないのでは、という恐怖心を感じてしまった豪は……⁉

バッテリーⅤ　あさのあつこ

「何が欲しくて、ミットを構えてんだよ」宿敵横手との試合を控え、練習に励む新田東中。すれ違う巧と豪だったが、巧の心に変化が表れ——⁉

バッテリーⅥ　あさのあつこ

運命の試合が迫る中、巧と豪のバッテリーがたどり着いた結末は？　そして試合の行方とは——⁉　大ヒットシリーズ、ついに堂々の完結巻‼

空の中　有川　浩

二〇〇X年、謎の航空機事故が相次ぐ。調査のため高度二万メートルに飛んだ二人が出逢ったのは⁉　有川浩が放つ〈自衛隊三部作〉、第二弾！

角川文庫ベストセラー

塩の街

有川　浩

すべての本読みを熱狂させた有川浩のデビュー作!!「世界とか、救ってみたくない?」塩が埋め尽くす塩害の時代。その一言が男と少女に運命をもたらす。

きみが見つける物語
十代のための新名作　スクール編

角川文庫編集部＝編

読者と選んだ好評アンソロジー。スクール編にはあさのあつこ、恩田陸、加納朋子、北村薫、豊島ミホ、はやみねかおる、村上春樹の短編を収録。

きみが見つける物語
十代のための新名作　放課後編

角川文庫編集部＝編

読者と選んだ好評アンソロジーシリーズ。放課後編には、浅田次郎、石田衣良、橋本紡、星新一、宮部みゆきの短編小説を収録。

きみが見つける物語
十代のための新名作　休日編

角川文庫編集部＝編

読者と選んだ好評アンソロジーシリーズ。休日編には、角田光代、恒川光太郎、万城目学、森絵都、米澤穂信の短編小説を収録。

きみが見つける物語
十代のための新名作　友情編

角川文庫編集部＝編

読者と選んだ好評アンソロジーシリーズ。友情編には、坂木司、佐藤多佳子、重松清、朱川湊人、よしもとばななの短編小説を収録。

きみが見つける物語
十代のための新名作　恋愛編

角川文庫編集部＝編

読者と選んだ好評アンソロジーシリーズ。恋愛編には、有川浩、乙一、梨屋アリエ、東野圭吾、山田悠介の短編小説を収録。

きみが見つける物語
十代のための新名作　こわ～い話編

角川文庫編集部＝編

読者と選んだ好評アンソロジーシリーズ。こわ～い話編には、赤川次郎、江戸川乱歩、乙一、雀野日名子、高橋克彦、山田悠介の短編小説を収録。

角川文庫ベストセラー

鴨川ホルモー　万城目学
千年の都に、ホルモーなる謎の競技あり——奇想天外な設定と、リアルな青春像で読書界を仰天させたハイパー・エンタテインメント待望の文庫化。

千里眼 The Start　松岡圭祐
累計四百万部を超える超人気シリーズがまったく新しくなって登場。日本最強のヒロイン、臨床心理士岬美由紀の活躍をリアルに描く書き下ろし！

千里眼 ファントム・クォーター　松岡圭祐
拉致された岬美由紀が気付くとそこは幻影の地区と呼ばれる奇妙な街角だった。極秘に開発される見えない繊維を巡る争いを描く書き下ろし第2弾。

千里眼の水晶体　松岡圭祐
高温でなければ活性化しないはずの旧日本軍の生物化学兵器が気候温暖化により暴れ出した！　ワクチンは入手できるのか？　書き下ろし第3弾！

千里眼 ミッドタウンタワーの迷宮　松岡圭祐
東京ミッドタウンに秘められた罠に岬美由紀が挑む。国家の命運を賭けて挑むカードゲーム、迫真の心理戦、そして生涯最大のピンチの行方は?!

千里眼の教室　松岡圭祐
時限式爆発物を追う美由紀が辿り着いた高校独立国とは？　いじめや自殺、社会格差など日本の問題点を抉る異色の社会派エンターテインメント！

ロマンス小説の七日間　三浦しをん
海外ロマンス小説翻訳家のあかり。恋人に対するイライラを思わず翻訳中の小説にぶつけてしまって…！　注目作家が書き下ろす新感覚恋愛小説。

角川文庫ベストセラー

月魚　三浦しをん

古書店『無窮堂』の若き当主真志喜とその友人で同じ業界に身を置く瀬名垣。二人は密かな罪の意識を共有してきた。〈解説：あさのあつこ〉

白いへび眠る島　三浦しをん

十三年ぶりの大祭でにぎわう島に流れる噂。【あれ】が出たと…。二人の少年が体験する、夏の冒険譚。三浦しをんの新たなる世界！

DIVE!!上　森絵都

高さ10メートルから時速60キロでダイブして、技の正確さと美しさを競う飛込み競技。赤字経営のクラブ存続の条件はオリンピック出場だった！

DIVE!!下　森絵都

自分のオリンピック代表の内定が大人達の都合だと知った要一は、辞退して実力で枠を勝ち取ると宣言し……。第52回小学館児童出版文化賞受賞。

闇が落ちる前に、もう一度　山本弘

物理学者が宇宙の真の姿について独創的な理論を構築したところ、宇宙はわずか八日前に誕生したことになって……SFホラー傑作集&山本弘入門。

8.1 Horror Land　山田悠介

驚愕のホラーコレクション！　ここでしか読めない書下ろし短編「骨壺」も収録した奇妙な遊園地へようこそ！　キミは「ホラー」で遊んでいく？

8.1 Game Land　山田悠介

興奮のゲームコレクション！　ここでしか読めない書下ろし短編「人間狩り」も収録した奇妙な遊園地へようこそ！　キミは「ゲーム」で遊んでいく？